Nanow 2012

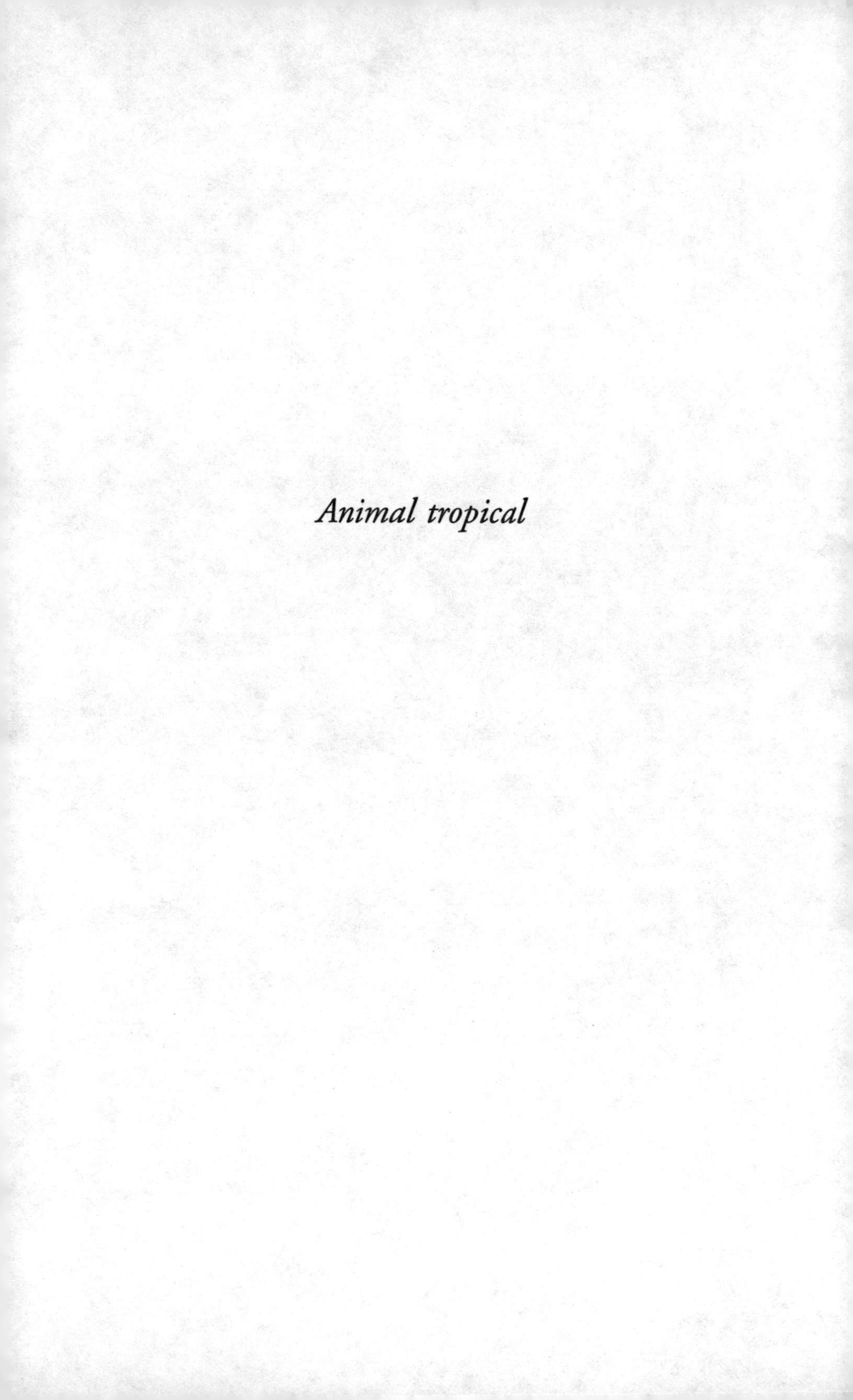

Animal tropical

Pedro Juan Gutiérrez

Animal tropical

ROMAN

Traduit de l'espagnol (Cuba)
par Bernard Cohen

Albin Michel

« Les Grandes Traductions »

Titre original :

ANIMAL TROPICAL

© Pedro Juan Gutiérrez 2000

Traduction française :

© Éditions Albin Michel S.A., 2002
22, rue Huyghens, 75014 Paris

www.albin-michel.fr

ISBN 2-226-13548-0
ISSN 0755-1762

« J'aime les filles à la fois douces et fines, pleines de force et de péchés.

– Le genre qui t'envoie direct en enfer, releva Randall, impassible.

– Bien sûr. Pourquoi, j'ai déjà été ailleurs ? »

Philip Marlowe dans *Adieu ma jolie* de Raymond CHANDLER

« Nous, les moines de cette époque, sommes les seuls à connaître la vérité. Mais dire la vérité signifie parfois terminer sur le bûcher. »

Le Nom de la rose, Umberto ECO

I

Le serpent de feu

1

Une université suédoise voulait m'inviter à l'un des séminaires de littérature qu'ils organisent chaque printemps. Je me moque des séminaires, et plus encore quand ils traitent de littérature, mais c'était une occasion de découvrir la Suède tous frais payés. Pour une raison que j'ai préféré oublier – je crois que ceux qui devaient donner leur accord à mon voyage éprouvaient une grande antipathie envers la social-démocratie suédoise –, je n'ai pas été en mesure de profiter de cette balade scandinave. J'ai alors commencé à échanger des lettres et des appels téléphoniques avec Agneta, la responsable de ces programmes, contacts de plus en plus chaleureux. Nous avons passé un an à ce petit jeu. Je lui ai envoyé certains de mes poèmes, elle a acheté la *Trilogie sale de La Havane* par correspondance – ils lui ont envoyé le livre de Barcelone – et quand elle s'est plongée dedans elle s'est mise à me téléphoner tous les jours. Très troublée. Elle bredouillait dans le combiné et notre relation a pris un tour nettement plus intime.

Grâce à un enchaînement de circonstances très favorable, j'ai passé le Noël de l'année 1998 dans les Alpes. Avec une amie photographe, dans un chalet en bois perdu en montagne... Un cadre inventé pour une idylle de roman à l'eau de rose, pourrait-on croire, mais ça s'est passé ainsi, réellement. Par un après-midi grisâtre et venteux, alors que je buvais du whisky pendant qu'elle me prenait en photo, l'alcool m'est monté à la tête et j'ai commencé à me déshabiller. C'est toujours pareil : quand je suis nu et qu'on me regarde, je bande. Surtout s'il y a un appareil-photo. C'est normal. Elle a pris de très bons clichés : moi dans la neige, totalement à poil, la verge tendue. Mon amie les a tirés en sépia et j'avais l'air si bien, si jeune, avec un ego en pleine érection, que je n'ai pas résisté à en envoyer un à Agneta. En guise de cadeau de Noël.

Je suis un séducteur. Je le sais. Il y a les alcooliques invétérés, les malades du jeu, les esclaves de la caféine, de la nicotine ou du cannabis, les kleptomanes, etc. Moi, je suis un accro de la séduction. Quelquefois, le petit ange tout gentil qui vit en moi essaie de s'interposer : « Ne sois pas un tel fils de pute, Pedrito, me dit-il. Tu ne vois pas que tu les fais souffrir, toutes ces femmes ? » Mais à ce moment le petit diable se réveille pour le contredire : « Continue, mec ! Même si ce n'est que pour un temps, elles sont heureuses et toi aussi, tu l'es. Pas de culpabilité ! » C'est un vice, je ne le conteste pas. Et personne n'a créé les « Séducteurs anonymes » : si ça existait, ils pourraient quelque chose pour moi, qui sait ? Encore que je ne pense pas, non. Je trouverais certainement le moindre prétexte pour ne pas aller aux réunions, prendre un air contrit devant tout le monde et déclarer, la main droite posée sur la Bible : « Je m'appelle Pedro Juan. Je suis un séducteur et aujourd'hui cela fait vingt-sept jours que je n'ai séduit personne. »

En mars, j'étais déjà de retour à La Havane. Paisible. A peindre. Je menais des expériences avec des matériaux recyclables, c'est-à-dire les ordures qui traînent dans la rue. La matière première ne manquait pas, donc. Le soir, je buvais mon rhum, je me fumais mes cigares et je séduisais une Noire ou une métisse. Je les adore, celles-là. Bon, je ne vais pas écrire ici que les Noirs forment une race supérieure, parce que ce serait du fascisme à l'envers, mais je suis persuadé qu'il faudrait plus se mélanger. Chercher le métissage, le provoquer, fabriquer plus de mulâtresses et de mulâtres. C'est ce qui nous sauvera, et c'est pour ça que j'aime les Noires... Enfin, pas seulement pour ça, vu qu'on pense à zéro salut, quand on est en train de tirer son coup. Mais j'ai une paire de filles métisses adorables qui peuvent confirmer cette idée.

Enfin, on était en mars et Agneta s'activait à Stockholm pour m'organiser une nouvelle invitation en Suède. Elle est l'efficacité personnifiée, Agneta, mais je la sentais un peu bizarre : entre les poèmes, les nouvelles de la *Trilogie* et mon nu photographique en pleine neige alpine, ses rythmes biologiques devaient avoir été chamboulés. Elle me téléphonait presque tous les jours pour me sortir des choses du genre : « Cette nuit, je n'ai pas pu fermer l'œil. Tu me troubles. Tout ce que tu écris, c'est vrai ?

– Oui, je lui répondais. Je n'ai pas beaucoup d'imagination, vois-tu.

– Aaaah ! Tu viens cette année, hein, Pedro Juan ? Tout est presque prêt. C'est sûr que tu viens ? »

2

Elle m'appelait toujours à huit heures du matin à La Havane, soit deux heures de l'après-midi à Stockholm. Réglée comme du papier à musique. Un jour de mars, le téléphone a sonné quand j'étais déjà réveillé mais toujours au lit. Calé sur trois oreillers, je lisais *L'Immortalité* de Kundera et Agneta m'a interrompu à la page 69, dans un passage sur la répression, la violence étatique et l'orgueil des puissants : « Goethe ! Napoléon se frappa le front. L'auteur des *Souffrances du jeune Werther* ! En pleine campagne d'Egypte, il avait surpris ses officiers dans ce livre, et comme il le connaissait il était entré dans une colère terrible, leur reprochant de perdre leur temps avec de telles mièvreries et leur interdisant formellement de lire des romans. N'importe lequel ! Qu'ils se plongent dans des ouvrages historiques, bien plus utiles ! »

Moi, je lisais un roman tranquillement philosophique, profitant des rares moments de calme que me laissait cette ville au rythme vertigineux, chaotique, cette cité trépidante où rien ne peut rester intact très longtemps. Aux questions d'Agneta, une réponse évidente s'est imposée à moi : « Quand on vit dans un endroit comme ici, on ne peut pas écrire lentement. Ici, tout te file entre les doigts. Tout s'en va et il faut sortir en chercher plus. Et comme ça tous les jours. » Elle est restée silencieuse.

Ça nous plaît, ces silences. C'est un luxe que les gens ne se permettent que s'ils sont ensemble, l'un près de l'autre. Un appel international, par contre, il faut le payer et personne ne va claquer son argent pour se taire. Mais nous, si. Comme Agneta téléphone de son bureau à l'université, c'est un jeu à la fois sensuel et gratuit. Elle là-bas, moi ici. Réunis par le silence. Qu'elle finit par rompre pour poser l'inévitable question : « Tu vas venir au printemps, n'est-ce pas ? »

3

Nous n'avons pas beaucoup parlé, cinq ou six minutes peut-être, et quand je suis revenu à mon livre je me suis mis à penser au problème du tempo. On écrit comme on vit, c'est forcé, alors un rythme lent, sans hâte, est idéal pour rendre la perception qu'un auteur européen a du monde. Il évolue dans une culture sédimentée, exténuée. Il vit « au bout » de quelque chose, disons d'une phase historique, d'une période. C'est le regard de quelqu'un qui est arrivé à la fin de la route et s'assoit sur le bas-côté pour se remémorer posément le long, l'incertain trajet.

Au contraire, j'appartiens à une société en pleine effervescence et convulsion, à l'avenir absolument imprévisible. Ici, il y a encore à peine cinq siècles, des hommes vivaient dans des cavernes, sans un vêtement sur eux, chassaient et pêchaient mais maîtrisaient à peine le feu. Comme si cela ne suffisait pas, moi, j'habite un quartier noir de La Havane. Des gens qui étaient esclaves il y a cent ans et quelque. Et ils ne sont pas allés loin, pas assez loin depuis qu'ils n'ont plus les chaînes aux pieds.

Résultat : ma vie est un perpétuel exercice entre le néant et le vide, qui prend parfois des tours brutalement vertigineux, et donc il m'est impossible de distinguer artificiellement ce que je fais et ce que je pense de ce que j'écris. Si j'habitais Stockholm, peut-être que ma vie serait lente, monotone et grise : le contexte, c'est fondamental. Mais à Stockholm, La Havane ou n'importe où, je peux au moins me construire mon propre espace. Sans attendre que quiconque me donne la liberté. C'est l'affaire de chacun, d'édifier sa liberté. Comment ? Ah, c'est à chacun de le découvrir, aussi. Ma liberté, je la construis en écrivant, en peignant, en développant ma simplissime vision du monde, en surveillant la jungle comme un animal en danger, en protégeant ma vie privée des envahisseurs. La liberté est essentielle, pour le genre humain. A l'intérieur de soi et en dehors. Oser rester soi-même en tout temps, en tout lieu. Et la liberté, c'est comme le bonheur : on n'y parvient jamais, jamais complètement. L'important est le chemin qui va vers la liberté et le bonheur. C'est la seule chose à laquelle nous puissions aspirer.

Il y a encore quelques années, pendant une longue période, mon existence a dépendu de systèmes, de concepts, de préjugés, d'idées toutes faites, de décisions qui n'étaient pas les miennes. J'étais trop dans l'autorité, la verticalité. On ne peut pas mûrir, dans ces conditions : je vivais en prison, comme un bébé que l'on isole et choie de sorte qu'il ne developpe jamais ses muscles ni son cerveau. Et puis tout s'est écroulé devant moi, en moi. Avec un bruit terrible. J'étais au bord du suicide, ou de la folie. Il fallait que je change quelque chose à l'intérieur de moi, si je ne voulais pas terminer à l'asile ou au cimetière. Or je voulais vivre, moi. Tout simplement exister. Sans suffoquer, peut-être avec un jour de bonheur par-ci par-là. Et le moins d'angoisse possible, car c'est indispensable, ça : réduire l'angoisse. La clé est peut-être d'adopter un autre point de vue, finalement : arrêter de fuir sans cesse, être entièrement présent là où on est.

J'ai posé *L'Immortalité*, j'ai descendu les escaliers et je me suis assis un moment sur le Malecón, face à la mer. C'était un samedi, vers huit heures et demie du matin. Silence et calme. On n'entendait que la radio portable d'un policier un peu plus loin : « Vingt-quatre zéro vingt-quatre ? Vingt-quatre zéro vingt-quatre. Vingt-quatre zéro vingt-quatre. Craaaacc, tchiiii... Allô, Vingt-quatre zéro vingt-quatre ? Craaaaac.... »

Je suis rentré chez moi. J'avais un désir de café et c'était mieux que de rester là, à contempler la mer. En quelques pas, j'étais à l'entrée de mon vieil immeuble, devant laquelle les deux retardés mentaux étaient en train de se dire au revoir. C'est un couple de mongoliens légers, à moitié *crazy* sans que personne ne sache vraiment ce qui cloche chez eux. Enfin, il leur manque une case et c'est un bon prétexte pour chier dans le couloir et tourmenter tout le voisinage avec leurs cris d'idiots. Je suis arrivé dans le hall. Ce bâtiment a été construit en 1927 avec escaliers de marbre blanc, vastes appartements, ascenseur en bronze, façade bostonienne, portes et fenêtres en acajou... Impeccable, luxueux. Une ruine, désormais. Les escaliers et l'ascenseur empestent l'urine et la merde. Les excréments jaillissent sans arrêt d'un trou en plein milieu du trottoir devant l'entrée. Les voisins fument de l'herbe et copulent longuement dans l'obscurité des paliers. Les appartements, qui ont été divisés et redivisés, abritent quinze personnes quand il y en avait trois jadis. La réserve d'eau est toujours à sec, personne ne comprend pourquoi et tout le monde est forcé de remonter des seaux dans les étages. Mais c'est pareil dans tout le quartier : saleté, puanteur, négligence, débâcle.

Moi, j'essaie de m'échapper de cette apocalypse, en tout cas sur le plan spirituel. Mon matériau, lui, reste ancré aux décombres.

La débile mentale est entrée avec moi dans l'ascenseur. J'ai appuyé sur le bouton du septième en la regardant. Il faisait sombre, très. Comme toujours. Ils volent les ampoules, ici. Encore une chance qu'il marche, de temps en temps. On était dans un four mais on arrivait quand même à se voir, la dingue et moi. J'étais de mauvais poil et il m'a pris de lui dire, un peu pour la charrier :
« Tu as l'air toute contente, Elenita. »

Elle a été sur moi dans la seconde. Elle m'a pris par le bras et elle a collé ses gros seins bien fermes contre moi, en produisant des bruits bizarres, quelque chose comme « Ougkhn, ougkhn »... Mais des nibars superbes, avec de beaux tétons tendus à fond. Je les ai attrapés dans la main droite et je les ai massés pendant que la gauche partait vers son con. Pas de culotte, rien qu'un peignoir élimé. Super. Elle doit avoir dans les vingt-cinq ans, Elenita. Issue d'un mélange étonnant de métis, de Blancs, de Chinois et de Noirs, avec une touche de Jamaïcains et de Haïtiens, sans doute. Le résultat aurait pu être très bien, sans cette défaillance cérébrale qui la rend presque mongolienne. Quelque chose a foiré dans le cocktail. Elle ne parle presque pas. Elle grogne, plutôt. Et elle ne doit pas beaucoup penser, non plus. Obsessions sexuelles, peut-être. Allez savoir. En tout cas, son con était une merveille sous ma main. Une forêt de poils. Pas pudique mais très publique, apparemment. J'ai glissé l'index dans la fente trempée, je l'ai remué un peu et je lui ai pincé le clito entre mes doigts mouillés. Elle a gémi. J'ai reniflé ma main. Délicieuse odeur, à la fois douce et corsée, pas sale du tout. Qui appelait la langue. J'ai remis un doigt, elle a gémi encore en m'attrapant la queue dans mon pantalon. Très agitée, Elenita, et moi bandant comme un âne pendant qu'elle me tripotait en poussant ses petits couinements de porc. Mais le temps manquait : l'ascenseur s'est arrêté en tremblant et la grille s'est ouverte dans un fracas du diable. Je suis sorti au septième sans prendre congé et elle est redescendue au troisième, là où elle habite. Encore un escalier jusqu'aux combles pour moi. Je me suis vaguement dit que la débile pouvait avoir la syphilis, ou le sida, ou la tuberculose... Aïe, maman, pourquoi je suis comme ça, moi ? Je voulais me laver les mains mais il aurait fallu repartir en bas chercher de l'eau au coin de la rue... Au moins je ne l'avais pas embrassée.

J'ai renoncé au café. Trop crevé. Je suis tombé sur mon lit. Bientôt, j'étais dans un immense atelier où des gens soudaient des plaques d'acier, avec les étincelles et les éclairs du poste qui perçaient la pénombre. L'un de mes premiers emplois, quand j'avais dix-sept ans : manœuvre dans un chantier de réparation navale. Les trois-huit, de minuit à huit heures du matin. J'y suis resté moins d'un an mais il a compté pour vingt, celui-là. Je ne veux pas m'en souvenir : j'étais un putain d'esclave. Cette saleté de chantier, les énormes bateaux, le grésillement de la soudure reviennent toujours hanter mes pires rêves. Dans un coin, il y avait une guenon avec plein de petits accrochés à ses mamelles. Son mâle la cherchait mais elle le repoussait sans cesse, occupée à fabriquer du lait pour ses moutards. J'ai caressé le singe, qui se laissait faire. Je lui ai pris le sexe. Il bandait. Je l'ai masturbé un peu. Il restait contre moi, tranquille, goûtant la branlette. Et puis il a joui en lâchant beaucoup de sperme. J'avais la main trempée. On est restés comme ça un moment, à nous sentir. Et voilà. Je ne me rappelle pas ce qui s'est passé après. Il faut croire que j'ai dormi encore un peu. Et je me suis réveillé.

4

Trois jours plus tard, Agneta m'a téléphoné. Elle m'a envoyé les lettres d'invitation. Pour que je puisse sortir du pays, il faut qu'une institution quelconque m'invite et prenne tous les frais en charge, permis de sortie, visas, assurance médicale, garants individuels qui s'engagent à ce que je ne reste pas là-bas comme immigré clandestin. Tout est très contrôlé.

Avec son sens de l'efficacité habituel, Agneta m'explique ces démarches avant de se détendre et de parler un peu d'elle. Le week-end d'avant, elle a fait du cheval avec une amie. Je lui dis qu'il faut qu'elle pratique encore plus. Elle travaille trop. La veille, j'ai reçu une lettre qu'elle m'avait envoyée des semaines plus tôt. Avec un article découpé dans le journal du 28 janvier : « *Sverige har blivit kallt.* » A Karesuando, le thermomètre est descendu à moins 49, à Stockholm il faisait moins 14, la couche de neige va de 51 à 94 centimètres selon la région... Heureusement que je ne suis pas là-bas. On passe au temps qu'il fait ici : grand soleil, mer bleue et calme, 24. J'évite les sujets désagréables. Mieux vaut parler de chevaux, de promenades en vélo, de mon *English training*, de peinture. Très vite, elle reste silencieuse. Pas grand-chose à raconter, peut-être.

« Et le livre, tu l'as fini ?

– Oh non ! Je ne peux lire que le samedi et le dimanche.

– Pourquoi ?

– Quand je te lis, je n'arrive plus à dormir. Ah, j'ai beaucoup de questions à te poser, Pedro Juan. Beaucoup. En semaine, je ne pourrais plus travailler, si je le lisais... Il me trouble trop, ton livre.

– Ah, ah. »

Ensuite, je peins un moment. Ce sont des jours de tranquillité et de silence, j'en profite pour me concentrer. Solitude. Qui sait si l'écriture ou la peinture ne servent pas seulement à créer un espace de liberté autour de soi mais aussi à avoir de la compagnie ? Non pas pour rompre la solitude. Ce n'est pas la question. Elle, elle est toujours là. Je la sens, je la touche, je lui parle. Elle fait partie de ma vie, elle est inévitable et elle m'aide. Je suis plus moi-même quand nous coexistons bien peinards, ma solitude et moi. On s'adore, tous les deux. Je ne pourrais pas vivre sans elle.

En ce moment, je peins avec des gris, des noirs, des ocres, des sépias. Pas de rouge, c'est exclu. Et encore moins de bleu, ni de vert, ni de jaune. Je suis assez furieux, en peignant. C'est toujours pareil : la peinture fait sortir ma colère et elle se mélange à la peinture. Elles sont ennemies toutes les deux, ou alors inséparables. Elles s'aiment ou elles se détestent. Je ne sais pas. C'est une relation très confuse, que j'ai renoncé à comprendre.

En milieu de matinée, le vent se lève et d'un coup les nuages arrivent, la mer se cabre. En une demi-heure tout a changé. Les vagues se brisent sur le Malecón, aspergeant la ville d'embruns salés. Je ferme les fenêtres. Ici, sous les toits, ça souffle sec. Il faut fixer les battants de l'intérieur. La pluie et le vent se déchaînent et bientôt l'eau envahit ma pièce, s'étale jusqu'au coin où je suis en train de peindre. En hâte, je ramasse mes toiles et je les pose sur le lit. Et je laisse la pluie rentrer par les interstices. Il sera temps de sécher quand la tourmente se calmera. Le vent vient du nord, la porte de ma terrasse donne à l'est. Je me place devant et voilà la tempête sur la mer et sur la ville. On ne voit presque plus le phare du Morro, tout est gris et je sens le froid venir. Un bateau rouge sort du port, un petit cargo qui emporte seize containers, pas plus. Sortie dramatique, lente, en lutte contre la bise et les vagues. Ses machines peinent et peinent mais il continue à se battre contre la furie des Caraïbes. Le commandant veut faire bonne figure devant son équipage, prouver que son navire est modeste mais courageux, et résistant. Il aurait pu attendre que la bourrasque soit passée, seulement un vrai marin ne se conduit pas ainsi, et donc le cargo rouge s'en va dans les rafales de pluie grise et glacée, saute les vagues qui viennent exploser sur le pont. C'est un beau spectacle, ce petit type couillu qui bande tous ses muscles pour sortir du port en pleine tempête, et elle enrage, elle cherche à le renverser mais il s'entête, il s'arc-boute sur ses cannes.

J'écoute les bracelets de Gloria tinter dans la cage d'escalier. Elle est en train d'éponger le sol en se plaignant. Ses cris se mêlent à la voix d'un chanteur. Roberto Carlos, José José, je ne sais pas trop. Un chanteur qui gueule à tue-tête. Il y a toujours un chanteur à gueuler chez elle. Problèmes d'amour, tristes expériences... La pluie a dû rentrer par ses fenêtres, à elle aussi. Sa piaule est inondée et ses bracelets sonnent comme des clochettes. En argent du Mexique, peut-être. J'aime leur bruit. A chaque fois qu'elle fait la vaisselle, ou qu'elle balaie, ils sonnent et sonnent. Je vis sous ces combles, avec des voisins que j'évite, qui ne s'intéressent pas à moi non plus. L'équivalent du huitième. Gloria habite au septième, elle. Avec sa mère, son fils, une radio et un lecteur de cassettes qui ne s'arrêtent jamais. Et des milliers de visiteurs, des proches qui arrivent, qui s'en vont, cousins, neveux, filleuls, oncles et tantes, beaux-frères et belles-sœurs, gendres et brus, voisins d'une telle, demi-sœurs d'un tel, fiancées de neveux, familles alliées au complet... La coupe sans fond. Ils arrivent de tout Cuba. Ils montent à la capitale voir un médecin, mener une affaire, vendre quelque chose, cavaler le touriste. Ils se font quelques dollars, les dépensent, restent encore quelques nuits et disparaissent, remplacés par des nouveaux. C'est la maison du chaos, avec de la musique toujours, boleros, salsa, rancheras, que je t'aimais si fort mais tu m'as abandonné, que je t'ai cherchée mais tu m'as tourné le dos, et pourquoi tu me tortures de la sorte, mi amorrrrrrr ? Pourquoi, pourquoi, pourquoi ? Musique, sans cesse, Feliciano, Gloria Stefan, Luis Miguel, Mark Anthony, Ricky Martin, Ana Gabriel, La India, Rocío Dúrcal, Juan Luis Guerra... Et du rhum. Mais pas d'argent, non. Il va et il vient, lui aussi, et il disparaît en une seconde. Cigarettes. Tabac, boleros et rhum. Et ces gens qui entrent, sortent, mangent, chient, bouchent la cuvette, utilisent en une demi-heure le peu d'eau qui coulera des robinets le matin. Famille. Beaucoup de famille, Blancs, métis, Noirs, pécores, Chinois, Indiens...

On dirait qu'elle ne s'arrêtera jamais, cette pluie. Elle continue à entrer de partout. Moi, j'aime regarder ces trombes d'eau s'abattre sur la mer et sur la ville. Gloria continue à balayer comme une folle, ses bracelets à tinter. Brusquement, je me penche au-dessus du muret et je l'appelle : « Gloria, hé, Gloria ! » Elle ne m'entend pas, elle crie trop. La pluie est glacée, je suis tout de suite trempé. Finalement, elle m'entend, elle passe la tête par sa fenêtre en regardant vers le haut et il suffit que nos yeux se croisent pour que nous nous comprenions. Elle sourit et me fait signe que oui. Dégoulinant, je vais ouvrir la porte des combles. C'est que nous avons notre indépendance, ici. Gloria est montée. Elle a vingt-neuf ans, moi cinquante. C'est une métisse très mince, dorée, à peine plus petite que moi, avec des cheveux noirs et durs comme du fil de fer. Un corps parfait, sans un pouce de graisse, presque pas de seins. Une fille toute en muscles et en nerfs, souriante, gentille, maligne comme tout, des dents plus que blanches et une démarche à la fois mesurée et provocante, le petit cul bien cambré. Une délurée de La Havane-Centre comme il y en a toujours eu. Elle aurait été pareille si elle avait vécu il y a deux siècles. Peut-être qu'elle se serait appelée Cecilia Valdés, avec le même sens de la débrouille, la même morale faite à sa mesure. Elle me plaît beaucoup, Gloria. Surtout sa façon d'être libre. Si les conventions sociales et les simagrées la gênent dans sa vie, elle les met de côté, et voilà. Calmement. Elle repousse les obstacles et continue son chemin. A son rythme, à sa guise.

On a commencé à fricoter ensemble il y a trois ans mais maintenant c'est la folie, vraiment. Et pas seulement le sexe.

Chaque jour on s'apprécie plus, on se connaît mieux. Je veux écrire un roman dont elle serait l'héroïne. *Un cœur gros comme ça*, ce sera peut-être le titre. Par chance, elle me raconte tout. Elle n'a aucune gêne, avec moi.

« Tu es zinzin, Pedro Juan.

– Moi ? Qui c'est qui parle de folie !

– J'ai ma maison inondée, papito. Il pleut plus dedans que dehors !

– Et ta mère ? Elle est infirme ou quoi ?

– Aaah...

– Pas de "aaah", non. Qu'elle se bouge ! Elle prend la scopette et elle te ressort cette flotte dehors !

– Allez, papito, allez. Ça va, laisse tomber. »

On est déjà sur le lit, tout nus. Un petit soixante-neuf pour s'échauffer. Elle a le con qui sent toujours fort, rien de subtil, c'est une métisse qui a l'odeur d'une Noire. Magnifique. Je ne peux pas relever la tête. On travaille de la langue comme deux diables. Sa chair est dense, ferme. Elle a été gymnaste et elle a dansé au Palermo pendant des années. Une folie. Quand je la pénètre, elle se lâche complètement, elle dit tout ce qui lui passe par la tête et je ne sais jamais si c'est vrai ou faux. Elle sait que j'aime ses histoires, ses histoires de cul. Elle attrape ses deux pieds et elle commence : « Mets-la moi à fond, salaud, bourre-moi, comme ça, oui, qu'est-ce que ça fait mal ! Pourquoi tu l'as si grosse, aïe, je l'ai jusqu'au nombril ! Oh tu me tues, tu es mon homme, papi, tu me rends folle ! Tous les jours plus grosse, plus longue ! Allez, plus fort, pédé, fils de pute, plus fort ! Engrosse-moi ! Oh con, oh con, qu'est-ce que j'ai mal ! » Je la mets jusqu'au fond et j'aime ça. On baise comme deux sauvages, comme un étalon et une jument. Je lui crache dans la bouche, elle se déchaîne encore plus : « Oui, enculé, bourre-moi, bats-moi, je veux être ton esclave, démolis-moi, ton esclave à toi, salaud ! T'es un fou complet, oh c'est bon, plus plus ! A fond, papi, à fond, prends-moi, engrosse-moi ! »

Je ne veux pas finir encore, je la sors et je souffle un peu mais elle la reprend en elle. Elle jouit à nouveau. Combien d'orgasmes, déjà ? Elle n'en sait rien elle-même. Un après l'autre. Une fois qu'elle est partie, plus rien ne l'arrête. Moi, j'essaie de me contrôler, je ressors, je reviens... Une heure passe, une heure et demie ? Je ne peux plus me retenir, je lui demande : « Tu veux mon jus, doudou ? Ah, j'arrive plus... Tiens, prends ça, prends ! » Et elle, les jambes encore plus haut : « Oui, donne-la-moi, plus loin, fou que tu es, plus loin, à fond... » Et j'y vais, plus loin, et je lâche un jet, un autre, un autre... Aaah, liquidé ! Je me retire et je tombe sur le dos à côté d'elle. Comme toujours, elle se la met dans la bouche pour sucer les dernières gouttes de sperme. C'est une jouisseuse, une dépravée. Ce qu'il y a de mieux au monde. La perverse totale. Fabuleuse. Elle m'envoie au ciel, je rebondis contre les nuages et je redescends en piqué, je lâche ma purée et je suis KO. Je n'entends même pas l'arbitre compter. Rien. Il me faut du temps pour revenir à moi mais ensuite je me sens le plus mâle de tous les animaux du monde, comme un taureau qui vient de couvrir une vache. Des fois, je suis un peu tracassé par cette question : pourquoi on se comporte en bêtes sauvages quand on baise ? Comme si on quittait la civilisation. J'en ai parlé à un ami, un type très cultivé, et il m'a dit : « Evidemment qu'on devient des bêtes ! Tu ne voudrais pas te sentir comme un pommier, ou comme une pierre, si ? On est des animaux, point final. Ce qu'il y a, c'est que ce n'est pas bien vu de s'en souvenir mais on est des animaux, simplement. Des mammifères, pour être plus précis. »

Quand on a du rhum, on boit un verre et je sors de mon K.-O. technique en quelques minutes. Mais en général il n'y a rien d'autre qu'elle et moi, deux zinzins qui s'aiment. Tout a commencé il y a trois ans, avec la baise. On ne voulait rien de plus, jouir ensemble, et puis la tendresse est venue peu à peu. Des fois, elle monte chez moi et on passe toute la nuit côte à côte. C'est bon, de dormir avec une femme, d'avoir des rêves ou des cauchemars, de se réveiller près d'elle, de sentir sa chaleur, sa nudité, de la caresser... Parfois je peux rester une heure ou plus avec une érection terrible mais sans la tringler, seulement la caresser. Quand elle est dans sa veine gitane, elle me tire les cartes et elle me dit un peu mon avenir. Elle voit bien, en général. Ou bien elle m'apporte une assiette de son manger. Elle fait très mal la cuisine. Insipide. C'est incroyable mais vrai : pour la baise, elle est unique mais c'est la pire cuisinière que des yeux humains aient jamais vue, comme dirait Cristóbal.

Enfin, ce que je voulais expliquer, c'est qu'on s'est rapprochés l'un de l'autre sans en avoir conscience. La solitude est une chose terrible. Il y en a qui en viennent à aimer un chien ou un chat, des bêtes stupides, alors comment je résisterais à une femme aussi chaude et dévergondée ? C'est ce qu'elle a de meilleur, cette absence totale de décence, de normes. La pute absolue. Si j'écris un jour sa biographie, je ne sais pas comment je pourrai m'y prendre parce que tout le monde le verra comme un bouquin de cul. Personne ne croira qu'il s'agit d'un roman vrai à propos d'une femme douce qui s'enroule autour de mon cou et me séduit avec sa pomme, et qui m'hypnotise jusqu'à ce que les chérubins surgissent au-dessus de nos têtes, l'épée flamboyante, et nous jettent du Paradis.

5

Après avoir retrouvé mes esprits, je vais à la porte de la terrasse. C'est du crachin, maintenant, avec de brefs coups de vent. Le cargo rouge a disparu. Il s'est bien battu et il a continué sa route. Le ciel est toujours plombé, presque noir. C'est bien. Ça me change de tout ce soleil. En bas, dans la rue, un ballet de sirènes, de pompiers, de flics. Ils ont coupé la circulation avec des barrières.

« Gloria ? Il se passe un gros truc, en bas.

– Comment ça ?

– Ils ont fermé la rue et les pompiers sont là.

– Oui, j'ai entendu du vacarme.

– Quel vacarme ?

– Je sais pas. Du vacarme.

– Ah bon ? J'ai rien entendu, moi.

– C'est sûr, en train de lâcher ton jus comme un fou.

– Un vacarme de quoi ?

– Je sais pas, je sais paaaas ! Du vacarme.

– Ah... »

Je renfile mon pantalon et mes savates, prêt à descendre torse nu. J'aime bien montrer mon tatouage. Ce n'est pas tous les jours qu'ils ont un quinquagénaire bien foutu comme moi, dans le quartier. Et là, Gloria recommence son refrain : ces derniers temps, elle s'est mis en tête que je la féconde.

« Aïe, papi, j'ai les nénés tout gonflés, ils me brûlent, ils me tirent... Fais que je sois femelle, parce que je ne veux pas d'autre mâle que toi.

– Oh, con, arrête ça, ma fille.

– Non, j'arrête pas, non. Si je suis enceinte, c'est de toi... Tu vas voir, tu vas bien voir, papi !

– Ah, con... Je t'ai répété cinq cents fois que tu es une catin. Si tu te retrouves grosse, tu sauras jamais qui est le père.

– Oh que si, oh que si ! Je suis pas idiote encore, ni demeurée. C'est le tien, papi ! De qui d'autre ? Quand je suis toute la sainte journée chez moi, sans mettre un pied dans la rue !

– Comme tu es sans vergogne, petite. Et le boucher, alors ?

– Quel boucher ?

– Le petit gros qui t'a refilé quatre-vingts pesos.

– C'était il y a... des mois !

– La première fois, oui. Mais depuis ?

– Ah, laisse, laisse, je te dis !

– Tout le quartier sait que tu te prends de la queue à tout-va, alors fais pas ta sucrée avec moi. Qui c'est le père, ça te regarde.

– Ah, mon beau...

– Mon beau rien du tout. Je te l'ai dit et je te le répète : tu te mets toutes les bites que tu veux, mais avec la capote. Le seul qui peut te baiser à cru, c'est moi. Je suis clair ?

– Oui, doudou, tout ce que tu veux. J'en ai toujours dans le portefeuille, des capotes.

– Bon, j'y vais.

– Tu es un malin, toi. Tu as changé la conversation.

– Tu vas recommencer tes couillonnades ?

– Non, non, je te dis simplement : t'inquiète pas, si je suis enceinte, je saurai de qui. Si c'est pas de toi, je le saurai de suite, de suite, et je t'enquiquinerai pas avec, parce que je trompe ni personne, moi ! Mais si qu'il est de toi, il est de toi ! Faut assumer, papi. Faut assumer, que je l'élève pas toute seule, autant que tu saches !

– Sur la tête de ta mère, Gloria. J'ai trois gosses qui portent mon nom, plus un qu'ils veulent me coller du côté de Guantánamo. Et quoi encore ? Me complique pas plus la vie, mamita. Tu te l'enlèves et basta. En plus il est pas de moi, que ce soit clair !

– Ah, maintenant tu fais ton dégoûté ? Une fois que tu t'es mangé le bonbon.

– Et je continue à le manger, mais... Oh, ça suffit ! Cette discussion n'a pas de sens.

– Pour toi non. Pour moi si. Et beaucoup. Rien que de savoir que tu vas avoir une fifille, tu trembles dans tes os.

– Aaah...

– Que je l'ai rêvé, en plus ! Et pas qu'une fois. Trois fois le même rêve, dis ! Et moi ils arrivent toujours, mes rêves.

– C'était quoi ?

– Alors regarde : je monte chez toi et il y a une fuite d'eau terrible, des gravats, de la poussière partout comme si c'était en train de s'effondrer. Toi, tu me dis : "Je suis crevé, j'en peux plus", tu prends ta bicyclette et tu descends l'escalier mais dans les ruines j'avise un biberon plein de lait bien tiède, alors je me penche par la terrasse et je te crie que tu l'as oublié. Toi, tu marches dans la rue, je sais pas ce que tu as fait du vélo... Et tu sais ce que tu as dans les bras ?

– Non.

– Un bébé. Une fifille toute chicoulane, enveloppée dans des langes tout roses, tellement jolie...

– Et tu voyais tout ça d'en haut ?

– Bon, c'était un rêve et dans les rêves, tu sais bien... Mais attends la fin ! Donc tu t'en vas avec la petite dans tes bras, tout content, tout guilleret, et moi je te crie : "Le biberon, Pedro Juan, le biberon !", mais toi tu n'entends rien parce que tu es trop heureux avec ta fifille, et tu marches...

– Ouais, et le soleil se couche en arrière-plan, avec plein de violons. Ah, tu es la meilleure. Comme actrice de feuilleton à la gomme, on ferait pas mieux. Encore plus débile que du Torín Cellado.

– N'empêche que c'était comme ça. Tellement content, tu étais, on aurait dit un gosse.

– Calmos, Gloria, calmos.

– De quoi ? Si ça se trouve que je le suis pas, enceinte, et on parle juste pour le plaisir. Mais si c'est vrai je la garde. Tu entends, je me la gaaaarde !

– Gloria ? Des curetages, t'en as eu cinq cents. Un de plus, qu'est-ce que ça fait ?

– Trois. Trois interruptions de la grossesse. Et tous de mon mari officiel, avec les papiers et tout. Du père de mon fils. Mais si je suis enceinte, présentement, je me le garde.

– Ah, con, mais tu me lâcheras pas !

– Hé bé ? Pourquoi tout cet amour et toutes ces mamours quand tu me la mets, alors ? Ah, pour tirer, tu es toujours là, et que je t'aime, chérie à moi, et que tu me rends fou, et patati, et patata. Mais dès que t'as fini tu te méfies de tout, même de ton ombre !

– Compte pas sur moi, j'ai dit.

– Bon, alors après je veux pas de réclamations.

– Quoi, quelles réclamations ?

– Mes enfants, ils ont pas le ventre creux, tu me suis ? Je m'envoie l'épicier et le boucher et le laitier, et jusqu'au vieux de la boulangerie, avec ce ventre qu'il a. Le quartier entier, il passe entre mes jambes.

– Tu l'as toujours fait. Rien de nouveau.

– D'accord, mais mes enfants ils ont pas faim. Je donne mon cul d'accord mais je me trouve à manger tous les jours, moi.

– Et qu'est-ce que tu veux, Mère Courage ? Qu'on te joue l'Internationale et qu'on t'emballe dans un drapeau rouge ?

– Moque-toi, moque-toi. Dieu va te punir parce que tu vas voir, elle va être tout pareille que toi. Portrait craché. Même ce caractère que tu as, toute cette personnalité que tu as, et quand tu seras un vieux elle...

– Bon, suffit et bouge-toi, maintenant. Je descends voir ce qui se passe.

– Oh quelle concierge ! On voit bien que tu es un journaliste.

– Ecrivain.

– Ecrivain ! Pour moi les écrivains ça a de l'éducation, ça parle bien. C'est ce que je croyais, en tout cas. Toi, tu es plus animal qu'un négro de l'Afrique.

– Ça va, Gloria.

– En plus ils sont où, tes livres ? Que tu ne m'en as pas enseigné un seul, jusqu'ici.

– Parce qu'ils sont publiés en...

– En Espagne, voilà ! Toujours les mêmes sornettes ! Et ici, dans quelle librairie qu'on les trouve ? Ce que tu as, c'est que tu mens comme tu respires. Tu fais ton écrivain pour te donner du chic.

– Cesse ton baratin, pipelette. Tu rendrais fou n'importe qui.

– Oui, oui, va ! Moi aussi, je me rentre chez moi. Ah ! Ma

sœur, elle t'a rapporté des cigares. Passe les prendre quand tu remontes.

– Entendu. »

Des douzaines de gus s'agitaient dans la rue. Ce qui se passait, c'est que l'immeuble d'en face était en train de tomber en morceaux. Des bouts de façade entiers arrachés par la tempête. La police avait fermé la rue et évacué les trois familles qui étaient là-dedans. Trois personnes pour l'une, quatre pour la seconde et dix-huit pour la troisième. Des Noirs, ceux-là, surnommés « les Nombreux » dans le quartier. Un architecte était en train de les interroger en notant leurs réponses sur un bout de papier. Les pompiers allaient et venaient sans rien à faire, blaguaient entre eux. Il y en avait un qui avait entrepris une petite métisse dans un coin, ils parlaient tous bas, de plus en plus chauds tous les deux, sur le point de se jeter l'un sur l'autre. Et les voisins qui papotaient : « Où c'est qu'on va les mettre, ceux-là ? Il paraît que tous les centres de relogement sont pleins. Et les Nombreux, de toute façon, ils peuvent se caser nulle part, ils sont mal barrés... »

Rafales de vent, petite pluie fine, fine. Cet immeuble de trois étages, juste à l'angle de San Lazaro et de Colón, avait été lentement grignoté par les embruns et la brise marine. Depuis trente ans, au moins. Mais il ne tombait pas d'un coup, il s'en allait par morceaux. Dans la rue interdite à la circulation, les briques et les bouts de plâtre volaient sans que personne ne sache ce qui allait suivre. Il pouvait s'effondrer d'un moment à l'autre. La doyenne des Nombreux, soixante-dix ans ou plus, comme toujours ivre ou pétée à l'herbe, riait toute seule en s'agitant sur la chaussée. Les pompiers et l'architecte allaient et venaient, se consultaient du regard, et la vieille qui marmonnait : « On va voir ce qu'ils vont faire de nous, là. Tu paries qu'on reste à la rue, nous autres ? Avec ce froid qu'il fait ! Tu vas voir. Pareil qu'au temps de Machado, quand on vivait dans les cours, à Monte, à Reina. Tu paries ? »

Gloria, qui était descendue, s'est approchée pour me parler à l'oreille :

« Laisse un peu ces crève-la-faim, qu'est-ce que ça t'intéresse à toi ? Viens prendre tes cigares. Minerva, elle t'attend, elle doit partir.

– Hé, je remonterai quand ça me dira, bordel !

– Ah, papi, me réponds pas de la sorte, quand même ! Je vais te chercher du rhum. Monte, reste pas par ici. Ils ont tous des poux, tu vas en attraper plein.

– Qui, moi ? Et où ça ?

– Ah, ah, ah. »

L'ascenseur était détraqué. Je suis remonté à pied. Sept étages comme un vrai petit homme. J'ai sonné chez Gloria et c'est sa sœur qui m'a ouvert. D'une voix à peine audible, elle m'a dit :

« Ah, c'est vous. Passez, passez. Gloria revient de suite. »

On s'est assis au salon. Deux fauteuils, un canapé et une télé russe en noir et blanc, le tout déglingué. Les murs sales, pelés. Une seule ampoule pendue à un fil couvert de mouches. Une vieille étagère à une hauteur inexplicable, qui devait avoir été accrochée là, il y a un demi-siècle ou plus, avec pour décoration deux canettes de bière allemande, vides, une petite image de la Vierge de la Miséricorde et une carte postale fripée représentant une plage italienne de l'Adriatique. La culture de la débâcle.

L'appartement était désert et silencieux, incroyablement. Rien que Minerva, qui s'est installée en face de moi. On croirait la jumelle de Gloria mais elles sont le jour et la nuit, en fait. Sa sœur m'a dit une fois : « Minerva ? Plus soumise que ça, impossible. A treize ans, elle s'est mise avec l'homme qui l'avait salie. Finie l'école, rien que le mari et la maison. Elle a trois enfants et elle voit le monde par le trou du cul de son homme. »

Elle portait un peignoir blanc presque transparent. Cheveux noirs, une peau d'Indienne, dorée à point. Pas de soutien-gorge, de petits seins avec des tétons très sombres qu'elle montre avec une naïveté d'adolescente. Elle dégageait un érotisme subtil : un air de vierge sur le point de s'envoler et de disparaître dans les nuages, mais sans trompette et sans éclair. Une vierge de cloître, de silence et d'ombre.

Elle n'avait rien à me dire, et moi non plus. Comme je la regardais beaucoup, elle a baissé les yeux. La femme rangée, discrète, soumise. La plupart des hommes rêvent d'en trouver une ainsi, seulement ils n'oseront jamais le dire, de peur d'être traités d'esprits rétrogrades, de machistes. Mais c'est fantastique, une femme tendre, sensuelle, obéissante, domestiquée, masochiste... J'aurais bien aimé l'enfiler, histoire de la faire réagir : « Gueule un peu, merde, dis quelque chose, fais pas ta morte ! » Elle a interrompu le cours de mes pensées :

« Je vous ai rapporté des cigares. Vous voulez les voir ?

– Oui. »

Elle s'est levée pour aller les chercher et je l'ai suivie des yeux. Trop maigre. Anémique, en fait. Le mari doit rapporter quatre sous et c'est là-dessus qu'il faut survivre, à cinq. D'après Gloria, le type lui file des trempes pas possibles, en plus. Elle travaille dans une fabrique de cigares depuis deux mois. Une année d'apprentissage à rouler des havanes avant d'être embauchée pour de bon. Tous les jours, elle en vole quelques-uns et elle me les vend, à deux pesos cubains pièce, soit dix cents US. Là, elle revient avec un bon paquet, trente superbes cigares. Des lanceros. Le bonheur. Elle me les tend sans un mot, avec un petit sourire timide et les yeux baissés. Je recommence à la mater. Je sors soixante-dix pesos.

« Merci, Minervita.

– De rien, c'est un plaisir.

– Minervita...

– Oui ?

– Mets un peu de musique.

– Non, non... C'est le poste de Gloria. Je ne sais pas comment m'y prendre avec. »

Je l'ai regardée fixement.

« Si j'étais ton mari, je te rouerais de coups tous les jours.

– Aïe... Mais pourquoi ?

– Ou tu te secoues, ou je te laisse idiote. Au fouet, avec toi.

– Non, non... Aïe, non !

– Aïe non ? Aïe si ! Beaucoup de lit et beaucoup de cravache pour toi. »

Elle me contemple avec les yeux les plus doux, les plus noirs et les plus délicieux du monde. Tendre comme une colombe. Quelle sensualité, bordel ! Elle sait que je ne dis pas la vérité. Si elle était ma femme, je ne pourrais que la séduire, l'hynotiser. Son faible, ce doit être les fleurs. Qu'est-ce qu'elle cache ? Qu'est-ce qu'il y a derrière ces yeux-là ? Sérénité, résignation, sagesse, bêtise crasse ? Elle évite sans cesse mon regard. C'est une énigme. Un livre fermé.

« Mets une cassette, Minerva.

– Je ne sais pas m'y prendre. Et si je le casse ? Qui c'est qui devra supporter ma sœur ? »

Je me lève, je vais jusqu'au magnéto. Luis Miguel : des boleros. *Demi-tour* :

Tu t'en vas parce que je l'ai voulu,
Je t'arrête quand j'en ai envie.
Je sais que mes caresses sont ta vie,
D'accord ou pas ton maître tu as reconnu.

Je la saisis par la taille :
« Viens, on danse.
– Non, non... »
Mais elle cède déjà, il ne faut pas beaucoup la pousser :
« Et si ma sœur arrive et qu'elle nous voit ? A vous elle ne dira rien, mais à moi...
– Ah, petite, ne sois pas... »
J'allais dire : « Ne sois pas idiote », mais je me retiens, je la serre contre moi et on se met à danser lentement. Une odeur de peau tiède, comme celle de Gloria. Pas de parfum, pas de maquillage. Sans doute un très léger goût de sueur sous les aisselles. Elle se colle bien à moi.

Je veux que tu ailles de par le monde,
Que tu croises les vaillants, les indécis,
Je veux que d'autres lèvres te sondent,
Pour qu'à jamais tu m'apprécies.
Et si tu trouves un amour pour la vie,
Une passion qui sache te brûler,
Alors demi-tour je ferai
Et je m'en irai dans la nuit.

Alors, oui, demi-tour je ferai
Et je m'en irai dans la nuit.

On danse l'un contre l'autre. Minerva me laisse la guider, docile. J'ai fermé les yeux, je goûte l'instant quand soudain la voix de Gloria explose près de moi :

« Hé, mais c'est quoi, là ? Jusqu'où il faut que je supporte ? Sous mon toit, et avec ma propre sœur encore ! »

Elle est rentrée sans un bruit et elle nous a surpris. On se sépare. Toute confuse, Minerva baisse la tête.

« Ah, Gloria, écoute...

– Non, Pedro Juan, non ! C'est un manque de respect, c'est... Voyons ? »

Elle me tâte la queue à travers le pantalon. Une demi-érection. Pas dure de dure mais...

« Il bande, le fils de pute ! Et il se frottait sur cette garce-là ! J'arrivais deux minutes plus tard et il la lui mettait ! Tu es une traînée, Minerva. Tu veux voir comment je raconte tout à ton mari ? Tu veux voir qu'il t'en fout une qui te laisse mascagnée par terre ?

– Aïe, Gloria, non, pour l'amour de maman, ne fais pas ça qu'il me tue ! Il me tue de coups, Gloria ! C'est Pedro Juan... Il m'a forcée. Moi je ne voulais pas danser mais il m'a attrapée et...

– Et toi... Bon, tu restais dans le ventre de ta mère une seconde de plus et tu sortais crétine complète. Idiote et putasse !

– Hé, Gloria, arrête un peu d'insulter ta sœur. Tu sais que c'est une sainte. Finis tes salades.

– Ah, tu la défends, en plus ?

– Pas besoin de défendre qui que ce soit.

– Et moi la couillonne en train de te chercher du rhum partout ! Pour le cynique que tu es, le pervers ! Je sais pas comment je me suis énamourée de toi, fils du diable ! Tu n'aimes personne, personne. Rien que toi.

– Suffit, Gloria. Tu as assez dit de bêtises.

– Je te plais que pour une seule raison : pouvoir me tirer et écrire ton roman de merde ! Tu crois que je vois pas ton jeu ? Trois ans que tu passes à te branler et à me torturer de questions, jusqu'à si je chie deux fois par jour !

– Ecoute, tu arrêtes les cris, maintenant, con ! Les voisins entendent tout.

– Oh, comme il est gentil. Il s'inquiète pour les voisins, dis ! Quel ti' bougre bien élevé.

– Gloria ? Si je te colle deux roustes, tu vas la fermer pour sûr.

– Je me tais rien du tout ! Et je te dis plus rien non plus, Pedro Juan. Bien baisé, tu vas être, parce que tu vas rien voir ! Quoi, quand on écrit un livre, on doit inventer ! C'est quoi, ce machin de mettre que la vérité dedans ? T'es zinzin ou quoi ? Si les gens se rendent compte que c'est moi, cette Gloria, de quoi je vais avoir l'air ?

– D'accord, d'accord. Va chercher un verre, qu'on prenne un peu de ce rhum. Ça va te détendre.

– Invente, salaud, invente parce que moi je te dis ni plus rien !

– Un verre, mon cœur, allez, ramène-moi un petit verre.

– Non ! Deux, j'en prends. Tu crois quoi, que j'ai la bouche carrée ?

– Apportes-en un pour Minerva, aussi.

– Non, non ! Je ne bois pas, moi.

– Hé non, elle boit pas, la sainte nitouche, et elle fume pas, et elle baise pas, et elle dit pas du mal des autres, et même la viande de cochon elle en mange pas. Il paraît que le Pape, il va revenir à Cuba rien que pour la prendre avec lui, celle-là. Il va se l'emporter là-bas où il vit, comment ça s'appelle, déjà ?

– Le Vatican.

– Voilà ! Le Vatican, con ! Sainte Minerva de La Havane ! Ils vont en faire des effigies, avec cette tête de simplette qu'elle a ! Traînée, va ! Si j'étais pas arrivée à temps, elle se l'envoyait ici, debout, et en écoutant un bolero, encore !

– Gloria, tais-toi et apporte les verres. »

On s'est installés sur le balcon pour boire ce truc, du pétrole droit sorti du pipeline. Combien de temps je vais devoir avaler cette merde ? Je me prends deux longues gorgées, je fais une grimace écœurée :

– Aaah, zob ! Par sainte Barbara, aide-moi, Changó, aide-moi à écrire un best-seller, que je puisse arriver au whisky !

– Ecrire quoi ? demande Gloria.

– Rien, rien. Va me chercher un briquet. »

J'allume un lancero. Derrière nous, les boleros se succèdent. Nous sommes à un septième étage, avec sous nos yeux La Havane toute mouillée, La Havane ruinée qui tombe en pièces sous les assauts du vent et du sel. On aime une ville quand on y a été heureux et torturé, quand on y a aimé et haï. Et sans un rond en poche, à lutter dans la rue, puis les choses s'améliorent et on rend grâce à Dieu que tout ne soit pas de la merde. Si on n'a pas d'histoire liée à l'endroit où l'on vit, on est comme un grain de poussière dans un courant d'air.

C'est un jour pluvieux, gris, un peu mélancolique. J'attire Gloria contre moi et la force me revient, m'envahit. Je me sens plein d'énergie. Je l'aime, cette folle, mais je n'ai pas envie de le reconnaître. Gloria, c'est un piège. Je le sais.

6

Le dimanche matin, je sors tôt chercher un pain. Le coin de la rue Laguna est une catastrophe : poubelles qui débordent de pourriture, collines de décombres, torrents d'eau puante. Et au beau milieu de la chaussée, étrangers à tout cela, deux magnifiques spécimens, une fille et un garçon. Très blancs, très blonds. Dans les dix-huit ans. Deux mannequins. Une équipe japonaise les prend en photo. Le maquilleur pulvérise un liquide étincelant sur leurs cheveux. Les vêtements qu'ils présentent sont blancs, roses ou bleu pâle. Simples, merveilleusement simples, délicieusement coûteux. Je suppose que la lumière sensuelle du soleil et la saleté alentour feront encore resortir le charme de ces deux êtres impeccables, au visage de petits anges innocents. Sur fond d'immeubles en ruine, de chiens faméliques et de petits nègres qui regardent bouche bée. Car ils ont un public. Les gens du quartier les contemplent dans un silence respectueux. Personne ne penserait s'approcher pour demander des chewing-gums ou quelques pièces. Discrètement en retrait, deux policiers observent la scène. La foule est captivée, tous Noirs ou métis un peu sales, un peu déglingués, un peu malades. Je m'arrête un instant, moi aussi. Les Japonais rigolent entre eux, très contents. Le photographe monte et descend d'un escabeau en aluminium, demande aux mannequins de se rapprocher des ordures et des gravats. Après une moue dégoûtée, parce que ça pue, finalement, la fille et le garçon retrouvent un petit sourire détendu. « Professionalisme », c'est comme ça que ça s'appelle, cette maîtrise de soi. Non ? A côté de moi, une dame remarque que ce sont des étrangers. C'est une Noire très sympathique, avec les sept colliers au cou, qui me vend parfois du tabac de contrebande. Je lui explique que les techniciens sont japonais et les mannequins cubains mais elle, tout à fait convaincue d'avoir raison : « Allons, tu ne vois pas comme ils sont blancs et blonds ? Regarde comme ils sont mignons tous les deux. Des étrangers, je te dis ! » Moi, je sais qu'ils sont cubains, je l'ai deviné à un je-ne-sais quoi et je me demande dans quelle réserve spéciale les Japonais les ont découverts.

Je poursuis mon chemin, j'achète mon pain. Au moment où je reviens à mon immeuble, Gloria en jaillit comme une fusée. Elle est acccompagnée d'un jeune mulâtre habillé tout en noir, avec une grosse chaîne en or et une médaille sorties de la chemise. Un bellâtre, avec une tête de tafiole.

« Hé, qu'est-ce qui t'arrive ? Où tu vas de si bonne heure ?

– Ah, papi, je te parle plus tard. Je suis pressée, là.

– Mmmmm... Tu t'es renversé un litre de parfum sur toi !

– Ah, ah, ah. Ciao, à plus, mon joli. »

Elle me colle un petit baiser et elle s'en va à toute allure. Je monte chez moi, un sourire aux lèvres. Gloria s'apprête à se taper un touriste et moi je ne suis pas allé à la plage depuis une éternité. J'enfile un maillot de bain sous mon pantalon et direction Guanabo. Une camionnette me prend pour dix pesos. Une heure plus tard, je suis sous les cocotiers. Beaucoup de vent mais le soleil tape fort, et tout est calme, silencieux. Depuis combien d'années je ne suis pas allé à la plage ? Pfff, je ne me rappelle plus. Le sable est jonché de cannettes, de bouteilles en plastique, de sacs de bonbons ou de chips. Nous sommes entrés dans la modernité, et à vitesse grand V encore. Ou plutôt la modernité nous envahit. Je range mes habits et mes chaussures dans mon sac et je marche un moment au bord de l'eau. Les vagues m'arrivent aux chevilles, froides. Je patauge jusqu'aux rochers qui semblent marquer la fin de la plage, mais non : il y a une trentaine d'années, les Russes ont décidé de venir jeter ici des milliers de pierres qu'ils avaient sorties des champs avoisinants dans leurs camions KP3. Ils ne causaient pas, les Russes, ils agissaient. Certains disaient qu'ils avaient fait ça parce qu'ils n'aimaient pas les plages de sable, d'autres que ces rochers étaient là pour freiner l'avancée de l'ennemi, au cas où les Yankees voudraient débarquer ici et marcher sur La Havane. Le fin mot de l'histoire, on ne l'a jamais connu mais bon, ils ont foutu en l'air un bon bout de plage avec ces pierres, mais ensuite le sable est revenu. Vingt ans plus tôt, il y avait un vieux cabanon en bois, par là. J'ai pris des photos au crépuscule, la ruine, l'énorme tas de rochers et la mer, tout ça très sombre, et puis j'ai écrit un texte d'accompagnement ridiculement romantique. Quand le sujet a été publié par une revue culturelle, une dame haut placée a décrété que c'était très poétique et très encourageant de trouver quelque chose d'aussi novateur dans notre presse, et que ce devait servir d'exemple à tous les journalistes parce que : « Cuba est une île tellement belle. » Ils doivent aussi écrire là-dessus, a-t-elle clamé, et pas seulement sur les réunions du Parti, les manifestations patriotiques et les miracles de la récolte de canne. Moi, j'ai été très flatté par les éloges de cette dame si importante.

A quelques mètres de là, on a construit des bicoques mochissimes, toutes collées les unes aux autres et peintes dans des couleurs criardes. Des ouvriers viennent y passer quelques jours de vacances avec leur famille. Ça mange, ça boit, les gosses hurlent et piaillent, les mères rient à gorge déployée avant de gronder leurs morveux, de distribuer les baffes et de repartir à la cuisine en faisant claquer leurs tongs. Dans chaque maison, ils se débrouillent pour écouter une musique différente tout en jouant aux dominos, en s'invectivant, en rigolant et en beuglant : « Ah, je t'ai encore baisé, hein ! Pour que tu apprennes qui je suis, con ! A moi on me respecte, hé, grand couillon de la lune ! Cuca, ramène d'autre bière par ici ! » Il est tôt dans la journée mais ils s'enfilent déjà la bière et le rhum par litres parce que ce sont leurs vacances de l'année, hein, alors il faut s'amuser et profiter bien. Visiblement, les grands vainqueurs sont les occupants d'une bicoque peinturlurée en violet, jaune et vert, avec les portes et les fenêtres bleu ciel. Ils ont sorti deux énormes baffles sur le perron et ils savourent à plein volume, en forçant tous les autres à en profiter, un « hit » du moment :

Lèche mais lèche
fraise et chocooolat
lèche mais lèche
fraise et chocooolat
lèche mais lèche
fraise et chocooolat
lèche mais lèche

fraise et chocooolat
lèche mais lèche
fraise et chocooolat
attention, attention, attention
mets ta main par là
aaaaaaaaaaaaaahhhh
lèche mais lèche
fraise et chocooolat
lèche mais lèche
fraise et chocoolat
lèche mais lèche
fraise et chocooolat
lèche mais lèche
fraise et chocooolat...

Je repars à mes cocotiers. Deux cents mètres coupés par trois ruisseaux d'urine, d'eau de vaisselle et de merde qui s'écoulent en permanence du troquet et des maisons de plage. Odeur de porcherie, atroce. Le caca me poursuit, décidément. Mais dans mon coin tout est à nouveau tranquille. Pas de puanteur, pas de musique débile, la mer bleue et claire, les vaguelettes écumantes sous le soleil. Il ne manque plus que les trompettes et un poète de quatre-vingts balais qui saurait mettre tout ça en vers, avec ses cheveux blancs flottant dans la brise.

Tout est parfait, donc, et je me dis : « De quoi tu te plains, Pedro Juan ? Sois pas si compliqué, camarade ! Reste dans ce petit paradis, parce que c'est royal, comme dirait Sandra la Cubaine, et au diable tout le reste ! N'essaie pas d'arranger ce monde. » Sitôt dit, sitôt fait : je me mets à l'eau et je nage un bon moment.

Une demi-heure plus tard, la mer bleue et fraîche a fait son effet : je me sens régénéré, détendu, j'ai oublié mes angoisses et ce que la vie a de sombre. Etendu sous le soleil, je réfléchis à toute allure. Je me rappelle qu'il y a trente ans j'en avais seulement vingt. Jeune, ignorant, heureux. Je croyais en quelque chose, sans savoir exactement ce que c'était mais en le recherchant, en l'espérant... Je ferme les yeux et je laisse le vide envahir mon esprit.

7

Je me suis réveillé à moitié abruti par le soleil, comme les caïmans. Je suis allé nager un peu pour me rafraîchir. Quelle heure il pouvait être ? Le calme et le silence régnaient toujours, la plage était pratiquement déserte de ce côté. Il me fallait une aspirine et une boisson bien glacée. J'ai commencé à marcher. Rentrer à La Havane ? Non, il était bien trop tôt. J'ai tout de suite trouvé une pharmacie ouverte mais l'employée était fâchée pour je ne sais quelle raison, elle m'a tourné le dos en sifflant entre ses dents :

« Pas d'aspirine ! Nulle part. Pas la peine de chercher.

– Mais de temps à autre, quand même...

– Quand il y en a eu, tout a filé en une heure. On nous en donne très peu. Voilà trois mois qu'on n'en a pas eu. »

J'ai bu deux verres d'orangeade chimique et je suis parti sur la colline, vers la zone arborée où vivent Evelio et Julita. Je ne les avais pas revus depuis des lustres. La dernière fois, ils allaient de bureau en bureau à La Havane : ils voulaient se barrer au Venezuela. Et y rester, évidemment. Julita avait une nièce là-bas, dans un petit village paumé, et ils avaient mis tous leurs espoirs en elle et ce village. Le problème, c'est qu'ils n'avaient le droit d'y aller que tous les deux. Les enfants devaient rester. Ils ont prié les onze mille vierges, ils ont juré qu'ils reviendraient, qu'ils ne demanderaient pas l'asile politique, mais ils n'ont rien obtenu et ils sont toujours là, tous ensemble...

C'est un très bel endroit, tout près de la plage, chaque maison avec son jardin et ses arbres. J'ai traversé un terrain de base-ball. Des jeunes disputaient une partie acharnée. J'ai interrogé celui qui jouait *center field* :

« Comment ça se déroule ?

– Seize partout dans la troisième.

– Oh con, mais qu'est-ce que vous êtes nuls, vous autres ! Ça vous fait pas peine ?

– Hé, m'sieur, pas d'insultes, hein ? »

J'ai continué. Petits rigolos. J'ai retrouvé leur maison. En peu de temps, Evelio était devenu tout gris. Il était en train de s'occuper d'une trentaine de très beaux coqs dans des cages installées à l'ombre de manguiers et d'avocatiers. On s'est regardés mais il ne m'a pas reconnu. Du trottoir, je lui ai crié :

« Hé, l'ami, vous les vendez, ces bestioles ?

– Pedro Juan, con ! Je t'avais pas remis !

– Ça fait des années, non ?

– Entre, entre !

– Jolis comme tout, ces poulets. Ils sont à toi ?

– Oui. Faut bien que je m'occupe.

– Il y a des combats, par ici ?

– Oh oui, tout plein. Ça se passe les dimanches. Clandestins, comme tout le reste, tu sais bien... Tu aimes ça, toi ?

– Et comment. Depuis que je suis tout petit. Mais j'ai pas la patience pour en élever.

– T'as qu'à jouer, c'est tout.

– C'est ce que je fais. A onze ans, je vendais des glaces dans les combats de coqs à Matanzas. Et le vice m'a pris, tu connais le truc. Quand on a la poche pleine de pièces, comment on peut résister ?

– Tu devais parier en cachette, à un âge pareil.

– Du dehors, oui. Mais si tu aimes ça, tu as l'instinct. Tu connais le gagnant. »

Il avait deux bouteilles d'eau-de-vie sous le coude. Théoriquement pour en passer sur les plumes de ses coqs, mais c'était un prétexte pour être à moitié pinté toute la sainte journée, j'ai compris. Il m'a dit qu'il allait tous les dimanches à une église de baptistes, où il y avait des réunions d'Alcooliques anonymes. On s'est assis sur le perron avec une bouteille. Une brise stimulante venait de la mer. On respirait un coup et on la sentait bien dans son corps.

« Attends que je te suive, Evelio. Le dimanche, c'est pour l'église ou pour les coqs ?

– Ça dépend de quel pied je me lève. Je préfère les combats, bon, mais il faut que j'arrête la picole. J'ai plus de foie, hé !

– Dis, t'aurais pas une aspirine, des fois ?

– Pourquoi ?

– Mal de dents.

– Ah, facile, ça ! Olga ! Olgaaaaa ! »

Sa voisine est sortie sur le pas de la porte et il lui a en demandé une.

« Non, moi j'ai du paracétamol. De chez les gringos. Encore mieux que l'aspirine.

– Pareil ! Amènes-en un à mon compère. »

Je l'ai avalé avec une gorgée de gnôle et un : « Merci beaucoup, Olga. » On se taisait. Rien à se raconter, en fait, jusqu'à ce que je me rappelle, d'un coup :

« Qu'est-ce que tu me disais rapport aux coqs et à la santería, Evelio ?

– Que je les élève parce que j'ai fait l'initiation, il y a des années de ça. Et le saint, il m'a demandé des coqs.

– Oui, vraiment ?

– Ah, tu sais rien de rien ! Des fois ils veulent un bouc, des fois un mouton, ou une poule noire, ou une couleuvre, une colombe.. Et ils t'enlèvent des trucs, en plus. Moi, par exemple, je ne peux plus aller en vélo ni en moto, ni conduire une voiture. C'est très compliqué, la religion. J'ai commencé avec deux jeunes coqs et une poule, maintenant j'ai un élevage qui vaut tout ce que je veux. Tous des gagnants, les miens. Des bagarreurs quand ils sont encore dans l'œuf. »

Nouveau silence, deux gorgées d'eau de feu sur mon estomac vide, et puis Evelio me chuchote :

« Viens par là. Ça, personne ne sait. »

Il m'a montré les pots, les fers et les soupières des saints, tout ça caché dans un petit placard de son salon. Ensuite, on est retournés sous le porche, on a recommencé à boire. Il s'est renversé dans son fauteuil en examinant le plafond, tout pensif. Il tenait entre ses mains le collier bleu de Yemayá, qu'il tripotait sans rien dire. Au bout d'un moment, il s'est lancé :

« Il y a peu de temps, tu as pris une bonne décision qui va porter ses fruits. Ça t'a coûté des efforts, tu as hésité beaucoup, tu as même eu peur qu'on te jette en prison mais c'est un guide sérieux que tu suis, alors n'aie crainte et avance ! Ç'a été un choix difficile et tout ça, mais c'est terminé, là, et, comme je te l'ai dit, tu as tiré le bon numéro. Parce que maintenant, je vais t'apprendre quelque chose... Tu as un

Africain et un Indien à tes côtés, tout le temps. Ils sont très forts l'un et l'autre, et ils ne se séparent pas de toi.

– C'est toujours ce qu'on me dit quand je consulte.

– Ils doivent te le dire, parce que c'est vrai. Ils ne te quittent pas d'une semelle. Sauf que toi, tu ne t'occupes pas d'eux. Enfin, si... L'Indien, tu y prends garde, tu lui demandes et tu lui mets des fleurs, mais le Noir, rien du tout. Tu l'as oublié total.

– Oui, c'est vrai.

– Ah, tu vois ? Mais il faut les respecter les deux. Tu es intelligent grâce à l'Indien, costaud et battant grâce au nègre. Ils sont importants l'un et l'autre, pour toi. Parce qu'ils se complètent. Ils s'entraident. Tu me comprends ?

– Oui.

– Ce nègre, c'est un dur de dur. Grâce à lui, personne ne peut te toucher. Il est grand, fort, avec un pagne et rien d'autre. Un pagne en toile de jute, un foulard rouge autour de la tête. Il faut lui offrir une calebasse de coco avec du rhum ou de l'eau-de-vie, et un cigare. Pas tout le temps. Quand tu t'en souviens. C'est ça qu'il aime, cet Africain. Le rhum, le tabac et les femmes. Parle-lui. Il faut lui parler et lui demander. Et de temps à autre, tu lui mets une rose rouge, un glaïeul noir. Ses fleurs à lui, ce sont les rouges. Tout ce qui est rouge. Ce n'est pas un nègre fêtard de la ville, c'est un gars de l'arrière-pays. Furtif. Il ne se montre pas, il se cache dans les champs en friche. Mais il sait plein, plein de choses. Il est fort, il est malin et il est très, très vaillant. C'est un couillu. »

A ce moment, Julia a débarqué. Evelio, qui jouait toujours avec son collier de Yemayá, a été surpris en flagrant délit. Il a voulu le cacher mais elle a tout vu.

« Hé, Pedro Juan, toi ici, quelle surprise ! Et l'autre qui

divague avec ses saints et son petit collier, à se prendre pour un devin.

– Julita, Julita, un peu de respect, tout de même !

– Respect rien du tout, Evelio. Il dit qu'il doit consulter. Mensonges, racontars. De la merde, tout ça.

– Mais Julita, tu peux...

– Ah, je vois ! Toi aussi, tu crois à ces fariboles ! De la merde, Pedro Juan. Des inventions. Moi, je crois ce que je peux toucher. Ce qui ne se voit pas, ce qui est dans l'air...

– Attends, con ! Et quand ils te tiraient par les pieds, la nuit ? Et que tu te réveillais en pleurant, toute perturbée ? Ah oui, là tu es venue en courant pour que je te purifie et que je t'enlève le mort !

– Ah, c'était que des mauvais rêves, j'ai perdu la tête.

– Des rêves ? Oh, non ! tu étais bien réveillée et pourtant ils continuaient à te tirer par les jambes.

– Les pieds.

– Pareil.

– Enfin, ça m'a énervée, oui. Et toutes les nuits les mêmes foutaises. Ecoute, Pedro Juan : ce bonhomme est ingénieur, il a fait des études, il a enseigné à l'université. Dis-moi franchement, quel besoin il a de croire en ces fadaises tout juste bonne pour les Noirs attardés, là-bas, en Afrique ? Moi, encore, que j'ai eu du mal à terminer le lycée... Et c'est ma bêtise à moi, je n'aime pas les livres ni l'étude, mais lui, lui c'est une tête et il...

– Julita ? Cent fois, je t'ai dit que l'éducation et la religion, ça n'a rien à voir ! Prends bien garde à ce que je vais te dire, Pedro Juan. Moi, qui étais comme Julia, je donnais des cours à la faculté, et le syndicat, et le mouvement social, et tout le reste, alors que je ne croyais à rien de rien ! Mon père, lui, il avait ses saints et son savoir de toujours, depuis tout petit.

En cachette, ça oui, mais pas pour lui, pour ne pas nuire à ses enfants et à sa famille. Tout ça dans une pièce fermée à clé et nous, ses proches, on était les seuls à connaître son manège. Non seulement il ne donnait pas de consultations ni rien, mais pendant tout un temps il a été cadre politique, mon vieux. Et les voyages en Bulgarie, en Union soviétique... Un embrouilleur, quoi. Mais bon, les années passent, il part à la retraite, il vieillit encore et paf, il se met à perdre la boule. D'un coup. Et sans aucune maladie, hein ? Soixante-douze ans, mais frais comme l'œil, et pourtant il commence à délirer, à dire des âneries, à oublier de manger. Il ne dort plus, il sucre les fraises. De plus en plus à l'ouest, et il fallait aller le chercher, autrement il se perdait là-bas et il n'en revenait pas. Et c'est là que les problèmes ont débuté pour moi aussi : la nuit, ils me venaient par les pieds, je sombrais dans l'inconscience et quand je revenais à moi on me disait que j'avais passé une heure à parler comme un nègre de la montagne ! Des fois, j'étais pris comme de folie et je partais dans les collines, j'allais à un arbre à caoutchouc qui se trouve à dix kilomètres d'ici. En courant sans arrêt ! Mais quand j'arrivais, je respirais normalement, pas du tout à bout de souffle. Je cherchais certaines herbes et je me mettais entre les racines de cet arbre, à préparer un don. Une heure, deux heures, plus. Quand j'avais terminé, je rentrais à la maison.

– Et c'était plus fort que toi ?

– Plus fort. Comme si j'étais fou. Mon père, pareil. On aurait dit qu'on avait perdu la tête, tous les deux. Alors je suis allé trouver le babalao qui était le parrain de mon vieux, et il m'a dit : "Ton père, il est au bord de la tombe mais d'abord il doit te transmettre la santería. Tant que tu ne l'auras pas reçue, il n'arrivera pas à mourir."

– Cette histoire, je l'ai entendue sept cent quatorze fois, Evelio ! A chaque fois que tu bois un coup, tu remets ça.

– Mais c'est la vérité, Julita. Je ne raconte pas de mensonges, moi.

– Et comment ça s'est terminé ?

– Comme le babalao l'avait prédit. Un lundi, mon père m'a tout passé et le mercredi il est mort dans son lit, tout paisible. Et depuis on avance et on avance, ici, parce que dans cette maison il ne manque rien.

– Les saints, ils connaissent leur intérêt, Evelio. Arrête de tout gober comme ça. Et moi, je connais le mien. Et il n'y a pas un saint qui va descendre de son autel pour me planter cinquante dollars dans la main. Eux, ils peuvent rester ici à bouffer de la terre, parce que moi je veux aller me manger du jambon ! Le jour où on gagne au tirage au sort et qu'ils nous donnent le visa à tous les quatre... Aaaaah, écoute-moi bien, petit, je monte une fiesta qui va faire trembler toute La Havane ! La musique, on l'entendra pas seulement de Cayo Hueso, non, pas seulement de Miami mais... de Tampa ! A Boca Ratón, ils vont l'entendre, la musique ! »

On s'est tous tus un moment, et puis j'ai observé :

« Tu t'obstines, Julita. C'est mauvais, ça. Tu vas finir par devenir folle.

– Bien sûr que je m'obstine ! Et oui, je suis folle. *Crazy* complète. Comme tout le monde. Pourquoi, tu n'es pas obstiné, toi ?

– Voilà, c'est toute elle, Pedro Juan. Et vas-y qu'elle crie, vas-y qu'elle est *crazy*, vas-y qu'elle va aller cavaler un vieux touriste pour qu'il l'emmène en Espagne, et la fiesta par-ci, la fiesta par-là... Faut admettre, mon compère : personne ne peut vivre comme ça. Cette femme-là, elle viderait n'importe qui. Ce déficit qu'elle a, tous les comités de soutien à l'Afrique mis ensemble, ils n'arriveraient pas à le combler ! »

Je n'ai pas répondu. Je n'avais qu'une idée : me tirer d'ici. Pourquoi j'étais venu voir ces gens, pour commencer ? On est restés là, en silence dans la brise fraîche, à regarder la mer au loin entre les arbres. Sur le terrain de base-ball, les jeunes continuaient à jouer, mais l'on n'entendait que le vent dans les feuilles. Julia n'a pas supporté ce calme longtemps :

« Si je me rappelle bien, tu écris des poèmes, non, Pedro Juan ?

– Oui, des fois.

– Et tu n'en fais plus ?

– Non.

– Pourquoi ?

– J'ai rien à dire.

– Tu n'es pas amoureux ?

– Non.

– Quand on aime, on écrit de la poésie, non ?

– Mmm.

– Attends, je vais t'offrir un recueil de poèmes.

– Ils sont de toi ?

– Non. D'une cavaleuse.

– Ah.

– Une pute romantique. On a loué une chambre à un Mexicain et à cette fille, et quand ils sont partis ils ont laissé ce cahier, plein de poèmes d'amour.

– Fais voir.

– Je te le donne. On l'a déjà lu, nous, et s'il reste ici il va finir aux cabinets parce que les petits, ils prennent n'importe quoi pour se torcher le cul.

– Julita, Julita !

– C'est vrai, non ? Fais pas ton raffiné parce que Pedro

Juan est de visite, Evelio. Tu vas voir, Pedro Juan. Ils sont très, très beaux. Si seulement je pouvais écrire comme ça, moi... Vraiment magnifiques. »

J'ai saisi le prétexte : elle m'a remis le cahier, j'ai pris congé et je suis redescendu de la colline.

8

Le téléphone sonne. Kurt, de Salzbourg. Il y a un an, il a traduit quelques-uns de mes textes en allemand. Il est infirme, cloué dans une chaise roulante. Un jour, sur la côte du sud de la France, il est tombé dans des rochers et il s'est cassé la colonne vertébrale. Trente ans, dont huit sans ses jambes, mais il essaie d'apprécier quand même la vie et au moins il n'empoisonne pas celle des autres. On peut se voir cet après-midi ? Mais oui, bien sûr. A cinq heures, alors.

A l'heure dite, j'arrive au coin de la rue 21 et de la 2, au Vedado. Kurt a loué un petit appartement pas loin. Il aime se débrouiller tout seul, être aussi indépendant que possible. Je m'assois sur le muret d'un jardin et je me prépare à attendre. Il y a des arbres, c'est tranquille, silencieux. Assez propre. Il passe des femmes obèses à l'allure de cadres supérieures, en tailleur, avec des foulards pastel et des serviettes noires. Ici, plein de gens ont leur voiture, leur garage privé. Un peu déglinguées, les caisses, mais c'est tout de même mieux que d'avoir à peine un vélo. Des ados bien habillés, dégaine de fils à papa, enfin je veux dire bien nourris, prospères, détendus. Certains font du jogging, bien couverts pour suer et faire fondre leur brioche. Les gens se promènent paisiblement, parfois en accompagnant des chiens manucurés qui ont l'air de s'embêter, lèvent distraitement la patte contre un tronc pour pissouiller ou se décident à lâcher un petit paquet de constipé.

Sur le trottoir arrive une petite Noire très jeune, très coquette et très sexy. Une jupe courte en nylon bleu laisse voir ses cuisses, son corsage minimum expose les hanches, le nombril, les épaules. Tout ça superbement noir, ferme, juvénil, parfait. Elle déborde de force et de vie. Arrivée au carrefour, elle regarde à droite, puis à gauche. Aucune circulation, les chaussées sont désertes. Elle me lance un coup d'œil, sourit :

« Vous êtes d'ici ? »

Je réponds que oui, comme ça, parce que j'ai envie de parler un moment à un tel petit canon. Je pensais qu'elle cherchait une adresse, mais non :

« Vous savez s'il y a des gens qui veulent changer de domicile, par ici ?

– Ici ? Non.

– Vous vivez pas loin ? »

Comme j'ai commencé à mentir, je continue :

« Cet immeuble, là.

– Ah... Et vous n'avez pas idée si quelqu'un...

– Non, mon amour. C'est un quartier extra, personne n'a l'intention de s'en aller.

– Je sais, oui. J'habite tout près.

– Ah ? Et tu as quoi ?

– Un deux-pièces, salon-salle à manger, salle de bains, cuisine, balcon et petit patio. En bon état, juste un coup de peinture et ce sera la perfection.

– Tu cherches plus grand, alors ?

– Non, au contraire. J'ai besoin de deux studios.

– Tu divorces ou quoi ?

– Je suis célibataire. Je veux être plus indépendante de mes parents.

– Ils te surveillent trop ?

– Oh que oui ! Ils me laissent pas vivre. Mais moi je suis majeure, alors j'en ai assez.

– Je te demande parce que j'ai un appartement dans le centre et...

– La Havane Centre ? Oh non, non, non ! Il faudrait que je sois folle ! Je quitte le Vedado pour rien au monde, moi !

– D'accord, mais écoute un peu. Il y a des avantages. Téléphone, pas de coupures d'électricité, le...

– Oui, et deux millions de négros brutasses, et des flics partout, et des vieilles zinzins, et des pépères tripoteurs, et la merde qui déborde des égouts... Non, non et non ! Tu m'excuseras, je suis Noire, moi, donc ne va pas croire que je suis raciste, mais, oh, oh, oh, jaaaamais ! Ça me suffit bien, ma peau de Noire à moi.

– Mais mon cœur, je... »

Elle est partie sans dire au revoir, de très méchante humeur. Cordonnier, toujours le plus mal chaussé. Enfin, moi je reste peinard, à contempler la paix dans ce territoire neutre. Si je comprends bien, mon quartier est une zone de guerre. Guerre larvée mais bon. Par chance, je me sens à l'aise dans la saleté, avec mes amis de la négritude.

Cinq heures et demie et toujours pas de Kurt. J'attends dix minutes de plus, dix encore et je m'en vais. Je m'achète un peu de rhum et je m'assois tranquillement sur ma terrasse, face à la mer. Des fois, j'essaie de penser : c'est ce qu'on est censés faire, non ? Penser, réfléchir dans la sérénité. A quoi ? A rien.

Donc j'ai continué à boire. Humainement vide, silencieux. A neuf heures, il reste encore du rhum et je suis un peu parti. Comme une brise fraîche s'est levée, je passe une chemise en laine et je me mets à la fenêtre pour contempler la ville obscure. La Havane dans le brouillard, sous la pleine lune et les nuages. Le vent se refroidit, on dirait que la pluie menace. Le téléphone. Kurt. Très nerveux. Son espagnol, habituellement aisé, est presque incompréhensible. Sa voix tremble.

« Perrrrro Khuan ? Perrrrrrokhuan ?

– Oui.

– Kurt ! Ici Kurt !

– Oui, qu'est-ce qu'il y a ?

– Ah, scuse, scuse-moi, Perrrrokuan ! Que j'appelle, scuse ! Mais j'ai personne, personne... Oooh, j'ai froid, j'suis gelé !

– Comment ça, gelé ? Où tu es ? Impossible que tu sois gelé.

– Oh, je suis confus de solliciter de l'aide ! Ooooh, j'ai la tête à l'envers !

– Tu veux que je vienne ? Où tu es, là ?

– Tu... pourrais ?

– Tout de suite, oui. Donne ton adresse. »

Tout près de l'angle de la 2 et de la 21, ce havre de paix. J'arrive en trente minutes. Un appartement mouchoir de poche au fond d'un sous-sol qui sert aussi de garage à un immeuble deux étages. Ils ont piqué une place de parking pour construire cette piaule minuscule, sans fenêtre. Etouffant, surtout pour moi qui suis claustrophobe. La porte est entrouverte. J'appelle, Kurt me crie d'entrer. Ténèbres absolues. On ne voit rien, mais rien. Je cherche l'interrupteur à tâtons, j'allume et.... aaah, il est affalé au milieu de la pièce, tout nu, le téléphone près de lui. Il claque des dents. Ça pue la merde. La merde fraîche.

« Mais qu'est-ce qui t'arrive ?

– Oh, je suis désolé, Perrrokhuan, ooohhh...

– Qu'est-ce qui s'est passé ?

– S'il te plaît, dans la chambre... Rapporte quelque chose pour moi. Une chemise. Oh, j'ai froid ! »

En fait, ce qu'il appelle la chambre, c'est seulement un paravent en vitres colorées qui cache un lit et un placard. Dans un coin, une petite porte donne sur une salle de bains qui paraît disproportionnée, en comparaison, et très moderne. Sophistiquée, même. Sauf que c'est l'horreur, là-dedans. L'eau se déverse de la baignoire pleine où surnagent des crottes. C'est de là que vient la pestilence. J'inspecte le placard. Vide. Que des cintres, un vieux slip, une paire de chaussettes sales et des tennis fichus. Pas de linge, pas de valise. Si, quelques papiers, un agenda, une brosse à dents. Ils ont même emporté les draps du lit. Heureusement, il reste un couvre-lit en laine. Je le lui rapporte et je l'enveloppe dedans.

« Kurt ? La salle de bains est inondée. Il n'y a plus rien. Ils t'ont dévalisé ?

– Oui, oh.... Des heures et des heures dans l'eau glacée. Je crois... Je crois que j'ai la fièvre.

– C'est sûr. »

Et il empeste, aussi. On dirait qu'il a pris un bain de merde. Je le couvre mieux. A partir de la taille, il est paralysé, complètement, mais ses bras et ses mains ne bougent qu'avec difficulté, maintenant. J'arrive à l'asseoir par terre.

« S'il vous plaît, amène ma chaise. »

Le fauteuil roulant était à côté de la baignoire. Je l'installe dedans, emmitouflé. Il me demande de lui préparer un café. Dans un autre coin, il y a un petit frigo, un réchaud à gaz, une table et trois chaises. Je sers deux tasses. Hébété, Kurt regarde vaguement autour de lui.

« Hé, oh, réveille-toi !

– Pas crier, s'il te plaît... Je suis très nerveux.

– Bois ça et raconte-moi ce qui t'est arrivé, merde.

– Eh... Une pute... Oh non, les misérables ! J'ai peine, Perrrrokhuan, j'ai peine mais je te dis la vérité.... Aaaah !

– Je t'en prie, Kurt, concentre-toi. Bois ton café doucement et dis-moi tout. Je peux t'aider mais il faut que tu me racontes la vérité.

– Oui, merci, très aimable. Merci. Je les ai ramenés ici, ce soir. Deux du trottoir. Une fille, un garçon. Super. Lui très noir, très sexy, elle métisse et très, très... bien. Beaux tous les deux. On a fait l'amour. A trois, tu vois ? Des heures et des heures. A la fin j'étais crevé, ils m'ont mis dans un bain chaud et... Ils m'ont fait un massage. Le garçon, très intelligent, très habile, il m'a bien traité. Il m'a donné encore du rhum. Moi je voulais plus boire. On avait beaucoup pris, et de l'herbe aussi, tu comprends... Mais il m'a presque forcé et bon, je me suis endormi dans l'eau. Combien de temps, je sais pas.

– Ils ont dû mettre quelque chose dans le rhum.

– Oui, maintenant je pense pareil... Je me suis réveillé, l'eau était glacée, glacée ! Je les ai appelés. Pas de réponse. Ah, Perrrrokhuan, quel problème ! Tout seul je pouvais pas sortir de la baignoire, tu sais bien. J'ai crié, crié. J'ai cassé ma voix mais il vit personne, dans ce sous-sol. Penser que j'allais mourir de façon aussi absurde, aussi inutile... J'ai eu très peur de mourir. Très peur.

– Oui, et tu as chié de trouille dans la baignoire.

– Oui... Oh, j'ai peine pour toi ! C'est que... Mes sphincters, ils m'obéissent pas, tu comprends ?

– Calme, calme. C'est fini.

– Aaaah... Bon, enfin, je ne sais pas comment j'ai réussi, je me suis accroché aux bords et je suis tombé sur le sol, ensuite j'ai rampé au téléphone et je t'ai appelé. Pardonne, je ne me rappelais pas d'autre numéro... Rien que le tien. Merci, merci d'être venu, merci de...

– D'ac, d'ac. Assez de protocole et de courtoisie. La question, maintenant, c'est qu'est-ce qu'on fait ? Ils ont tout emporté.

– Quoi, mes papiers aussi ? Les cartes de crédit ? Le passeport ? Mon billet de retour ? Oh non, non ! S'il te plaît, regarde bien ! »

Je regarde bien, oui. Ils n'ont laissé que la chaise roulante. Plus de fric, plus de papiers, rien.

« Bon, c'est la totale, Kurt. Je fais quoi ? J'appelle les flics ? Et entre parenthèses il faut nettoyer, ici, ça pue trop. Et il faut que tu reprennes un bain.

– Oui... Non... Je ne sais pas ! Je suis perdu. J'ai honte. Oh, quelle humiliation !

– Oublie ces salades et redescends sur terre, Kurt. Réagis ! Il faut prévenir les flics.

– Non, non, pas la police ! Cela compliquerait tout. J'irai à l'ambassade demander un autre passeport et... Aaah, je suis sans argent.

– Dis donc, excuse la curiosité mais tu peux vraiment bander ? Ou bien ils t'enculent, seulement ?

– Non, si ! Avec un médicament très, très fort. Jusqu'à trois heures d'érection. Mais je ne sens rien. Mais les filles, elles jouissent beaucoup et moi je jouis en les regardant, tu sais bien, le fantasme de... Aaaah, mais qu'est-ce que je vais faire, maintenant ?

– Je sais pas, Kurt. Ce que tu peux faire, j'en ai pas la moindre idée. »

9

Agneta a appelé le mardi, très excitée : « Cette nuit, j'ai lu ta nouvelle, *My Dear Drum's Master* ! » Elle m'explique que les documents pour le séminaire sont partis par messagerie, et que j'ai ma place d'avion retenue pour le 13 mai. Magnifique, ce sera le printemps ! Ah, et il faut que j'envoie le... *medical report*, pour l'assurance. On parle de choses banales : « Ici il fait très chaud », « Oh nous c'est encore à peine au-dessus de zéro. J'aimerais venir à Cuba. Passer une année », « Y a pas de travail, ici », « Pas grave ! Je vends ma voiture, ça me donnera de quoi vivre pendant un temps »...

Et puis, je ne sais pas comment, on se met à délirer. C'est moi qui ai dû lancer la conversation là-dessus, comme toujours. J'aime sa voix, ses hésitations, la lenteur de son élocution. Je bandais, d'un coup, alors je me la suis caressée et je le lui ai dit. Elle : « Ah, ça me plaît, ça ! C'est vrai ? Tu le fais là, vraiment ? Ah, moi je suis au bureau, je ne peux rien faire... » Je continue à me branler doucement, avec de la salive sur la queue pour que ce soit meilleur. Ce que j'ai oublié de dire, jusqu'ici, c'est qu'à partir du jour où Agneta a reçu cette photo de moi avec la bite en l'air dans la neige, son univers a été bouleversé. Après les Alpes, j'étais revenu à Vienne, où j'ai passé quelques jours dans un penthouse sur la Radetzkystrasse. Agneta me téléphonait tous les soirs. Il fait nuit tôt, en Autriche, mais à Stockholm, en hiver, c'est l'obscurité complète à quatre heures de l'après-midi. Je ne me rappelle plus comment on a commencé, mais le fait est qu'on a pris l'habitude de se masturber ensemble à chaque bout de la ligne. Je suppose qu'elle matait ma photo en écoutant toutes les cochoncetés que je lui sortais. Moi, il me suffisait d'entendre sa voix et ses soupirs.

Mais là, Agneta a changé de sujet. Elle parle de sa chef, qui vient de revenir de vacances en Sicile et qui raconte des histoires désopilantes, paraît-il, parce que tout le service est plié de rire.

« Qu'est-ce qu'il y a de si drôle ? C'est idiot !

– Bah, elle est rentrée de Méditerranée toute comblée. Elle a dû s'envoyer un Sicilien.

– Non, pas un Sicilien. Avec son fiancé. Oh, ce qu'elle est bête !

– Son fiancé qui est ton ex ?

– Oui, mon ex. C'est bizarre, cette situation.

– En Suède, oui. Pas à Cuba. Ici, c'est normal. Tout est un mélange, comme dirait le poète.

– Quel poète ?

– Un poète. Il disait ça : "Tout est mélange." »

Agneta observe un silence très érotique, pour moi. Ça m'excite de la savoir là-bas, en train de penser à moi. Et quand elle parle, c'est avec une douceur géniale. Là, elle murmure :

« Tu continues ?

– Oui.

– Avec la même main ?

– Oui. Tu vas te laisser pousser les poils sous les bras, alors ?

– Oh non ! J'ai essayé quelques jours mais ça ne me plaît pas.

– Tant pis. Quand je serai là-bas, je vais bien réussir à te convaincre. Je suis pas pressé. »

Je me pignole toujours, mais sans hâte. Je ne veux pas juter dans le vide. Je le réserve à Gloria, ou à une autre.

« Oh, ils vont me renvoyer ! Je n'ai aucune excuse. Ça fait... ah, vingt minutes qu'on parle.

– Oui, mais comme ce serait super si tu étais là, Agneta... Et tu as beaucoup de poils sur le sexe, entre les cuisses ?

– Oui. Je te l'ai dit déjà. Beaucoup. Et je suis très brune, et...

– Aaah, salope, attrape, j'en peux plus ! Regarde, regarde comment ça gicle, putasse, garce de Suédoise, obsédée, je me retiens plus, tiens, encore, regarde comment j'en mets par terre...

– Oh ! Et moi qui suis si loin. Comment c'est possible ?

– Aaah, le dernier jet, aah... Qu'est-ce qui est possible ?

– Comment c'est possible ? Moi ici, si loin. Tu as... fini ?

– J'aime pas, tout seul, con, je déteste ça ! Ces branlettes, ça me tue. Je déteste lâcher ma purée sur le sol. »

Finalement, l'appel a duré trente-cinq minutes et c'est vrai, je suis claqué. C'est exténuant, de se pignoler. Ado, je pouvais le faire cinq ou six fois par jour, j'avais la peau de la queue tout irritée, avec des plaies, même. J'avais des photos de Brigitte Bardot, ou bien je matais la voisine en cachette. Estela. Quel nom merveilleux ! Je ne l'oublierai jamais, jamais. J'ai écrit des petits poèmes d'amour, pour elle, et là j'aimerais bien les relire mais je ne sais plus où ils sont passés.

En les cherchant, je tombe sur un cahier avec le début de

La Vie frugale. Un roman inachevé et que je n'ose pas poursuivre. A la première personne. Ecrire « je », c'est comme se déshabiller en public. Ça commence avec le type, je veux dire le héros, qui surprend sa femme en train de le tromper. Il avait des soupçons mais il faisait celui qui ne voyait rien. Le texte démarre comme ça :

« En général, c'est nous qui fabriquons nos enfers et nos paradis personnels. C'est pour cette raison que l'endroit où vous vous trouvez peut être aussi bien magnifique que cauchemardesque. Moi, j'ai passé de nombreuses années à édifier mon enfer. Sauf que je ne m'en rendais pas compte. En prenant soin des moindres détails, mais inconsciemment. Tel un automate, quoi. Je me suis retrouvé avec une bombe à retardement entre les mains et elle m'a explosé à la figure en 1990, me laissant évidemment en morceaux, abruti. Un soir de septembre, j'ai surpris du bonheur dans les yeux de ma femme. Elle bougeait comme une chatte, aussi. Il était clair qu'elle avait un autre homme et qu'elle venait de le voir. Elle rentrait à la maison toute contente et se hérissait dès qu'elle me voyait. Aujourd'hui j'écris sans douleur et sans haine mais sur le moment j'en ai eu la chair de poule. »

Et ce qui suivait était terrible. Cet homme, ce personnage, avait frappé, cassé tout ce qui se trouvait à sa portée. Il avait brûlé toutes ses amarres pour terminer dans une complète solitude, détruit. Sur une île déserte. Une ruine. Sa crise avait duré des années. Il ne lui restait plus qu'à mourir comme un chien ou à renaître de ses cendres.

Pour l'instant, je ne suis pas intéressé par un roman qui commence de cette manière et que je connais déjà par cœur, de bout en bout. Il suffirait que je m'asseoie et que j'écrive. Avec les tripes, en déballant tout, en aspergeant le papier de sang et de bave et de merde et de pisse et de morve et de larmes. Lorsque l'éditeur reçoit un manuscrit aussi cradingue, d'habitude, il ne comprend pas qu'on puisse être sale et négligent à ce point. Mais un roman de ce genre, ça ne s'écrit pas avec le cerveau, avec les mains. Il faut être prêt à s'écorcher vif. Tu t'arraches la peau, et quand tu n'es plus que de la chair hurlante tu te lances au fond du précipice qu'est ce texte, en t'esquintant encore dans la chute, en te brisant les os sur les rochers. C'est le seul moyen. Qui n'est pas prêt à prendre ce risque ferait mieux de laisser son stylo sur la table et d'aller vendre des tomates, ou faire l'agent immobilier.

Enfin, à ce moment je ne pouvais pas écrire. Pas envie. Pas de roman, pas de peinture. J'ai lu quelques pages d'un vieux cynique : « D'instinct, la femme sait que les polichinelles sont ceux qui peuvent survivre, dans notre société, et c'est pour cela qu'elle les préfère. Tout ce qui lui importe, à elle, c'est de faire des enfants et de les élever en sécurité. » Mes cinquante années de galère confirment entièrement ce constat. Mais je suppose que les esprits étriqués, hommes ou femmes, guetteraient ce vieux pour lui tomber dessus dès qu'il aurait le malheur de mettre le nez hors de chez lui. La grande majorité des humains sont incapables de penser par eux-mêmes. Il faut qu'ils imitent un exemple, dans leurs moindres faits et gestes : au point qu'ils finissent par avoir besoin qu'un « guide » leur montre comment respirer. Et il y a toujours un leader potentiel dans le coin... C'est le thème récurrent de *La Vie frugale* : le héros est tombé dans le piège et peu à peu son statut d'automate s'étend en lui comme un cancer.

Donc j'en suis là, poursuivant trente idées incohérentes à la fois, quand Gloria réapparaît. Toute gentille, un sourire innocent aux lèvres. Ou plus même : candide, puéril et coquin, aussi. Elle a un paquet de feuilles de papier avec elle, un gros. Mille, peut-être. Grossier, jaunâtre. Du papier journal. Mais c'est là-dessus que j'écris, moi, et je n'en avais plus. Depuis des années, on ne peut en trouver qu'au marché noir.

« Ah, petite, te revoilà enfin...

– Hé, mais j'étais chez moi, papi ! Pourquoi que tu m'as pas cherchée ? »

Elle me tend les feuilles.

« Merci beaucoup. Combien ça t'a coûté ?

– Rien.

– Comment, rien ? Qu'est-ce que tu as fait pour l'avoir, drôlesse ?

– Demande pas. Je t'avais dit que je trouverais, le voilà.

– Qu'est-ce que tu as fait ?

– Mais rien, doudou, rien ! Prends-le et basta !

– Tu veux du café ?

– Que oui. Mais des cigarettes, j'en ai pas.

– Et le pignouf, là ? Il t'a pas payée ?

– De quel pignouf ?

– Fais pas ta sucrée avec moi. Tu t'es évaporée depuis dimanche. Tu es partie avec ce maque pour plumer un touriste.

– Ah, ces idées que tu t'inventes ! Quelle imagination que tu as. La tête pleine de fiction et de fariboles, il a !

– Pourquoi t'as rien à fumer, Gloria ? »

La réponse, je la connais par cœur :

« Ni pas d'argent, papito ! Je me ronge dans ma maison à t'attendre et toi qui cours les rues, à faire le beau. »

Je lui tends trente pesos :

« Tiens, achète du rhum, des clopes et quelques cigares pour moi.

– Hé, ça suffira jamais ! Donne-moi quarante.

– Débrouille-toi avec ça. Et dépêche, je lance le café. »

Elle revient avec tout ce qu'il faut dix minutes plus tard. On s'assoit, on boit le café. Je veux absolument connaître l'histoire de ce papier. Au bout d'un moment, elle s'est assez détendue pour y aller d'elle-même :

« Je t'avais pas dit que ce bougre-là, celui qui travaille dans une imprimerie, il allait m'en donner ?

– Si.

– Hier je suis partie voir. A cinq heures. Il m'a demandé que j'attende au coin de la rue, le temps que, les autres employés, ils rentrent chez eux.

– Dédiou ! Et après il t'a bourrée derrière une machine.

– Non, non... Lui ? Laid et tout tordu comme qu'il est ? Tu le vois, tu t'en vas en courant ! On croirait le diable.

– Ouais. Tu dis que les beaux mecs, ils te plaisent pas.

– C'est vrai. Mais affreux à ce point ? Ce bougre-là, il fait péter le laidomètre !

– T'as bien dû faire quelque chose, allez. Lui montrer les nénés, ou...

– Il m'a emmenée au fond de l'atelier, il m'a refilé les feuilles et là, misère, je vois pas qu'il a sorti sa queue. Et raide comme un manche ! "Donne à voir tes nibs, il me dit, montre ton coco !" Enfin, il sait à peine parler, quoi. Devant du foin, pareil même qu'un bourricot. Mais alors une bite longue, longue... Et grosse comme mon bras !

– Il faut bien qu'il ait quelque chose. Une grosse queue, au moins.

– Oui, au moins. Elle est plaisante à voir, faut admettre.

– Et donc tu l'as branlé.

– Mooooooi ? Une fille bien comme moi ? Non, non, il se l'est branlée tout seul, va ! Bon, je lui ai enseigné un petit bout par-ci, un petit bout par-là. Et il m'a suçoté un tété, un peu. Enfin, il a été terminé en deux minutes. Après j'ai attrapé les feuilles et je suis partie en flèche, en remuant mon petit cul. Bonjour, au revoir, vilain bougre.

– Enfin, le papier est là, quoi.

– Si jamais tu en veux encore, je t'en ramène, papito. Je l'ai rendu fou, ma parole ! Tu te rends compte qu'il avait tout lâché et que son manche restait aussi énorme ? Mais toujours aussi laid, mon pauvre ! Il ressemble à un boxeur que les coups, ils lui ont mangé la figure. »

C'est moi qui suis en folie, maintenant. Je lui saute dessus. Elle me rend dingue, avec ses histoires. Qui n'en sont pas. Elle, c'est l'histoire officielle et son contraire, l'anti-histoire, la fin et le début de l'histoire. Ah, on se plaît trop, tous les deux. J'adore ses mains, ses pieds, sa peau, sa couleur, son rire. Tout. J'aime renifler et lécher son cul. Etre en elle, une heure, deux... Et parler, en même temps. Elle a une odeur spéciale sous les bras, très douce, qui me fait perdre la boule. J'enlève ma ceinture en cuir tressé et je commence à lui cingler gentiment les fesses, je bave dans sa bouche et elle s'excite, elle aussi. Elle se retourne et me donne son cul. Ah, ça fait mal, d'abord, mais elle me demande plus, elle m'empêche de la ressortir et elle me raconte ses aventures de traînée. Elle adore se faire enculer. C'est... Je ne peux pas décrire plus. Deux heures de folie pure. Elle est belle, Gloria. Un visage magnifique, doré, avec des dents très blanches.

« Ah, papito, laisse-moi vivre avec toi et engrosse-moi. Pour me calmer, dis ! Tu me mets enceinte et je regarde pas un autre bougre. Rien que toi, papi, que toi. C'est que j'ai le feu utérin, vois-tu. Depuis toute petite petite. Je peux pas me contenir.

– Quelle pute et quelle cinglée tu fais ! Tu seras une vioque de soixante-dix ans et tu chercheras encore les mâles dans la rue, catin !

– Hé oui, mon beau, c'est ce qui me plaît, à moi. Ça et aller au ranch de Milagros.

– Au quoi ? Qu'est-ce que c'est que ça, con ?

– Ah, aller là-bas et attendre dans une chambre qu'il entre. Presque toute nue sur le lit. Je lui demande le fric de suite et ça me plaît bien aussi, ça. Qu'ils sortent les billets, qu'ils me les mettent dans l'élastique du panty.

– C'est quoi, ça encore ? Ah, raconte, salope, tu me rends fou.

– Et moi tu m'égares. Ça ne m'est jamais arrivé, jamais. A plus savoir ce que je dis. Mais pourquoi je parle autant, moi, pourquoi ?

– Parce que tu commences à m'aimer.

– Je suis déjà amoureuse, vaurien ! Ils se rendent tous compte, chez moi. Que tu m'as tourné la tête. »

Elle embrasse mon tatouage, le suce, le mord :

« Ah, ce serpent rouge, il m'hypnotise. »

Elle ouvre les jambes, se remet la queue dans le vagin, me demande encore plus, plus, sans arrêter de lécher le serpent rouge :

« Jouis pas, con, jouis pas maintenant ! Je veux encore ta bite, plus de bite, encore ! »

Une actrice porno. Une vedette porno. Géniale. La folie. Quand je ne peux plus y tenir, je crache ma crème en gigotant, en beuglant et en soufflant comme un taureau. Je lui donne une beigne, je tombe en convulsions jusque dans la cave de l'immeuble, je rebondis et je reviens sur le lit, vidé, moulu, haché.

Un verre de rhum et un bon cigare pour me retaper, puis

je vais m'accouder à la fenêtre, face à la mer, à la ville, au soleil éclatant. Gloria vient se coller contre mon dos :

« Ah, papi, quand tu jouis, t'es plus toi-même.

– Et je suis qui, alors ? Si tu me tires tout le jus de la colonne vertébrale, et du cerveau, et du cul, et de la moelle de mes os, si tu me presses comme un...

– C'est plus toi, non. C'est l'Africain. Le nègre qui est en toi. Tu souffles, tu râles, tu parles dans ton ventre. Tu sais plus où tu es. C'est l'Africain qui jouit pour toi.

– Toi aussi, tu vas me parler de l'Africain.

– Tu es au courant. J'ai pas besoin de rien te dire. L'Africain, tu es son cheval. C'est pour ça que tu baises comme un sauvage. En plus, tu es le contraire même des autres hommes. Plus tu es vieux, plus tu l'as grande et grosse et dure, plus tu as de crème, plus tout. Ah, celle qui se couche avec toi... Tu es un piège, voilà. Un piège dans le lit. »

Après ces joutes, je me sens en effet très mâle, très membré et très animal. Lacan peut toujours rappliquer, on le fout dans le pieu, on se fait un délire lacanien et tout le monde est content.

« Regarde, papi, je t'ai acheté un petit cadeau ! »

Elle sort d'un sac en plastique un short jaune, une chemisette à manches courtes violet, jaune et noir. « Cagade, c'est bon pour les carnavals ou pour un voyage à la Jamaïque », je me dis, mais je préfère me taire.

« Les manches courtes, c'est pour qu'on te voie le tatouage. »

Tout me revient, d'un coup.

« Et comment, un cadeau ?

– Le gogo, il m'a laissé des dollars.

– Celui de dimanche ?

– Oui. Dans les quatre-vingts ans et quelques. Un vieux couillon.

– D'où il est ?

– Ah, est-ce que je sais, moi ? Il raconte qu'il est le maire d'un village et qu'il a des caves à vin.

– Espagnol, alors.

– Il parle pas en faisant des "ssss".

– Et comment il parle ?

– Je sais pas ! J'ai pas demandé. En plus il a un nom complètement bizarre, impossible à se souvenir. Moi, je prends d'abord la thune et ensuite je le chauffe. Je me défringue devant lui et je lui mets les godes dans le cul. Il en a toute une collection, comme dix ou plus.

– Des godes ?

– Toutes les tailles, toutes les couleurs. Qu'il a une petite valise pleine de vibromasseurs et de tubes de crème. Frappé frappé, ce vieux-là. Le cerveau atteint, qu'on se demande comment il peut être un maire ou mener des affaires. Enfin, à chaque toqué sa lubie, non ? Et donc j'ai palpé quelques billets, et après il me donne encore cinquante de pourboire. Je me suis occupée de la maison, maintenant il y a du manger pour une semaine ou plus, et aussi je t'ai acheté ce présent parce que moi je ne t'oublie jamais.

– Tu n'oublies jamais de vendre ton cul, surtout.

– Possiblement, mais je t'aime. Tu m'as conquise, tu es mon mâle, qu'est-ce que tu veux ? Cavaleuse, oui, bon et alors ? Je te l'ai déjà dit : tu me maries et tout s'arrête. Je vis pour toi, rien d'autre. Toi et les enfants que tu me fais. C'est ça que je veux.

– Ah oui ? Ce que tu veux, c'est être une dame à la maison et une catin dans la rue. Les deux en même temps.

– Non, papi, non ! Une dame et c'est tout. Bien tranquille

avec les petits. Finalement, j'ai jamais vu une femme faire la pute toute sa vie, moi. Ça n'a qu'un temps. Et celle qui l'a jamais fait, des fois ça la tente d'essayer... Ce qu'il y a, c'est que tu es un homme et que vous ne vous rendez pas compte de comment nous sommes, nous autres femmes.

– Ah, commence pas avec tes théories et ta sociologie, hein ?

– Je suis une rien du tout, moi, mais ce que je te dis, c'est vrai. Et puis tout le monde est mauvais jusqu'au jour où on l'est plus.

– Tu n'es pas mauvaise.

– Mais toi, tu me vois de la sorte. Comme une diablesse.

– Je vois rien, moi.

– Enfin, on est comme on est, tous.

– Bon, on va à la plage ?

– Maintenant ?

– Maintenant.

– J'ai pas ni un peso.

– Et le fric du vieux pignouf ?

– Je l'ai dépensé, mon amourrrr. Que c'était une misère, en plus.

– Allez, va prendre des dollars et on y va.

– Non, non ! Tout dépensé, je te dis.

– Va ou je te mascagne. »

Je reprends ma ceinture et je lui en balance trois ou quatre sur le dos, les fesses.

« Aïe, aïe, arrête, salaud ! Brute !

– Va chercher du fric.

– Combien ?

– Vingt dols.

– Ah, c'est trop ! Tu veux aller à Varadero ou à Guanabo ?

– Guanabo.

– Dix, il me reste. »

Je lui redonne un peu de cuir, je la jette sur le lit. Je bande à nouveau. On recommence.

« Ah, mon taureau, comme tu me fais du plaisir, merde ! Je veux être ta pute, ta dame, ta fiancée, tout ! Me marier avec toi, papi, tout en blanc et toi en costume de coton blanc aussi. Bien élégants. Dans une Cadillac jaune, avec des ballons de toutes les couleurs, on descend le Malecón, que toute la ville le sache ! Tout le monde qui regarde, la cohue ! Ah, donne-moi ta salive, mon couillu, t'es mon zinzin, donne moi ta pine, mets-la-moi jusqu'au nombril ! »

On s'amuse comme ça un bon moment, on termine, on se relève. Elle descend chez elle, revient avec quinze dollars et me les donne :

« Tiens, papito. Plus qu'assez pour aller à Guanabo.

– Ou à Santa Maria.

– Santa Maria, c'est plein de putasses, elles vont t'aguicher, les bougresses, et moi je devrai en massacrer une.

– Plein de touristes, aussi. Et ils vont te chercher, ces fils de pute. »

On part en marchant. A Corrales, toujours pas de minibus en vue mais une camionnette nous prend pour dix pesos et on se retrouve sous mes cocotiers du dimanche précédent. L'homme : un animal qui a ses habitudes. La plage est propre, maintenant, des vieilles ramassent les ordures, les jettent dans des sacs qu'elles traînent derrière elles sur le sable. Arrive un type avec une moto spectaculaire, toute en chromes, et une métisse qui en jette encore plus, un morceau de premier choix, gaulée à en crier, toute en muscles et en rondeurs : elle se déshabille et elle reste là avec un fil dentaire coincé entre les miches succulentes. Purée, à poil quasiment avec toute cette splendeur au vent, et elle rigole ! La luxure et la perversité faites femme. Elle a dix chaînes en or au cou, d'autres aux poignets, aux chevilles, et une qui lui va du nez à l'oreille droite. Des extraterrestres ? Ils s'installent à l'ombre d'un cocotier et commencent à boire du rhum en écoutant des boleros ou des rancheras et en vivant leur passion. Ils se moquent de la plage, de l'eau, du soleil. Rien que la picole, la musique et les langues fourrées.

Je suis parti nager un bon moment, assez loin. Quand je reviens, requinqué, je trouve Gloria en train de jouer les épouses respectables en compagnie d'une paisible dame qui était étendue à deux mètres de notre arbre. Deux maîtresses de maison qui viennent se détendre un peu à la mer avec le marida et discutent posément des thèmes de toujours, la scolarité des gosses, comment préparer une paella quand on ne trouve plus de fruits de mer... Celle-là a entrepris de raconter toute sa vie à Gloria, et qu'elle est déprimée, et que son époux est parti à Miami depuis un an mais qu'il se comporte très mal : « Rien qu'une carte postale avec vingt dollars, un jour, et depuis plus de nouvelles. » Elle ne le gâte pas, le type, il est avare, mesquin, il l'a trompée avec d'autres, il la laisse mourir de faim. Gloria a l'air captivée par ce déballage tandis que moi, je bois à la bouteille en regardant ailleurs. Pour faire son intéressante, elle finit par me lancer un coup d'œil et à me dire d'une voix pincée :

« Arrête de boire, mon chéri. Tu auras du mal. »

Bordel ! La crétinerie l'a déjà atteinte, contaminée. Je n'ai que de l'antipathie pour cette femme qui ne lui épargne aucun de ses tracas, les maladies de sa mère, son élevage de poulets qui lui donne des soucis, sa dépression parce que les hommes l'évitent, « alors que j'ai trente-neuf ans et que je ne suis pas si laide, non ? Et sans histoires, n'est-ce pas, parce que ma fille est déjà une demoiselle et je la prends en charge. Le problème, avec les hommes, c'est qu'ils n'aiment que les jeunesses. » Elle se tourne vers moi :

« Votre épouse m'a dit que vous étiez écrivain.

– Epouse ? Quelle épouse ?

– Eh bien, ah, elle... Enfin, vous avez été publié ou...

– Ou quoi ?

– Ou non ?

– Si.

– Que je vous explique pourquoi je demande... Ah, le monde est petit, vraiment ! Je suis spécialiste en littérature cubaine et nous sommes justement en train de préparer un dictionnaire des auteurs du pays. Vous voyez quel hasard !

– Mmmm.

– Nous voulons qu'il soit le plus complet possible. Vous avez eu la fiche signalétique ?

– Pour quoi faire ?

– Mais pour que vous soyez dedans ! Tout le monde, nous voulons tout le monde. Même ceux qui ont gagné je-ne-sais-quel prix de poésie décerné par la Maison de la culture du diable-vauvert.

– Ah oui ? Très bien. Ça va être un gros dictionnaire.

– C'est dans ce sens que nous travaillons, camarade.

– Et ceux qui sont partis ?

– Eux aussi ! Tout le monde ! Ah, ça ne va se passer comme la dernière fois, non. Bon, attendez... Il faut que je vous fasse remplir la fiche.

– Non merci.

– Mais vous êtes écrivain ou pas ? Vous avez gagné un prix ?

– Jamais rien gagné. Je perds toujours.

– Ah, dans ce cas, je ne sais pas quoi vous dire... Pas de

distinctions, aucune ? Alors vous n'avez pas de... curriculum. Je ne sais pas si la commission acceptera. Et c'est important, d'être dans ce dictionnaire, ça vous donne un nom, vous comprenez ? Qu'est-ce que vous écrivez ? De la poésie ?

– Aaaah, señora... Vous voulez boire un coup ?

– Je suis en train d'essayer de vous aider à être dans le dictionnaire, ce qui vous permettra ensuite d'être publié à l'étranger, tout ça... Vous êtes conscient de cela ?

– Un petit coup de rhum ? Il est excellent.

– Non, non ! Je suis traitée à la trifluopérazine plus amitriptiline. Pas d'alcool, surtout !

– Gloria, viens te baigner. Vous pouvez jeter un œil sur nos affaires, señora ?

– Mais comment donc, ne vous inquiétez pas. Encore que maintenant, avec la quantité de policiers qu'il y a dehors, on ne risque rien... Jusque dans la soupe, il y en a. Mais je suis satisfaite, moi. On se sent plus tranquille, plus en sécurité. Pas vrai ? Ils sont toute la journée par là-bas, à demander la carte d'identité même aux moutards ! Et c'est ce qu'il faut. Il en faudrait plus, beaucoup plus. Voyez-vous, comme il n'y a pas de travail ni rien, la délinquance s'est développée et la vie devient impossible pour les honnêtes gens. Alors moi je suis d'accord, oui, plus de policiers, plus de contrôles. Prenez mon quartier, chaque...

– Bien, señora, vous nous excusez mais on va à l'eau, nous autres.

– Allez, allez. Moi, la mer, ça me fait peur. Pour rien au monde je ne mets un pied dedans. Je surveille vos habits. »

Je prends Gloria par le bras et je l'entraîne loin dans les vagues.

« Ah, je vais te noyer, connasse !

– Non, papi, fais pas le fou, que j'ai pas pied, ici !

– Pourquoi tu fais ta conne avec cette emmerdeuse ?

– Ah Pedro, mais c'est une femme bien, avec de l'instruction et tout. Qu'est-ce que tu veux que je lui dise ? Que tu es un crève-la-faim et moi une drôlesse, et qu'on est ici juste parce que je me suis farci un touriste et que je lui ai piqué quinze dollars ? Non, mon doudou, mes problèmes je les laisse à la maison et personne doit savoir ! Tu es un écrivain, tu es un journaliste, tu es tout ça, et moi je suis ta bourgeoise. Tout en finesse, tout en élégance. Elle a envie de raconter sa vie au premier venu ? C'est son affaire. Mais moi, ma vie c'est un secret et je l'emporte dans la tombe !

– Gloria ? Quand tu commences à débiter des conneries, personne peut t'arrêter.

– Pourquoi tu dis ça ?

– Parce que tu sais que ta vie est pas un secret et que t'es pas la femme du putain de pharaon ni rien.

– Comment ? Qu'est-ce que tu dis ? Parle clair, tu veux ? Quelle femme du pharaon ?

– C'est les pharaons qui emportaient tout avec eux dans...

– Aïe, papi, me trouble pas le cerveau avec ces bizarreries que tu dis !

– Merde, Gloria, t'es rien qu'un animal !

– Ah, je sais que je suis une bêtasse, mais tu aimes bien, pas vrai ? Je vais te dire quelque chose, papi : les meilleurs couples, c'est quand les gens sont différents. Sans rien à voir tous les deux. Toi, tu es tellement intelligent, et tu sais tout, et tu écris, et patati, et patata, mais moi...

– Ouais, ouais. Arrête, va. Tu me donnes envie de te tringler ici même.

– Et moi, niquer dans l'eau, comme j'aime ! Ça fait si longtemps que j'ai pas.. Allez, mon beau, allez. Mets-la-moi. Bien au fond. Viens ! »

Animal tropical

Je commence par la chauffer avec un doigt, puis deux, puis quatre. Avec le pouce dans le cul. Elle devient dingue, moi aussi. Ensuite on copule entre deux eaux, comme les langoustes. C'est génial, dans la mer. Gloria à cheval sur moi, à remuer le bassin juste ce qu'il faut, bien bourrée.

10

Le retour à La Havane est très divertissant. Il y a cette fourgonnette, une Ford qui date au moins de 1945. Ils ont placé des bancs en bois à l'intérieur et ils peuvent prendre jusqu'à douze personnes. Monte une très jeune femme, sur le point d'accoucher, accompagnée de son mari, et ils s'installent en face de nous. Elle, elle est pratiquement nue, avec un énorme ventre tout rond, de beaux seins tout enflés, cuisses et cul dans la même jubilation. Un bikini et par-dessus un peignoir en batik transparent. Elle se tient le ventre par en dessous, comme si le bébé allait sortir d'une minute à l'autre. Très jeunes tous les deux. Le type est un bellâtre avec des chaînes en or, des colliers de santería, des numéros de prison tatoués sur le bras gauche. Trois. Tout fier de ses tatouages. Seulement en short, son tee-shirt dans la main, il sue copieusement. Une longue cicatrice part en diagonale de son téton gauche jusqu'au nombril. Il a pris un méchant coup de surin, un jour. Mieux vaut ne pas trop les regarder, ces deux-là, mais moi j'ai des lunettes de soleil et je peux reluquer par-derrière. Très belle fille. Une tentation. J'ai toujours été attiré par les femmes enceintes. Et celle-là quasiment à poil devant moi... Enfin, le chauffeur évite Guanabacoa et s'en va directement vers le tunnel de la baie, alors le petit dur lui crie :

« Hé, l'ami, où que tu vas comme ça ?

– Hé bé, à La Havane, tiens. Par le tunnel.

– Non, mon gars, non. Moi, je descends au feu de Guanabacoa.

– Mais je vais pas par là, moi !

– Arrête, alors. Arrête. Laisse-moi ici. »

Ils se retrouvent au milieu de la route. La fille a les douleurs, elle vacille en marchant et en se tenant le ventre, faisant tout pour retenir le fœtus. Elle est en nage mais elle se mord les lèvres et souffre en silence. On repart. Dans la camionnette, un vieux remarque :

« Il est fou, ce 'ti bougre là. Elle va accoucher sur la chaussée.

– Il est saoulé, intervient une femme.

– Quoi, vous pensez ?

– Il empestait l'alcool jusqu'ici ! Et elle, c'est une inconsciente. Si c'était moi, je lui aurais dit : "Tu descends tout seul parce que moi je vais droit à la maternité !" »

Une autre rajoute son grain de sel :

« C'est elle qui est fautive. Qu'est-ce que ça veut dire, aller à la plage quand on est dans cet état-là ?

– Ah, c'est qu'il y a des hommes sans aucune pitié. Celui-ci est une brute, ça se voit très bien.

– Il faut que jeunesse se passe.

– Quelle jeunesse ? Moi j'ai quatre enfants, j'ai mis le premier au monde à seize ans. Et toute seule, encore. Le mari était milicien, à l'époque, jamais à la maison.

– Les jeunes, ils croient que tout est un amusement. Ça ne se rend pas compte, à cet âge. »

Et ils ont continué sur leur lancée. Je n'écoute plus. J'ai

un sac rempli de mangues sous mon siège. C'est une famille du Cotorro qui les vendait sur la plage. Débarqués de la cambrousse, à dix ou plus dans une guimbarde, vieillards, marmots et bouteilles de rhum. Tous grands, la peau foncée, maigres comme des clous. Dès que les flics se sont éloignés, un petit jeune avec femme et trois enfants s'est risqué. Obligé de tenir à distance les mioches qui beuglaient : « Amène-moi, Papa ! » et que la femme a rassemblés autour d'elle comme une mère-poule. Il allait vers les gens en proposant : « Allez, des belles mangues bien mûres, pas cher ! » Je lui en acheté quelques-unes et il m'en a refilé encore, au rabais. Il avait pas mal taquiné la bouteille, il était d'humeur aimable. Il m'a offert un coup, on a bu quelques rasades, il m'a donné la vingtaine de mangues qui lui restaient. Il m'a posé plein de questions sur mon tatouage : lui, il voulait avoir un San Lázaro sur l'épaule mais on sait jamais, hein, c'est pas garanti, l'encre pâlit avec le temps parce qu'ils utilisent n'importe quoi, etc., etc... Enfin, on a jacté un bon moment et il m'a invité chez lui. Je pouvais passer quand je voulais. Le brave mec, quoi. Au total, je repars avec une cargaison de mangues et on s'est envoyé une demi-bouteille de rhum.

Je passe la journée du lendemain à boulotter des mangues, justement. Et à éliminer les livres inutiles de mes étagères. Pour ma petite bibliothèque, les opinions de Lounatcharski sur l'art et la litérature occupent trop de place. Ou encore *La Forteresse de Brest-Litovsk*, ou *Et l'acier fut trempé*, ou Engels sur la culture, ou *Un homme vrai* de Boris Polevoï, ou des textes de discours interminables, ou un volume de Léon Trotski... J'étais en plein là-dedans quand Kurt m'appelle. Pour me dire au revoir. Tout s'est arrangé, ses parents lui ont envoyé de l'argent. On pourrait se voir dans une heure, prendre un verre ? Il veut me remercier pour ce que j'ai fait. Non, Kurt, merci beaucoup mais ça va. Et bon voyage.

Ensuite, j'ai quelques jours de paix. Gloria, qui dit qu'elle m'aime tellement, disparaît de la carte et même le bon Dieu ignore où elle est passée. Il arrive sans cesse des gens, ils téléphonent ou ils débarquent à l'improviste. Le lendemain du départ de Kurt, voici Ingrid. C'est une amie à lui et Kurt m'a prié de lui servir de chaperon à La Havane. Elle passe me voir un soir, avec son fils de treize ans. Café, on bavarde, un verre de rhum. Elle me demande où sont les toilettes. J'ai un petit trou stratégiquement placé dans le mur, évidemment. Juste derrière la cuvette. Je vérifie par là. Beau cul. Excellent cul. Délicieux. Je lui offre encore du rhum, je mets de la musique et allez, on danse. Impossible. Elle saute comme un cabri, frénétique. Armando Manzanero chante qu'« *avec toi j'ai appris que la semaine a plus de sept jours* » mais elle, elle gambade, elle rigole, elle se démène. Elle veut s'amuser à Cuba, non ? Encore du rhum. J'essaie bien de la coincer pour lui mettre ma queue entre les cuisses mais cours toujours avec ses sauts de carpe idiote. Elle a un sourire béat, la figure rouge comme une tomate. Je lui pose les deux mains sur les fesses, elle ne se rend compte de rien, alors je me lance, je lui prends le con et je tâte. Immense. Là, c'est trop pour elle. D'une voix suffoquée, elle me chuchote : « Ah, non, non, le fils. Je me scuse, je me scuse, pardon, adiós. » Et elle se jette dans l'escalier en agrippant le petit par le poignet. Je cherchais juste à être un bon chaperon, à lui montrer ce que c'est, la fiesta à la cubaine. J'ai fait mon possible.

Elles surgissent comme ça, chacune avec son histoire. Il y en a qui ont lu la *Trilogie* et qui veulent me raconter leur vie. Des fois elles m'apportent des lettres, des cassettes de musique, et puis elles restent plantées là, fascinées, à attendre que le tigre leur saute dessus et les déchire. Mais non. Je ne peux pas fourrer ma queue dans tous les trous moites et poilus qui passent. Oui si, je pourrais, sauf que je ne veux pas faire mon numéro à la commande, comme un chanteur de cabaret. Peut-être que j'en ai assez de tomber sur n'importe quoi. Dans mon jeune temps, j'étais un vrai vautour, la moindre charogne faisait mes délices. Je me farcissais de la carne et je croyais déguster du blanc-manger. Avec les années, on devient plus exigeant, on devient un gourmet. Ingrid, par exemple : elle m'a excité parce que je l'ai matée dans les chiottes mais avec un regard plus calme, plus distancié, elle était trop charnue à mon goût, trop blanche, trop adipeuse. Une femme saine, lente, bien élevée. Qui retient ses cris quand on la lui met, sans doute parce que les bonnes manières le veulent ainsi. Education, répression. Un petit soupir discret, au maximum. On finit par développer un sixième sens, pour ces choses-là : c'était pas un bon coup. D'autres sont trop masculines, trop lourdes. Pas seulement de corps mais également d'esprit. Elles ne sont pas pour moi, celles-là. Il y a plein de femmes qui courent la planète toujours insatisfaites, toujours offusquées. Elles vont partout et partout elles s'ennuient. Des fois, elles se mettent à avoir des chiens ou des chats et elles ne savent plus quoi en faire. Certaines se disent qu'elles devraient avoir une aventure avec un macho, une brute primitive, elles se le fabriquent dans leur tête et elles partent à sa recherche. Parce qu'il n'est jamais à portée de la main, bien entendu. Elles se croient très fortes parce que, jeunettes, elles se sont enfuies vers le Sud sac au dos. Qu'elles ont été hippies, presque. Et qu'elles y ont cru. Dans ce ramassis il y en a quelques-unes qui sont habitées par quelque chose de vrai. Très peu, mais il y en a.

Maura, par exemple. Une fille brillante, qui domine son entourage. Pas paumée, du moins en apparence. Pas fofolle, ni rongée d'angoisse, ni dépressive. Je répète : en apparence. Elle s'accorde un répit après la fin explosive d'une relation qui durait depuis treize ans. Elle est amie d'un vieil ami à moi qui, dans les années de galère, pires encore que maintenant, venait à La Havane et me remontait le moral en me disant. « Mais va donc à Malaga avec Ana, tu vas devenir ouf, ici. » Donc voilà Maura qui débarque, porteuse d'une lettre de mon pote. Apparemment en pleine transition, la fille. Les premiers jours ici, elle s'ennuie. Ensuite, elle me raconte qu'un Noir, conducteur de tricycle, la monte toutes les nuits. Pas qu'il la charge dans son taxi à pédales, non : il la grimpe. Avec capote. Auparavant, elle m'a confié qu'avant son départ de Buenos Aires : « Les amis m'ont offert quelques boîtes de préservatifs, pour que j'aie des histoires à raconter en revenant.

– Mais je croyais que tu soufflais un peu, là...

– Oui, oui. Mais c'est un répit mental, plutôt. Emotionnel, quoi. Et ce Black, il a tellement insisté... C'est qu'il est très beau, en plus. Comme un astre. Et quelle énergie, je n'aurais jamais cru ! Toute la nuit, che ! Il m'épuise. J'en peux plus. Quelle imagination ! Hallucinant, le type. Il connaît tout. »

Au moment où je me disais qu'elle devait être heureuse avec son taxi driver noir, la revoici, maintenant folle amoureuse d'un diplomate européen. Tout le contraire de l'autre : blanc, cultivé, grassouillet, myope, délicat, très mou... Il a même une cravate ! Et un petit sac pour le portefeuille !

J'en reste baba mais enfin, elle doit bien savoir ce qu'elle veut... Et donc un jour on se voit tous les trois, on prend un verre dans une cafétéria du Malecón. Quand le zigue va aux toilettes, je ne peux pas résister à la tentation :

« Alors, Maura, finalement c'est quoi ? Le Bon Sauvage ou le Triomphe de la Raison ?

– Eh bien, le Bon Sauvage, c'est super pour quelques jours...

– Quelques nuits, tu veux dire.

– Oui. Quelques nuits. Mais c'est trop intense, che ! J'ai une inflammation du pelvis, mes cuisses me lancent... Oh, tu imagines pas l'intensité de ce Noir ! Génial. Impressionnant. Mais enfin, je ne peux pas vivre empalée vingt-quatre heures sur vingt-quatre.

– Et avec ce monsieur-là ?

– Rien.

– Rien ?

– Rien.

– Radical, le changement.

– Oui. En plus, il est un peu efféminé et... Ah, plus qu'un peu, je crois. Totalement, je crois ! Mais enfin, je pars en Europe avec lui et... On verra.

– Hé oui. On ne peut pas tout avoir en même temps.

– Exactement, Pedro Juan. Tu es intelligent, toi. Pour un homme, tu as la tête qui fonctionne très bien.

– Et puis tu peux toujours venir à Cuba quelques jours, quand tu t'ennuies trop.

– Oui, mais il me faut trouver quelqu'un avec la taille en dessous, vu que ce Noir-là, c'est excessif. C'est plus humain.

– Ah, ça, ça va être difficile. Pas impossible mais pas du tout évident. »

Le diplomate revient des chiottes et nous interrompt au moment où j'allais expliquer à Maura comment trouver un mâle aux proportions mieux adaptées à sa profondeur. Et là, trois types surgissent dans le café, en uniforme noir, gilet pare-balles et mitraillette en bandoulière. Très sérieux, très flippés. Deux d'entre eux se sont mis à surveiller la salle en jetant des regards inquiets à la ronde, pendant que le troisième allait à l'une des mangeuses de dollars – ces machines où l'on met un billet vert, ce qui vous donne quelques secondes pour actionner un robot à pinces et essayer d'attraper un ourson en peluche. On n'y arrive jamais, bien entendu, et la chose avale allègrement les biftons. Donc, le gars l'ouvre sans lâcher son arme, il sort tous les ours, les compte, note un chiffre sur une feuille, fouille un peu plus loin dans le ventre de la bête, en retire vingt ou trente billets d'un dollar, les jette dans un sac en toile qu'il referme avec des scellés. Il remet la machine en route, vérifie qu'elle est prête à reprendre son œuvre de mastication, change sa mitraillette de côté et fait signe à ses compagnons de le suivre dehors, où les attend un fourgon blindé, noir avec un écusson doré et le nom de leur agence de transports de fonds. Le chauffeur, qui avait attendu moteur allumé, le cou tendu, démarre en trombe.

Ils s'en vont et nous, nous revenons à la réalité. On sourit, on se détend, on sourit encore. On commande une tournée et Maura se lance dans le récit de ses aventures cubaines. En omettant son taxi driver : c'est secret militaire, ça, elle risquerait sa vie si elle en parlait. Non, elle se contente de notations innocentes, cocasses. Par exemple les dizaines de tapineurs qui l'abordent pour lui proposer le mariage, ou du rhum, ou du tabac de contrebande :

« Tous les jours, il y en a qui veulent se marier, et moi je leur dis : “Mais noooon, du calme, je respire, moi ! Je ne veux pas entendre parler d'hommes, après treize ans avec cet empafé !” Je me demande encore comment je me suis retrouvée avec Luis Manuel. Un coup de foudre inespéré. Il m'a conquise comme un vrai gentleman, lui, alors que ces voyous de la rue... Ils ne savent même pas parler ! Et ils ne savent pas ce qu'ils disent, non plus.

– Ce sont des bouffons, comme il y en a dans le monde entier, je remarque pour l'aider à continuer sa comédie.

– Je ne crois pas, non. Pas partout. Mais nous, les Argentins, si. Bouffons complets. On se pavane, on se croit les meilleurs en tout, en football, en affaires, au lit... Au bout du compte on est insuportables et la moitié de la planète ne peut pas nous sentir, ne veut même pas entendre un mot à notre sujet.

– Tu exagères, Maura.

– Mais si, Pedro Juan ! On est lourds, que veux-tu. Et il va vous arriver la même chose, à vous autres. Partout où je vais, il n'y en a que pour les Cubains, et qu'ils sont les plus grands musiciens, et que leurs femmes sont les plus belles, leurs hommes les plus renversants. Et il y a des Cubains partout, ils poussent comme des champignons ! Alors forcément les gens se disent : “Mais ces Cubains-là, ils se prennent pour le nombril du monde !” Je t'assure, tu verras : ils vont finir par déplaire et personne ne leur pardonnera.

– Bon, peut-être qu'ils veulent nous laisser briller un peu, pour changer.

– Possible que les Cubains arrivent à ça, mais les Argentins n'ont pas ce problème : tout le monde se prend pour une star, chez nous.

– Et ils ne s'en lassent pas ? La névrose du vedettariat, ça finit par user, non ?

– C'est un vice, Pedro Juan. Tout comme d'autres ont le vice du pouvoir, ou de l'argent. Tu finis par te convaincre que tu mérites d'être le chef, ou de rafler tout l'or du monde, ou d'être l'envoyé de Dieu sur terre qui va sauver l'humanité. Et là, terminé, le tour est joué, personne ne t'en fera plus démordre. »

Le diplomate l'écoute, captivé, quand un gros assis à un autre table se lève pour venir le saluer. Un lascar gélatineux, mollasson, à moitié tantouze, couvert de breloques en or, avec une chemise à fleurs et un sourire mielleux. Répugnant. Le diplomate a reçu froidement son salut mais l'autre s'est incrusté, se présentant à Maura et moi, en donnant son nom et en ajoutant : « Je suis négociant en arts et antiquités. Prenez ma carte, je vous prie. » Il en a tendu une à Maura en me regardant fixement : pas de carte pour moi, les Cubains ne l'intéressent pas. « Permettez que je vous baise la main, madame. » Filandreux, le type. Il finit par nous lâcher et Maura explose aussitôt :

« Non, mais quel empafé !

– La Baveuse, chuchote le diplomate.

– Quoi, c'est le surnom qu'il a ?

– Oui. Tu ne vois pas ? Il laisse une traînée de bave derrière lui.

– Et il vend des tableaux, c'est ça ?

– Entre autres. Ah, La Havane, ça fonctionne comme un tout petit village, tu sais. Quand je suis arrivé en poste ici, on m'a d'abord envoyé des métisses. Plein. Elles ne m'intéressent pas. Ensuite, des métis hommes, des apollons, sublimement beaux. Ça ne m'intéresse pas non plus. Ensuite, on m'a proposé de la drogue. Pas besoin, je suis allergique. Ensuite, la Baveuse est apparue en offrant de tout, des bronzes, des bijoux anciens, de l'or, de l'argenterie, des meubles, des peintures recherchées. Tout ça à des prix dérisoires. La tentation. J'ai failli tomber dans le piège mais un collègue m'a mis en garde. Sa bave est empoisonnée, il m'a dit. Depuis, je garde mes distances, avec lui.

– Et tu racontes ça tout tranquillement...

– Bon, on n'est pas des Mata-Hari, nous autres, mais on s'habitue. Si on perd son sang-froid, il vaut mieux laisser tomber. Nous, les diplomates, on se développe nos trucs pour survivre. Comme dans chaque profession à risque d'ailleurs : parachutistes, cosmonautes, pompiers... Chaque métier a ses ficelles.

– Trop dangereux pour moi, ces boulots-là.

– Oh, le tien l'est aussi, Pedro Juan. Le plus risqué de tous. Parce que ceux qui ont le pouvoir ont une peur terrible des idées, de la parole. Ils les fuient. »

11

A sept heures du matin, tout est calme et paisible dans le quartier. Tête de pochetronné et de meurt-la-faim permanents, le Chinois frappe ses bottes raidies par le ciment l'une contre l'autre pour en faire sauter la croûte. Trois ou quatre gus s'activent avec des bastaings et des clous, en train d'étayer l'immeuble qui a été évacué, il y a des semaines. On dit qu'ils vont le retaper mais j'en doute : il me semble trop abîmé. Yiye est matinale, aujourd'hui. Il y a un taxi devant chez elle, elle tend un petit paquet au chauffeur, de l'herbe ou de la poudre, le gars redémarre en trombe et s'en va sur le Malecón. Les deux cavaleuses qui habitent au coin rentrent de leur nuit de travail. Une Noire et une métisse plutôt claire, très jeunes, les yeux cernés, fumant comme des cheminées, en robe longue satinée et talons hauts. Elles portent des sacs en plastique toutes les deux : petits cadeaux des touristos. Un Noir tire de l'eau du puits qui s'ouvre au milieu de la rue. L'eau courante a disparu à nouveau des canalisations, six jours déjà sans une goutte pour le quartier. Des policiers au carrefour, un livreur au tricycle chargé de fleurs, un autre type qui passe lentement à vélo. Un vieux balayeur en guenilles, véritable épave, disperse des flaques nauséabondes pour que le soleil les assèche. Les grilles d'égout sont bouchées, et ça pue, mais le balayeur patauge volontiers là-dedans, s'amuse comme un gosse, ou, en tout cas, c'est l'impression qu'il donne, les deux pieds dans la boue liquide qui empeste. La mer est un peu fâchée, la dernière masse d'air froid de l'année projette du vent et des embruns sur la ville, les vagues cognent contre le parapet du Malecón, fusent en mousse blanche qui va s'imprégner dans les façades. Le jour se lève, gagne lentement les rues mais presque tout le monde dort encore. Le quartier est silencieux, à peu près désert. Ici personne ne travaille, ou presque personne, et donc rien ne presse. On se réveille sans hâte, on a le temps de démarrer. Vers dix heures, ce sera plus animé. Pour l'instant, le calme.

Je marche jusqu'à chez Rosa, la santera. Quand j'arrive, il est sept heures dix et déjà une femme attend devant la porte, sur le trottoir. Je suis numéro deux, donc. Rosa ouvre peu après. Elle nous salue avant de purifier les lieux avec du parfum et du basilic. Elle disperse tout le mal qui restait du jour précédent et de la nuit, surtout. Changement d'air. Elle boit une gorgée de rhum, allume un cigare, revient à la porte en souriant. C'est une Noire trapue, toute de blanc vêtue avec des colliers de couleur et un foulard bleu sur la tête. La soixantaine, peut-être plus. Nous sommes cinq à attendre. Son cigare pue. Ce doit être un bout d'hier qu'elle a rallumé.

« Combien vous êtes ? Cinq ? Bon, terminé, là. Qui est le dernier, présentement ? »

Une femme d'un certain âge lève la main.

« Señora, s'il vous plaît : ceux qui viennent après, vous leur dites de revenir demain. Je vais finir avec vous vers les deux heures, ensuite je dois m'en aller à Cojimar, purifier une maison. Ils ont tout préparé. Alors pas un de plus, aujourd'hui. Vous, vous êtes la première ? Allons-y. »

La jeune qui était avant moi la suit dans la petite pièce, Rosa laisse la porte entrouverte. Une demi-heure après, c'est mon tour. Mes yeux s'habituent à la pénombre après la violente lumière du dehors, mon nez à l'odeur de moisi, d'encens et de saleté. Un vaste autel occupe un coin, couvert de tous les saints et de leurs attributs. En face, un homme couché sur un lit de camp ronfle sous un drap gris, déchiré. Un Blanc, on dirait. Beaucoup plus jeune que Rosa. Avant de commencer avec moi, elle lui lance :

« Tu vas te lever, Cheo ? Oublie pas que tu dois m'acheter les herbes pour Cojimar tout à l'heure. Allez, mon poulet, bouge-toi.

– Oui, Rosa, oui... Tu déconnes, quand même ! Tu me laisses pas dormir.

– Quoi, dormir ? Cette cuite que tu tiens d'hier soir ! Tu as forcé, voilà.

– Apporte-moi un peu de café, je me lève de suite. Avec tout ton papotage de merde, qui c'est qui peut dormir ? »

Il a la voix pâteuse de gnôle. Rosa me regarde avec un sourire triomphant :

« Pardon une 'tite minute. Tout vient à point à qui sait attendre, pas vrai ? »

Elle quitte sa chaise, va à la table encombrée de pots et d'un réchaud à alcool. Elle prend la cruche de café, en verse dans le bol qu'elle tend à Cheo. Il s'étire, s'assoit, boit un peu et se met debout en ronchonnant. Complètement nu, à un mètre de moi. Ou il ne me voit pas, ou il se moque de montrer sa pine, ses couilles disproportionnées sur ce corps malingre. Dans les vingt-huit ans, mal nourri, pas rasé, couvert de poils drus et noirs, il exhale des effluves de tabac, de mauvaise eau-de-vie, de crasse, de sperme, de merde, de draps raides de sueur, de famine, d'épuisement et de cuite ancienne. Il enfile maladroitement un pantalon cradingue, ouvre une porte minuscule qui donne sur une courette étriquée – deux mètres sur deux à tout casser –, et un peu de jour entre dans la pièce. Rosa lui apporte un broc d'eau. Il se lave la figure sans savon, se rince la bouche, pisse par terre et, toujours en grommelant, passe une chemise aussi sale. Il revient chercher sous le lit des espadrilles informes, les chausse et se masse la tempe avec la main gauche :

« Ah, j'ai un mal de tronche, mais un mal...

– Il y a pas d'aspirine.

– Que dalle il y a, ici.

– Ni chez moi, ni ailleurs. Il y a pas d'aspirine, Cheo.

– Bordel de pays de pute, pas un cacheton !

– Chut ! Cause pas comme ça, Cheo. Respect au visiteur. Et tu sais pas qui est ce monsieur, non plus. »

Il ouvre un peu plus les yeux, m'observe. J'interviens.

« Non, avec moi pas de problème. En plus, il a dit qu'il n'y a pas d'aspirine et c'est la vérité.

– Oui, mais on sait jamais qui est quoi. Mieux vaut tenir sa langue et laisser la terre tourner.

– Rosa ? Si tu dois continuer la tchatche, dis-le-moi, que je me recouche.

– Non, non, allez, tu bouges !

– Bon, alors donne-moi de la thune pour tes herbes. Assez entendu de conneries, moi. »

Elle lui colle quelques billets dans la main, un petit bout de papier cartonné :

– Réveille-toi pour de bon, regarde où tu marches, qu'après tu viens me dire que tu as perdu l'argent ! Et là j'ai marqué tout ce qu'il me faut. Dis bien à Gregorio qu'elles doivent être fraîches, compris ? Des vieilles herbes ratatinées, ça me sert à rien, moi, alors je les rends. Il le sait mais il fait l'ahuri, alors tu précises, tu précises. Et tu ouvres l'œil !

– Ça suffira, avec ça ?

– Et comment ! Et il restera deux ou trois pesos, encore.

– Jamais de la vie. Donne-m'en cinq en plus, donne-moi de quoi manger quelque chose. »

Elle plonge sa main entre ses seins, qu'elle a énormes. Je la vois mieux, maintenant que la porte de la cour est ouverte, et je peux dire que pour enfiler cette vieille, il faut avoir le cœur bien accroché. Et en plus elle aime les jeunots ! Enfin, celui-là, c'est plutôt un rebut de l'humanité. La vie n'a pas été tendre avec Cheo, ça non. Elle finit par trouver un billet de cinq dans les plis de ses loches.

« Attrape et dépêche. Il nous faudra être en route pour Cojimar à une heure.

– "Nous" ? Tu y vas toi. Moi non.

– On va pas palabrer devant le señor, Cheo. Tu dois m'aider sur ce coup-là. C'est très puissant, ce qu'ils ont mis dans cette maison. Et puis il te faut apprendre. Si tu pratiques pas, tu te développeras pas jamais.

– Ah, toi, toi... »

Et il part en traînant la savate. Rosa se rassoit, soupire :

« C'est qu'il a un don, un de ces dons ! Il lui vient de par Changó et de par Oggún. Mais ce mort qu'il a, pour travailler, c'est le plus plaisant du monde. C'est qu'il lui dit tout, mais tout, mais tout, dans l'oreille. Et bien clair, oh très bien clair, il l'entend. J'aimerais beaucoup que mon mort à moi il me parle aussi clair, présentement ! Que celui de Cheo, il lui donne le nom et l'âge des personnes, tout... Ah, c'est beau, c'est un don de Dieu. Et tout le temps, ça lui vient. Orula, il lui dit qu'il doit faire la consultation. C'est pas un choix, c'est comme ça, mais lui... Enfin, vous l'avez vu, quoi ! Il est avec moi depuis plus d'une année, on est ensemble depuis comme deux ans et quelque, nous autres, mais il traînasse, il traînasse. Et les embrouilles avec la police, et les bagarres, et les saouleries. Et les mauvaises fréquentations. Pas un ami qui vaut quoi que ce soit, je dis même pas présentable ! Tous des voyous, de la sale graine, et elle les a à l'œil, la police, laissez-moi vous le dire ! »

Elle s'agite dans la pièce, retape un peu le lit, va examiner des bouteilles dans un coin, ouvre des bocaux et regarde dedans. Quand elle revient enfin s'asseoir à la table de consultation, c'est pour reprendre son monologue :

« Et je lui apprends pour qu'il soit capable de traiter les gens tout seul, mais s'il continue les bêtises, je le mets dehors, fini fini. Je reste seule et ça me va bien. Oui, parce qu'il n'y a pas que le lit, quand même... Quoique, pareil homme que ça, j'en ai eu peu dans ma vie. Pour ce qui est du... Au lit, quoi, vous me comprenez, celui-là est un bougre entier. Un taureau. C'est vrai que je lui plais, hé, parce que nous autres femmes, on le voit tout de suite, si nous plaisons ou pas à l'homme. Je voudrais bien pouvoir lui donner un fils, moi. A voir s'il continue les bêtises, après. Mais à mon âge, enfin, vous voyez... Mais il n'y a pas que ça dans la vie, je disais. Le goût passe, si tout le reste va de travers. Il fait rien pour avancer, il reste le saoulard et le vaurien et... Aaaah, mais je suis partie où ? Vous êtes venu parce que vous avez un problème et moi aussi je suis serrée par le temps, là, alors... »

Abandonnant sa complainte, Rosa se recueille face à l'autel

des saints. Elle me donne de l'eau de Cologne, on se frictionne le visage et les bras et elle commence les invocations, avemariatrèspuretrèssainte mère de dieu entre toutes les femmes béni le fruit du ventre Jésus notrepèrequiêtesauxcieux sanctifiez, viens ici Seigneur avecmoi et avec...

« Votre nom ?

– Pedro Juan.

– Avec moi et avec Pedro Pablo Seigneur éclairenoustoiquipeuxprendresept rayons... »

Elle continue sa litanie sans reprendre souffle, en tapant doucement la table de ses phalanges et en soufflant la fumée de son cigare vers un crucifix posé dans un verre d'eau. Elle ouvre les mains devant elle :

« Je crois en dieu le père toutpuissant créateurducieletdelaterre et de tout ce qui est en haut et... en bas et... hmm, hmmm, voyons voir, heeemmm, prêtez attention que je vais causer, maintenant... Vous n'êtes pas là pour des problèmes de santé ou d'argent, non. Rien avec la justice non plus, hmmm, heeemmm... Que je cause, moi... Vous avez un voyage devant vous, présentement. Un long voyage, il y a de l'eau au milieu et beaucoup de femmes de l'autre côté de l'eau, et beaucoup de ce côté-ci... Hmmm. Pedro Luis, mon fifils, vous faites pas attention à vous assez. Vous devez penser un peu au lendemain. Le mort, il dit que vous avez tout le temps Changó et Ochún cabrés contre vous, alors qu'il faut les supplier, et leur offrir des fleurs, et demander. Il vous faut leur parler, Pedro José ! Mais vous, c'est les femmes, les femmes. Et vous avez la force pour, la puissance. Elles se donnent facilement à vous, elles tombent amoureuses de vous. Même pas besoin d'ouvrir la bouche et elles arrivent d'elles-mêmes et elles s'offrent. Je vais vous confier kékchose, Pedro Pablo… C'est Pedro Pablo ou Pedro José que vous m'avez dit ?

– Pedro Juan.

– Pedro Juan, oui-da ! Bon, regardez voir par ici, Pedro Juan… Hmmmm. Le mort, il dit que vous avez besoin d'une protection et d'une purification. Y a rien qui vous protège là-haut, mon fifils. Et qui vous ouvre les chemins… Bon, si… Le mort, il dit que vous avez les colliers d'Obbatalá et de Changó, mais que vous vous en servez guère. C'est vrai, ça ?

– Oui.

– Ah, c'est maaal ! Ooh ! Mais pourquoi que vous vous en servez pas ? Vous êtes un cadre politique ou quoi… Je veux dire, ça peut vous nuire si vous les mettez ?

– Non.

– Alors il faut, mon fifils. Mais en plus des colliers vous avez besoin de plein de choses pour que le voyage se passe bien. Bien comme il faut. Avec de l'argent pour vous et toutes ces femmes élégantes et jolies et tout-tout ce que vous voulez. Vous voulez… des papiers. Beaucoup de papier, aaah, je comprends plus ! Vous êtes un musicien, là ?

– Non.

– Et alors comment que vous allez voyager si c'est seulement les musiciens qui vont là-bas ?

– Ah…

– Bon, et cette histoire de tirage au sort pour aller chez les gringos…

– Ah…

– Non, non, mais pour vous c'est autre chose. Vous, vous avez à voir avec les papiers, pas avec la musique. Mais vous allez voyager, même si que vous êtes pas musicien. Longtemps longtemps. Un grand grand voyage. Il y a de l'argent et du succès et des femmes, et vous allez bien manger bien boire, vous allez vivre comme un roi chez des gens bien. Pour vous il y a de tout, de tout. Mais je vois ces papiers et je vois que vous avez la tête qui travaille. Vous pensez beaucoup, mon fifils ?

– Je sais pas. Pas plus que normal.

– Non, non. Vous pensez, vous, mais avec du souci dans la tête. Des fois comme si que vous allez tourner zinzin. Alors vous buvez bien du rhum, parce que vous l'aimez très bien. Et vous fumez le cigare. Le mort, il dit que le rhum, le tabac et les femmes, tout ça vient de l'Africain. Votre Africain, vous savez, c'est un révolté, un qui s'est enfui, et avec un Indien près de lui. Ils vous quittent pas, ces deux-là, ils vous aident beaucoup.

– On me l'a dit, oui.

– Parce qu'ils sont là. A vos côtés. Mais comment qu'ils se cachent bien bien... Ah, ils sont malins, les cochons ! Ils se laissent pas regarder aisément. Il faut connaître. Heeemmm, voyons voir un peu... L'Indien, c'est le plus paisible, qu'il aime le silence et les fleurs, lui. L'Africain, par contre, il est querelleur, il conteste. Vous aussi vous contestez, mon fifils ? Me répondez pas. Ça se voit combien vous êtes rebelle. C'est que l'Africain, il s'est enfui dans la montagne et il est mort dans la solitude, tout nu, rien qu'un pagne sur lui. Un nègre de la montagne mais vaillant, mais bagarreur. Il conteste, il conteste. Comme esclave, il valait rien. Il a fui la hacienda, il voulait pas travailler. Il préferait la mort que baisser la tête et se taire. Il a cassé ses fers et il a disparu dans la montagne. Avec les chaînes aux pieds, il se mourait. Meilleur vivre en sauvage, la faim dans le ventre, mais libre. Et avec les femmes il l'avait facile. Le tabac, la gnôle... C'était comme ça qu'il était, de son vivant. Et maintenant il est avec vous, il vous quitte pas. »

Rosa a continué encore sur ce thème. Moi, je n'ouvrais pas la bouche. Et elle a fini par dire quelque chose de nouveau :

« Voyez, le mort, il dit que les femmes elles vont continuer à venir à vous toujours, toujours. Une s'en va, l'autre arrive, Pedro Pablo. Vous les gagnez avec le regard, avec la parole et avec le lit. Vous savez bien qu'il y a des bougres, ils parlent jamais, ils sont brutasses et ça les fifilles elles aiment pas. Elles, elles veulent des mots d'amour. Mais vous, si que vous parlez bien, et au lit vous êtes du feu. Ah, vous pouvez être qu'un chenapan, un fils de Changó et d'Ochún comme vous ! Mais prêtez attention : le mort, il dit qu'il y a une femme que vous connaissez pas. Très élégante, et grande, et blanche, et bien éduquée. Elle aime s'habiller de noir et elle est blonde, et très blanche. C'est vrai ?

– Je sais pas.

– Evidemment que vous savez pas. Il y a l'eau entre vous. Sans doute que c'est une étrangère. Mais vous allez être ensemble, tous les deux, et c'est bien pour vous deux vu qu'elle, c'est une fille d'Elegguá et d'Oggún... Hmmm, c'est fort, ça. Elegguá et Oggún. Mais elle le sait pas, bien sûr. Il vous faut lui dire, mon fifils, et lui porter les colliers consacrés qui lui conviennent. Le rouge et noir d'Elegguá, le noir et vert d'Oggún. Vous connaissez ça ? Oh oui que vous le savez, parce que vous êtes très croyant. Alors voilà, Pedro Pablo, vous allez acheter les colliers et vous me les apportez, que moi je les mets en sécurité, je les prépare comme il faut, qu'après vous les emmenez et vous les passez à son cou au nom de... Ah, après je vous explique ce qu'il vous faut dire à ce moment. C'est qu'elle vous attend, cette femme-là. Une fois que vous allez être ensemble, vous allez vous ouvrir les chemins l'un à l'autre. Comme c'est beau... Elle, elle vous ouvre les chemins et vous à elle.

– Et comment elle s'appelle ?

– Le nom, il est pas clair... Anita, ça pourrait être ? Kirina ? Quelque chose comme ça mais le nom je le vois pas bien. Alors qu'elle... Mignonnette, grande, habillée de noir, elle marche sur une plage ou... il y a beaucoup d'eau, c'est comme la mer. Et beaucoup de vent, et très froid. Elle vous attend, toute seulette au bord de la mer, et... Hmmm, mais il y a une autre femme. Là, il vous faut être prudent. Très différente, celle-là. Et elle près de vous, non ?

– Je sais pas.

– Il vous faut savoir, Pedro Pablo ! Dites-moi oui ou non !

– Oui.

– Hmmm... Bien sûr. Le mort, il dit que cette femme-là est toute différente mais elle est à vos côtés. Et elle vous plaît beaucoup. Et vous l'aimez. Croyez pas que vous l'aimez pas, Pedro Pablo. Elle vous aime aussi, sauf qu'elle est tête en bas, cette bougresse-là. Elle est née comme ça. Elle est petite, sang-mêlé, très mince, joyeuse et libre, elle se rit de tout, de l'air dans la calebasse. Fille légitime d'Ochún. Ce qui l'attire, c'est l'or, les brillants, l'argent, la musique et la danse, les hommes et la religion. Parce qu'elle connaît son rayon là-dessus. Elle est née avec ce don de la très sainte Ochún, elle est très puissante en religion. Mais prenez point peur, Pedro Pablo : elle est noble et bonne, elle fait pas le mal. Juste qu'elle est zinzin. Elle va vous avoir vous, et d'autres, et beaucoup d'autres. Des fois plein en même temps. Il vous faut décider, mon fifils, et vous éloigner. Sinon, cette femme, elle vous conduit droit au gouffre. Rien à faire. Ou vous prenez vos distances, ou elle vous emporte dans la tombe. Le mort, il dit que c'est difficile mais qu'il vous faut décider. »

En tout, la consultation de Rosa a duré près de deux heures. Je l'ai payée et je suis parti avec dans la poche une longue liste de remèdes et de purifications à accomplir. J'ai pris Blanco jusqu'à Virtudes, continué à l'angle d'Águila. Il y a un bar qui s'appelle El Mundo, tout vieux et tout moche mais qui me plaît, à moi. Ici, on peut payer en pesos et non en dollars, au moins. J'ai demandé un double rhum. Ça me rappelle le bar où je suis né et où j'ai passé mes premières années à entendre des boleros sur la machine à disques. J'ai sorti la liste de Rosa pour l'étudier un peu. Interminable. Quand on commence à suivre une *santera*, on devient fou. Tu parles ! Que ce qui doit arriver arrive. Le Bien ou le Mal. Ici, il y a de quoi arrêter un cyclone.

Elles sont toutes pareilles, les *santeras*. Trop d'herbes, trop de simagrées, trop de colliers, de guerriers, et puis la petite main d'Orula, et puis les pèlerinages, et puis les dévotions d'anniversaire, et puis... Et il faut payer, à chaque fois. C'est une rente, qu'on leur fait. C'est pour ça que je m'arrête à un certain point, moi. Et je ne vais pas plus loin.

J'ai bu mon rhum d'un trait et je suis allé au marché, au coin de Reina et d'Águila. Rien pour moi, tout pour mes saints. Et j'ai acheté les colliers d'Agneta. Cette femme qui m'attend, c'est elle, évidemment. La description de Gloria a éte sans faute, elle aussi. La *santera* m'a pratiquement déclaré que c'était un serpent qui s'enroule autour de votre cou et vous laisse raide étouffé. Peut-être qu'elle est rigolote et fofolle aussi, la Suédoise, et qu'elle baise bien. Ah, et puis pourquoi s'embêter ? On prendra ce qu'il y a.

J'ai mangé une pizza, maté un moment les culs des Noires et des métisses, moulés dans du lycra bleu, rouge, jaune, que sais-je... « Une aquarelle antillaise de chair, de couleurs et de fête », pour citer un faiseur de poèmes aussi grotesque que respecté. Très beaux culs. Très tentants. C'est une zone de drague, ici. Elles cherchent des gogos qui paient, ou au moins qui leur offriront une bière, quelque chose à manger, un paquet de clopes... Putes sans être putes.

12

Je suis retourné à mon perchoir. Rien à faire. J'ai allumé la télé. Il y avait une réunion de présidents de tout un tas de pays. J'ai éteint. Je suis sorti dehors, à l'air pur. La mer me calme, toujours. L'orage avait sali le bleu, poussé sur la rive des tas d'algues et d'herbes. J'aurais aimé être marin. M'en aller pour toujours. M'éloigner. Vivre au loin. Dire au revoir, adieu, adieu, adieu, disparaître sur la mer... Vraaaaamm ! Un bruit terrible me tire de mes pensées, ou de mon absence de pensées. C'est une vieille Oldsmobile, année 50 ou 51, le toit blanc et le reste rouge brique, une couleur bizarre, désagréable. Pas vraiment rouge, pas vraiment brique. Elle a été peinte n'importe comment, au pinceau. On voit les traces de poils, les coulures, les trous. Elle s'arrête en pétaradant au milieu de la rue San Lázaro. L'essieu vient de casser à l'arrière gauche, la roue continue toute seule vers le trottoir. On dirait un animal blessé, affalé par terre comme un gros dinosaure poussif qui ne peut plus avancer et qui reste là, dans la jungle. L'axe brisé s'est planté dans l'asphalte surchauffé. Deux types en short, chemisette et tongs sortent de l'auto sans se presser. Ils ont l'habitude de ce genre de catastrophes, apparemment. Très détendus, ils redressent le véhicule avec un cric, le calent avec des pierres et se mettent à réparer sur place, sans prêter attention aux rares voitures qui passent en les évitant. En quelques minutes, le dinosaure s'est vidé de son sang. Une mare huileuse s'étendait autour de sa carcasse mais les deux mecs n'ont pas perdu courage pour autant. Ils ont sorti des outils du coffre. Vachement bien équipés. Ils se sont mis au boulot. Il devait être dans les quatre heures, il y avait encore du jour. La nuit tombée, ils allaient devoir continuer au pif.

Et moi, j'étais là, bien content de ces distractions : la réparation du dinosaure, et puis l'arrivée d'une petite superbien roulée de partout qui vit dans l'immeuble d'à-côté depuis peu de temps. Elle est tellement serrée dans ses fringues qu'on se demande comment elle respire. Dès qu'elle est rentrée, elle envoie valser ses pompes, elle met de la musique, elle sort sur la terrasse chercher des seaux d'eau au réservoir qu'ils ont et vas-y que je nettoie, vas-y que je frotte comme une dingue. Son mari est ingénieur. Ils se sont improvisé une bicoque avec des bouts de planches, des briques et des plaques de fibrociment, à peine quatre mètres sur quatre tout en haut du bâtiment. J'aime la regarder le soir, quand le soleil décline. Ils s'installent tous les deux sur la terrasse, au frais, et ils travaillent quelques heures. Ils fabriquent des colliers, des chapelets pour la *santería*, des breloques, des pinces, des peignes à chignon... Ils vivent de ça, parce que leurs salaires ne leur suffiraient pas pour deux jours. Des fois, elle laisse le type se triturer la cervelle sur les comptes pendant qu'elle va faire des ménages. C'est une obsession, chez elle. Peut-être que ça lui tue la tête, les calculs, alors elle laisse tomber et elle va s'activer. Toute son énergie dans le balai et la serpillère, et elle est heureuse de bien se serrer le cul et les nénés, juste pour que personne n'ignore qu'elle est bonne à manger.

On frappe à ma porte. Trucutú et Pelé. Ils viennent tripoter un peu l'antenne. Deux jeunes, à peine la trentaine, qui sont nés dans le quartier et le connaissent sur le bout des doigts. Sorti de là, que dalle. Le Vedado ou Guanabacoa, pour eux, c'est le bout du monde. Quelques mois plus tôt, Pelé a installé une antenne sur ma terrasse pour capter les stations de Miami. C'est interdit mais il ne peut pas rater le show de Cristina. Tous ses frères vivent là-bas, en Floride. Le Trucu, lui, a un petit atelier de réparation et ils bossent ensemble depuis toujours, tous les deux. Inséparables. Pour le meilleur et pour le pire. Ils rafistolent les pneus crevés, astiquent les voitures. Ils touchent à tout, mécanique, électricité, plomberie, marché noir... Rien que pour se gagner quelques ronds. Malgré ça, le Trucu est plus que maigre, il a la tête de celui qui ne mange pas à sa faim. Pelé, qui se nourrit mieux, est plus costaud. L'Oldsmobile est tombée en panne juste en face de l'atelier du Trucu. Du toit, nous regardons les deux types continuer à s'activer.

« Ils vont être là jusqu'à demain matin, tellement ils sont minables et radins, observe le Trucu.

– Quoi, tu les connais ?

– Non, mais je leur ai dit qu'on pouvait le faire, nous autres, et ils m'ont répondu qu'ils s'en chargeaient.

– Bah, c'est pas si compliqué. En deux ou trois heures, ils...

– Deux ou trois heures ? Un essieu ? Ah, ça se voit que t'y connais rien en mécanique, Pedro Juan ! Ils en ont pour une demi-journée, facile. Et tout ça pour s'économiser quelques pesos de merde.

– Ca, ça m'étonnerait. Pelé et toi, tu leur raflerais trois cents, minimum. »

Pelé intervient d'un ton très convaincu :

« Ce travail, mon ami, ça vaut cinq cents pesos. Je le fais

pas pour moins. Mais avec la garantie, hein ? Nous autres, on garantit ! Cette bagnole pourrie, elle pourra tomber en morceaux de partout qu'il resterait cet essieu-là. Il tiendra à vie, sûr et certain !

– Je sais, je sais. Pas besoin de te faire encore de la pub. Quand je m'achète une caisse, je vous prends comme garagistes officiels, tous les deux.

– Tu vas te payer une voiture, mon frère ? Qu'est-ce que c'est bien, con ! Tu t'es mis de la thune de côté, bravo. T'es pas un n'importe-qui, Pedro Juan ! Tu peux pas continuer avec ce vélo que tu as, comme n'importe quel meurt-de-faim. Non et non ! Moi qui suis ton ami, je te le dis du fond du cœur : il te faut une belle bagnole, quelque chose qui te donne du prestige, un truc à ta hauteur. Tu es stylé, toi, et nous on va te trouver quelque chose de spécial, spécial pour toi. »

Le Trucu ne veut pas être en reste :

« Maintenant qu'on sait, on va te chercher ça, Pedro Juan. Une caisse qui te donnera pas de tourments. Ce qui serait parfait pour toi, ce serait une Chevrolet 56 ou 57. Gris métallisé, chromes impeccables, sièges en simili peau de tigre. Un bon lecteur digital de cassettes, pneus larges à bande blanche. Un rêve de voiture, mon ami. Ça, c'est le luxe ? Tu vois déjà comment elles vont se coller à nous, les poulettes ? Et hop, on file à la plage et on se la donne, bière en cannettes, etc.

– Hé, Trucu, tu descends de ton nuage, là ? T'as fumé ou quoi ?

– Ah, faut toujours rêver un peu. Mais c'est possible, l'ami ! Moi, je ferme les yeux et je me vois, je "nous" vois ! Tous les trois, avec trois filles à tomber par terre, vingt ans... Dix-huit ans ! Dix-sept ans ! Tendres comme de l'agneau. Et nos bières en cannettes, et...

– D'accord, d'accord, t'emballe pas. Quand j'aurai réuni tout le fric, je traite avec vous.

– Exactement, l'ami, exactement ! Tu te fais un de tes petits voyages en Europe et tu ramènes la thune pour la Chevrolet. Et tu reviens, mon frère, tu reviens ! Va pas avoir l'idée de rester là-bas une fois que tu as palpé les billets !

– Tu sais bien que je reviens toujours.

– Ouais. T'es bien le seul.

– Mais non. Il y a plein de Cubains qui sortent et qui reviennent.

– Bon, en tout cas tarde pas trop, l'ami, vu que les prix sont bas, pour l'heure, mais ils peuvent remonter à tout moment et après elle te coûte le double, la caisse. »

Ils se sont mis à nettoyer l'antenne de Pelé. Avec l'air marin qui attaque l'aluminium, un boitier électrique s'était déconnecté. Je suis allé chercher un peu de rhum qui me restait, on a bu, on a maté un moment la superbonne du cul qui continuait à s'activer sur sa terrasse. Elle était en train de donner le bain à un petit chien, là. Pelé a sorti un sachet d'herbe, il a roulé un joint et on a fumé. Comme il n'y avait plus de rhum, Trucu est descendu en chercher une bouteille. Quand on a été bien bien, Pelé est allé à la cuisine, il a chauffé une assiette et il a préparé de la blanche, deux rails pour chacun. Je n'avais pas sniffé depuis longtemps et ça m'a rendu euphorique. C'est moi le meilleur ! Ils ont bien rigolé, avec moi. Je leur ai raconté des blagues, j'ai dansé, j'ai brodé sur mes histoires de baise dingue à la plage. Pelé, qui continuait au rhum, s'est roulé un autre pétard et il l'a fumé, tout seul parce que Trucu et moi, on n'en voulait plus.

– Hé, t'es venu bien équipé, aujourd'hui !

– C'est tout ce qui me reste, Pedro Juan. Après, terminé.

– Comment ça, terminé ? Trouve-toi une meuf, Pelé ! T'es jeune, toi.

– C'est que je suis amoureux de Patricia. Et ça fait trois mois qu'elle m'a pas appelé. C'est ça que je fête, en réalité. Sans doute qu'elle a dû se trouver un type blindé là-bas et moi qui pourris dans la misère ici... »

Il est devenu triste, d'un coup. Ses parents sont morts il y a des années, ses quatre frères sont à Miami. Il est allé quelquefois en taule, pas longtemps : une année et des poussières, à chaque fois. Sa femme s'est arrangé un voyage au Venezuela, toute seule dans son coin, et ne le lui a dit que pratiquement au moment où elle partait à l'aéroport. Mais qu'il ne s'inquiète pas : elle allait faire les démarches pour qu'il la rejoigne et qu'ils soient ensemble, là-bas ou à Miami. Elle a changé d'opinion, visiblement. Elle ne donne pas signe de vie. Pelé a mis une cassette de Feliciano et il est resté à l'écouter dans son coin, plus tristoune qu'une araignée.

En bas, les types à l'Oldsmobile continuaient à tripatouiller. La nuit était tombée, on ne voyait presque plus rien. On a laissé Pelé avec sa cuite et sa dépression. Le Trucu s'est approché de moi :

« T'occupe pas de lui, l'ami. Et toi, Pelé, dors un peu. Dors. – Puis à moi, plus bas : – Vaut mieux qu'il pionce, autrement il se met à pleurer, quand il a trop picolé. Ou bien il devient colère et il casse tout. Sa maison, c'est simple, c'est une ruine. Il a massacré les meubles, les lustres, tout. Une porcherie. Et, depuis qu'il a bousillé la télé, il peut même plus voir le show de Cristina, la seule chose qui l'intéresse.

– Mais cette femme, elle a eu sa peau, con !

– Qui, Patricia ?

– Oui.

– Aaah, laisse tomber, va !

– Pourquoi ?

– Ici, il lui a passé toutes les couillonneries imaginables, alors maintenant qu'il fasse pas son romantique ! Il sait très bien que Patricia est une mauvaise garce qui avait seulement en tête de lui prendre son argent.

– Mais alors, c'est quoi ?

– C'est la fiction. Il se fabrique des romans. Ecouter des boleros de Feliciano, renifler de la poudre, s'enfoncer dans cette merde... C'est mon associé mais je le prends pas au sérieux deux minutes, moi. Le délire complet, mon ami ! Il y a des gens comme ça, ils peuvent vivre que dans un roman, et un autre, et un autre... Si demain il se trouve une autre meuf, ça sera pareil, la tragédie, la jalousie, le n'importe quoi jusqu'à ce qu'elle en ait marre ou qu'elle commence à lui mettre les cornes.

– Toi, par contre, tu es fort, Trucu. Avec tout ce tas d'années sur les bateaux...

– Sept. Et ça en fait six que je suis à terre. Retenu par les couilles, même, parce que la barque qui reste sur le sable, elle a plus envie de retourner à l'eau.

– Ils t'ont jamais rappelé ?

– Qu'est-ce que tu crois, mon ami ? C'est fini, tout ça.

– Les bateaux, ils pourrissent dans le port.

– Ouais, des petits qui sont restés en vie... Mais la majeure partie de la flotte, elle a été bouffée par la rouille. Enfin, c'est de l'histoire ancienne, tout ça. Pourquoi en parler ? Mieux vaut oublier.

– Tu as commencé tout jeune.

– J'ai embarqué sur le *Rio Perla* à dix-huit ans. Sept ans en mer, et toujours vers le nord, vers la glace.

– Pas un bon âge pour se retrouver sur un rafiot, ça. Ils t'ont donné dans le cul ?

– Non, non, mon ami. Je suis un homme, moi. A bord, on se respecte et tout le monde doit se plier aux règles. Aucun équipage ne veut de pédales chez eux. Ils les virent.

– Parce qu'ils sont pédés ?

– Non, ils trouvent un prétexte et ils les jettent. Personne veut de pédés autour de soi, mon gars, et encore moins sur un bateau, parce qu'ils causent des problèmes, beaucoup. Ils rendent l'équipage zinzin et ensuite c'est des bagarres pour avoir leur cul. Non, non ! Un marin, c'est un mâle.

– Alors qu'est-ce que tu faisais ? Des branlettes ?

– Que je t'explique, mon gars : les marins, ils parlent jamais de ça. Il y a des choses, rien que d'en parler ça porte la poisse. Mais toi, tu es mon ami et ça reste entre nous, vrai ? Je sais que tu répéteras pas. Moi, j'ai toujours eu une régulière. Tantôt une, tantôt une autre, mais toujours une à m'attendre à terre. Maintenant, voilà la mentalité qu'il faut pour le marin. Si tu navigues et tu es faible du cerveau, tu es bon pour les requins. Ecoute bien ceci : moi, je savais très bien qu'elles sont toutes pareilles. Toutes. Sans exception. Les trente jours ou les quarante-cinq que tu es à quai, c'est sans arrêt des mon chéri, et des mon poulet, et des tout ce que tu voudras, mon amour, et elles ouvrent les jambes pour toi toutes les vingt minutes. Et toi tu y vas, content content. Les couilles à sec, tu continues à la tirer parce qu'elle te provoque pour t'avoir à la bonne. Mais par ailleurs, disons que tu t'es fait mille dollars, ou deux mille cinq, ou sept mille pesos cubains pour six mois de mer. Un marin, il gagne cinquante... je sais pas, cinq cents fois plus qu'un médecin ! Mais bon, ce que je veux te dire, mon ami, c'est que tout ce que tu as pu gagner, la nana te le claque en un mois, ou même pas. Disparu, le fric ! Et toute la pacotille que tu as rapportée, pareil : robes, chaussures, montres, magnétos, tout... A la fin, tu es obligé d'emprunter pour la dernière semaine, parce qu'elle t'a laissé à poil. Le jour où tu rembarques, tu es endetté mais la meuf va pas t'oublier, non, parce qu'elle est une tronche, elle. C'est un cerveau sur deux pattes. Tout est déjà semé pour la prochaine récolte. Elle t'accompagne au port, toute gentille, et des baisers à son chéri d'amour, et comme tu vas me manquer, et surtout tu m'écriras tous les jours. Et des petites larmes dans les yeux, et quand je vais écouter telle chanson, ça va trop me rappeler toi... Mais toi, justement, qui a la couenne épaisse comme ça parce que la vie t'a appris beaucoup, et vite, tu as repéré son galant qui se planque derrière un poteau à trente mètres de là et qui attend. Tu le connais parce que tu l'as déjà vu rôder autour et que tu es en alerte. Parce qu'un marin à terre ne dort jamais que d'un seul œil. Et c'est comme ça que ça se passe, oui : dès que tu lui tournes le dos et que tu embarques, elle redevient toute contente, les larmes s'arrêtent et le type arrive, il l'installe sur son cadre et elle, elle rigole : "Putain, il a fini par repartir, cet abruti !" Et la même nuit, ce mec porte tes chaussures, tes habits et ton parfum, et il va boire des bières avec des dollars qu'elle a planqués par poignées.

– Ah, Trucu, t'es trop amer, mon vieux. Tu exagères.

– Non, pas du tout, Pedro Juan. Ça, j'en parle jamais à personne. Avec toi, si, vu que je te considère mon ami et que tu es quelqu'un de discret. Tu sais tenir ta langue, toi. Et ça, personne va le raconter parce que personne a envie de se présenter dans le rôle du cocu. Ce que je te dis, c'est ce qui s'est passé avec cinq femmes que j'ai eues. Une après l'autre. Tu penses que je suis amer ? J'ai un cœur de pierre, oui ! Le cœur, l'âme, tout. De la pierre. Je sens rien. En sept années de navigation, il m'est arrivé la même chose avec cinq meufs. Alors, qui c'est le salaud, dans l'histoire ? Moi ? C'est moi qui ai tout faux ? C'est moi le fils de pute et elles, elles sont toutes gentilles ? Quand je revenais à terre, je voyais leurs galants, ici même, dans le quartier, avec mes costumes, mes chaussures, mes montres, et quand je demandais la nana me disait qu'elle avait dû les vendre parce qu'elle mourait de faim. Mensonges ! Des putes qu'elles sont, toutes ! Pas une qui l'est pas ! Toutes les femmes sont pareilles. Ce qui leur plaît, c'est d'écraser l'homme qui est avec eux. L'esquinter, l'exploiter, le parasiter. Mais le brave mec, attention ! Pas le fils de pute. Ah, c'est qu'elles en savent long ! Le salopiot, celui qui les bat, qui leur casse une jambe et qui les laisse pas dire un mot, elles adorent. C'est ça qu'elles cherchent. Mais qu'un type décent se pointe, les couvre d'attentions, de cadeaux, d'argent, et elles lui tombent dessus. Elles te mettent en bouillie, mon gars, en bouillie ! Moi, dans l'Atlantique-Nord, gelé jusqu'aux os... Congelé ! Ah, tu sais pas ce que c'est, Pedro Juan ! Congelé ! A relever les filets couverts de glace, à trier le poisson à mains nues avant de le mettre en caisses dans la cale. Moins vingt, moins trente. Même les roustons, tu les sens plus. Et la nuit, même pas tu te touches ! T'as la pine raide comme la justice mais si tu commences avec la branlette, tu crèves. Parce que le boulot est dur dur, la bouffe atroce, alors se branler, en plus... Pff, tu crèves !

– Mais toi, tu faisais comment ? Si jeune et même pas une pogne...

– Force de caractère. Beaucoup. Tu peux pas te permettre de te laisser dominer par tes pensées. Mieux vaut ne pas se toucher et laisser ton jus sortir tout seul, dans tes rêves, quand tu dors. Moi, je me réveillais trempé tous les matins. Tout collant : juste ce qui manquait ! Et laver les draps, aussi, parce qu'à des périodes c'était un litre par nuit ! D'autres fois moins, quand j'étais plus tranquille. Et puis rêver d'aller à terre, même deux jours, acheter un peu de camelote, vendre sa ration de tabac, enfin, tu connais le micmac des marins... Parce que si tu rentres à Cuba les mains vides, elle te regarde même pas, la garce. Toi, tu sais qu'elle joue les épouses dévouées, mais c'est de la fiction, un théâtre qu'elle te fait. C'est une garce et elle attend de toi les parfums, les talons hauts, tout ce qu'elle a demandé. C'est ça ou bien pas de baise, un repos à terre pour rien. Alors là, oui, tu deviens zinzin. Ah, c'est une obsession, Pedro Juan !

– Personne peut vivre comme ça.

– Mais si, Pedro Juan. On s'adapte à tout. Et maintenant, c'est pire. Dans mon cagibi, à me dire que tout ce que la vie avait à m'apporter est derrière moi. Aujourd'hui, il y a plus de flotte de pêche, plus de bateaux, plus de poisson, plus de boulot, plus rien. Et moi j'ai ni femme, ni enfants, ni thune, ni rien de rien ! Et même pas un endroit où crever parce que les salopes, elles m'ont tout enlevé quand j'étais encore quelqu'un. Année après année.

– Hé, mon compère, arrête les lamentations ! Commence pas à déprimer parce que...

– Non, non ! Je t'ai dit que je te parle comme à personne d'autre, étant mon ami. Et ce que je te dis est la vérité. J'invente rien, je fais pas de pathos : tu te vois là-bas, dans l'atelier toute la journée pour deux ronds ? Même pas de quoi bouffer, Pedro Juan ! C'est pas si difficile à voir, quand on sait qu'on sortira plus jamais de la mouise. Des fois, tu te donnes du courage et tu te dis : il va se passer quelque chose, peut-être je vais tomber sur un paquet de thune, peut-être une vieille friquée qui veut me marier, qui claque de suite et me laisse bourré aux as. Pff, les bobards qu'on s'invente pas ! Pas de fric, pas une femme sur qui compter, pas de vieille friquée, pas d'amour dans ce monde, rien de rien. Que des conneries qu'on s'invente pour pas se jeter de ce toit et finir planté dans le goudron, et... »

Je l'ai attrapé par un bras.

« Hé, oh, Trucu, mais qu'est-ce qui te prend, l'ami ? Laisse un peu ce délire, que tu es en train de te démolir tout seul !

– Ah, ah, ah... Parce que tu crois que je vais sauter pour de bon ? C'est juste pour causer, mon compère. Mais toi, tu prends tout au sérieux. »

A ce moment, Pelé ressort sur la terrasse en titubant et il se met à vomir comme un porc. Il avait tout un tas de saletés dans le bide. Il perd l'équilibre, tombe dedans, et il reste assis là, couvert de cette merde. On le regarde, le Trucu et moi. On en tient une bonne, nous deux aussi. En bas, les types s'activent toujours sur l'Oldsmobile. Combien d'heures avec toute cette mécanique ? Les yeux sur le vomi, je déclare au Trucu :

« Faut pas confondre amour et droit de propriété.

– Qui a dit ça, Pedro Juan ? T'es un gars de la rue, con, t'es diplômé de l'université de la galère, comme moi. La femme, on doit la soumettre, mon ami. Tout le temps. Ça a toujours été comme ça et ça continuera pareil. Qu'elle sache que tu es le mâle. Autrement, si tu as la main trop légère, elle t'entourloupe et elle te liquide. Y a qu'à me regarder, moi.

– C'est ce qu'elle te fait croire, oui. En réalité, c'est elle qui commande.

– Non, non. Tu es dans l'erreur, là. Ou tu commandes, ou c'est elle. C'est une guerre, une vraie. Le reste, ces baratins à propos d'amour, c'est que des histoires.

– Ouais, toutes ces années en mer... Question cabillaud et merlu, tu dois t'y connaître, mais t'as rien appris sur le compte des meufs.

– Pourquoi ?

– Elles t'ont fait du cinéma, elles t'ont dépouillé de ton fric, elles t'ont roulé dans la farine comme un gosse, et tu continues à croire qu'on peut les manœuvrer, qu'elles vont obéir. Elles sont plus intelligentes que nous, Trucu. Plus malignes, plus vaillantes, plus décidées, plus souples dans leur tête.

– Et sur quoi tu te bases pour dire tout ça ? T'a pas lu Vargas Vila, alors ? Vargas Vila, c'est la Bible.

– Arrête de déconner, Trucu ! Vargas Vila ? Fais pas l'ahuri, mon compère. On t'a pas surnommé Trucutú pour rien.

– Et alors ? Il l'a dit bien clairement, Vargas Vila : qu'il fallait les séduire, les corrompre, leur donner le vice. Ce sont toutes des putes. Avec une âme de pute.

– Ouais. On devrait laisser tomber le sujet, vu qu'on est pintés tous les deux et qu'on arrivera à rien. »

On a frappé à la porte. C'était Gloria. Dès qu'elle nous a vus dans cet état, elle a eu envie de jouer à la maîtresse de maison qui ne manque jamais une messe :

« Pouah, mais c'est écœurant ! Une porcherie ! Le jour où tu arrêtes la picole, Pedro Juan, je m'en vais allumer vingt bougies à San Lázaro et je reste à genoux jusqu'à ce que la dernière s'éteigne. C'est dit, c'est promis devant Notre Seigneur sur la croix.

– Ah, fais pas ta vertueuse, toi, quand tu...

– Quand je rien du tout ! Je me saoule pas comme une porcasse, moi. Mais regarde un peu Pelé, comme un chien dans son vomi. Aaahhh... Et cette puanteur qu'il y a ! Toi, va me chercher un seau d'eau, qu'on nettoie tout de suite et qu'ils s'en aillent. Allez, Trucu, debout ! Aide-moi !

– Du calme, Gloria. Il me reste que deux ou trois seaux dans cette citerne, je vais pas les gâcher pour Pelé.

– Tu es encore plus répugnant qu'eux.

– Attends demain. Avec un peu de chance, il y aura de l'eau au robinet.

– Tu sais bien qu'il y en a plus depuis une semaine et qu'il faut descendre la chercher. T'es un affreux saoulard et un cochon, en plus.

– Fiche-moi la paix et fais pas ta sucrée.

– Non. Je te fiche pas la paix. Tant que je suis ta femme, ou tant que je suis avec toi, il faut que ce soit correct, ici. Je vais préparer un bain et le lit. Tu veux un café ?

– Un café, oui. Mais oublie le bain. Je vais dormir comme je suis, moi. Trucu, tu fais quoi ? Pelé, y a rien qui le fera bouger.

– Je reste ici, mon ami. Y a encore un peu de rhum.

– Tu es sûr ?

– Certain. T'inquiète. Allez vous coucher, vous. Je prends l'air dehors, tranquille. »

On se met au lit, Gloria et moi. La chambre donne sur la terrasse. Pendant que je m'affale sur le matelas, elle ouvre les persiennes, allume la lampe et commence à se déshabiller.

– Hé, putasse, il va te voir, Trucu !

– C'est pour ça que je le fais. Il me voit déjà, figure-toi.

– Et merde.

– Et maintenant je vais te baiser pour qu'il se branle jusqu'à la corde. C'est tout ce qu'il sait faire, lui. La pogne et sauter des vioques de soixante-dix ans.

– Comment tu sais tout ça, toi ?

– Ah, demande pas... »

Elle m'est tombée dessus et s'est mise à me sucer mais je ne bandais pas. J'étais trop cuit, je ne sentais rien, la tête me tournait et je suis endormi d'un coup. Peu après, j'ai cru entendre chuchoter près de moi. J'ai ouvert un œil difficilement. Gloria et le Trucu étaient dans le lit. Je suis presque sûr que c'était eux, en tout cas.

Quand je me suis réveillé, il faisait plein jour. Gloria ronflait sur le dos, jambes ouvertes, béate. Moi, j'avais assez dormi. J'avais la gorge sèche et la queue tendue. Je suis descendu sur le con de Gloria. Hummm ! Mouillé, avec une odeur et un goût de fromage. Je préfère comme ça. Des fois, elle sent le poisson. Là, c'était extra.

Elle se réveille en ronronnant comme une chatte et on commence. Lentement, sans se presser. J'adore ces coups du matin. M'enfoncer en elle, bien la serrer contre moi. Elle est comme un petit oiseau. Elle embrasse mon tatouage. Le serpent rouge, elle adore. On se caresse, on se parle. Elle ferme les yeux et elle se confie, tout bas. Elle imagine que je suis son père.

« Ah, oui, il m'embrassait, il me touchait le coco, il caressait... Et comment que je lui serrais la pine... Ma petite main, elle suffisait pas. Il en avait une grosse, mais grosse... Ah, m'écoute pas, c'est que des menteries. Celui qui me faisait ça, c'était Rodolfo.

– C'était ton papa, follasse.

– Lui ? Mon père ? Non. Mon père, c'était un homme intègre. Ah, vas-y, encloque-moi, mets ton sperme. Je veux te marier et avoir des enfants.

– Quoi, marier ?

– Oui, toi et moi. Tout en blanc, les deux. Encore mieux si je suis en cloque. Avec ma robe de mariée et le bedon de six mois. Oui, putain, comme ça, mets-la-moi bien au fond, qu'est-ce qu'elle est grosse, pédé de toi ! Aïe, je la sens dans ma gorge, salaud ! Oui, que tu aimes les salopes et les putes, dis-le ! Qu'est-ce que tu l'as énorme, papito ! Vas-y, engrosse-moi, que j'aie des enfants avec toi et que je reste toute tranquille à la maison !

– Comme Minerva ? Hein ? C'est ça qui te plairait ?

– Oui, c'est ça ! Avoir un mari, être à la maison et frotter et cuisiner, papito, et te baiser sur la table, par terre, n'importe où.

– Et quatre ou cinq coups de ceinturon, je te mets.

– Ah, là tu me tues ! Si tu commences à ma cogner, papi, je me meurs pour toi. Faut même pas en parler, autrement je jouis.

– Oui. Tiens, prends ça, salope. »

Je lui balance quelques baffes.

« Ah oui, donne-moi avec cette grosse main que tu as ! Comme une chienne, je jouis ! Aaah, je suis faite pour ça, bats-moi, fais-moi mal, j'aime... Prends mon jus, doudou, prends en plus. »

Ses hanches s'activent comme un presse-citron et je suis tout près de lâcher ma purée mais non, je l'attends. Je la renverse fesses en l'air, je lui suce l'anneau, je l'embrasse, je mets plein de salive dessus et elle la prend, magnifiquement. Elle a un trou du cul délectable, sombre, bordé de poils bouclés de métisse. Elle le serre et elle le tend vers moi. Tentation. Insatiable, cette petite. Je m'enfonce doucement, sans hâte, je baisse la tête sur son dos et je la mords, et notre sueur se mêle. Elle bouge bien, elle prend son pied, elle en veut plus et plus. Elle a des fesses minuscules. Tout en elle est menu, souple, parfait sous sa peau dorée. C'est une diablesse, une sorcière qui en veut toujours plus. Par-derrière, elle adore, mais pas toujours : il faut savoir la séduire, lui faire perdre la tête. La chauffer, trouver le point faible et s'arrêter dessus. A ce stade, elle devient folle, elle me dit toutes les saletés qui lui passent par le ciboulot. Je ne sais jamais si c'est vrai ou faux, parce que Gloria est la vérité et le mensonge à la fois. La femme la plus cinglée, la plus délirante et la plus enjouée que j'aie jamais eue. Quand elle est lancée, rien ne peut l'arrêter de parler :

« Oh oui, amène-moi au type qui fait les tatouages, qu'il m'en foute un sur une fesse, sur un néné, où tu voudras, papito. "Je suis à Pedro Juan", "Pedro Juan, mon taureau"... Rien que pour faire envie aux hommes. Pour qu'ils deviennent fous de jalousie. Et moi je leur dis : "Ça, c'est mon homme. C'est lui qui me tiens. Le seul. C'est mon mâle. A vous, je prends de l'argent pour l'entretenir, lui."

– C'est vrai ? Tu veux te faire un tatouage ?

– Oui, oui... Je vais me saouler, je me fume un pète et allez, les aiguillles ! Aaah, mais qu'est-ce qu'elle a à grossir encore ? Ce tronc que tu as, papi, tu me fais mal, tu m'arrives dans la gorge ! Mais qu'est-ce que tu bouffes, doudou ? Pour l'avoir grosse et raide comme ça, qu'est-ce que tu te manges ?

– Steak de cheval et piments pour toi, petite.

– Ah, le cheval, c'est toi ! Une bête, tu es ! Vas-y, vas-y, mets-la-moi plus, animal ! »

Et tout ça me fait perdre la boule, je n'en peux plus, je lâche mon jus en elle et... Pff, relax. On s'embrasse, on traînasse un moment sur le lit et puis je me lève, je fais du café. Sur la terrasse, le vomi de Pelé sèche sous le soleil du matin, plus puant que jamais. Des mouches par centaines. J'envoie un seau d'eau là-dessus, j'attrape le balai et déjà j'ai Gloria dans les cheveux :

« Mais qu'est-ce qui t'arrive, à jouer le petit vieux ? J'aime pas que les hommes fassent le travail des femmes, moi.

– Gloria, arrête tes conneries, tu veux ? Ça fait vingt ans que je vis tout seul et tu veux m'apprendre, maintenant ?

– Mais tu as une femme, présentement ! Tout ce qui est

de la maison, c'est ma responsabilité. On se croirait dans un bouge du quartier des nègres, avec tes saouleries et tes vomisseries et tes petits amis... Manque plus que les poux et les morpions, beeeh.... Ecoute, je m'en vais au marché, là, je prends du riz, du cochon, ce qu'il y aura. Le frigo, il est vide, vide ! Même pas une bouteille d'eau. Je comprends même pas comment tu peux vivre dans cette horreur, une cuite après l'autre...

– Gloria ? Tu laisses les cours de morale et tu me fiches la paix, d'accord ? »

Elle adore ça, jouer à la maîtresse de maison. Préparer de petits plats, laver, balayer, s'occuper des enfants... En une seconde, elle est transformée. Changement de personnalité total. De Superman à Clark Kent. Il ne reste plus rien de la grande pute avec le feu au cul. Mais on ne sait pas vraiment si c'est vrai ou faux, si c'est un simple jeu ou si elle est sincère. Elle me surprend toujours. Je ne sais jamais où est la frontière entre la réalité et la fiction.

Elle enfile une blouse à carreaux d'une propreté douteuse, serre ses cheveux dans un foulard, enfile de vieilles mules informes, et voilà la Grande Ménagère au travail. Elle rouspète, elle donne des ordres, elle m'envoie acheter de la bouffe au marché. Elle a pris le commandement et à midi elle s'estime satisfaite : tout est en ordre, les sols impeccables, un parfum désodorisant flotte dans l'air. Elle a même semé des fleurs dans des pots. Tranquillement, elle s'assoit pour regarder son feuilleton. Je n'ai pas le droit de dire un mot pendant qu'elle suit ce galimatias d'inepties, avec une petite blonde stupide qui passe sa vie à s'inventer des histoires. Elle est complètement fascinée, absorbée, elle rit, elle pleure, elle se ronge les ongles. Je ne peux pas la supporter. Je refuse de cohabiter avec la bêtise. Je dois me contenir pour ne pas la jeter dans les escaliers. Mais dès qu'elle en a fini avec son rôle de bonne maman, elle se transforme à nouveau. Les crocs repoussent à la louve, la séductrice, la croqueuse d'hommes, la vipère. Gloria la Cubaine est de retour. La femme fatale. Ma folie, mon amour, la femme que je désire, celle qui me fait sentir comme un bouc bramant de plaisir tout en haut de la montagne.

La vie est ainsi faite. Douleur et plaisir. Je me bois une tasse de café, j'allume un cigare et je pars au marché en la laissant à sa telenovela. Dans mon tee-shirt rouge sans manche, avec mon tatouage à découvert, j'ai l'impression d'avoir la force d'un taureau. Avec elle, j'aime la baise sauvage. A fond. Deux heures de bonne suée et ensuite sortir faire un tour, seul avec mon odeur de sueur, de sperme, de Gloria, de lit. Un animal sain et vigoureux, un poulain musclé lâché dans les rues du centre, indomptable. En moi les spermatozoïdes s'agitent, fébriles et fertiles, cherchant désespérément à se ruer sur l'ovule. Ils sont là, joyeusement pagailleurs, mes enfants microscopiques qui rigolent et dansent dans mon corps en attendant le signal du départ, la barrière qui va s'élever pour qu'ils puissent nager comme des fous vers l'œuf. Et ils savent que seulement l'un d'entre eux pourra y mettre la tête et s'y introduire de force.

13

Gloria et moi, nous sommes possédés par un démon, tous les deux. Chaque jour plus. Le maquereau et la pute. La fille et le père. Le vampire et la victime. Le jour et la nuit. Le Christ et la croix. Le sadique et la masochiste. Elle engloutit ma pine et moi je donne ma vie pour l'empaler, boire son sang, avaler sa salive. La folle et le cinglé. On finira à l'asile. Qu'est-ce qui nous arrive ? Où sont les limites ? Qui les établit ? Qui les définit ? Où sont-elles ? Jusqu'où je peux aller ? Quand j'écrirai le roman dont elle sera l'héroïne, que pourrai-je dire de tout ça ? Qu'est-ce qu'il faudra laisser en demi-teintes, à peine suggéré ? Ou bien il faut tout raconter ? Est-ce que j'aurai le courage d'aller jusqu'au bout, de me mettre complètement à nu ? Est-ce que c'est indispensable ? Mais moi, je suis un exhibitionniste. Striptease. C'est ce que je fais : du striptease.

Ce soir, j'ai récité un extrait de *Don Quichotte* pour la radio internationale d'Espagne. C'était je ne sais quel jour important pour Cervantès, aujourd'hui. Sa naissance, je crois. Je n'aime pas ces lectures, moi, mais on ne peut pas toujours dire non, être lourd. Nous étions trois écrivains à intervenir et pendant que nous attendions hors antenne l'un des deux a cité Michel Butor, quelque chose à propos de l'*Ecriture du désastre*, et l'autre a comparé ce livre à l'œuvre de Lezama Lima... Pfff ! Entre la merde et les nuages, impossible de trouver un équilibre. Je suis sorti prendre le frais sur le balcon. A La Havane, au moins, le paysage est rocambolesque. Quand mon tour est venu, j'ai pris le téléphone, j'ai lu le passage en question et à un moment on m'a dit : « Merci, Cuba. » Je me suis arrêté, j'ai attendu un moment. La même voix : « Nous sommes à nouveau hors antenne. C'était bien, merci. » Je suis allé comme un automate au bar qui fait l'angle d'Águila et de Virtudes. Je mourais de soif. Je me suis pris quelques bières, des Polar bien glacées. Il y avait deux serveurs et trois ou quatre habitués qui buvaient du rhum. Ils parlaient bas, tous, presque en chuchotant. Au coin de la rue, un policier tout petit et très mince nous observait du coin de l'œil. Quatre putes toutes jeunes tournaient autour, regardant droit dans les yeux les hommes accoudés au bar. Tous entre cinquante et soixante ans. Elles connaissaient bien leur boulot, les filles. J'avais l'estomac vide et les bières me sont montées à la tête. Je suis retourné chez moi, j'ai appelé Gloria : « Elle est pas là, elle est partie voir sa cousine. » Quelques minutes plus tard, j'ai reçu un coup de fil très agréable. Un club de femmes célibataires. Elles avaient choisi mon numéro dans l'annuaire, au hasard. Elles se cherchaient un fiancé par téléphone. Je ne pouvais croire à une méthode aussi discrète, alors je leur ai demandé :

« Vous êtes quoi, vierges ? Ou vous êtes bonnes sœurs ? Vous vivez dans un couvent ?

– Non, juste célibataires.

– Ah, bon, d'accord. Alors allons-y.

– Je m'appelle Yamilé. »

Elle se décrit. Métisse, trente-deux ans, un fils de dix-sept, une fille de cinq. Cigarière de profession. Elle me donne son numéro, on bavarde un peu. Elle a beaucoup à raconter et elle est sympa. Okay. On convient de se voir un de ces jours.

Gloria apparaît à huit heures et demie avec sa robe jaune plus que courte, un slip et des talons hauts blancs. Elle est magnifique avec sa peau si brune, ses jambes faites au moule. Rien de trop, rien qui manque. Parfaitement proportionnée. Seuls ses pieds et ses mains sont un peu négligés. Pour le reste, elle à point. Je lui dis que c'est maintenant qu'elle devient plus pleine, plus femme, tel un fruit arrivé à maturité. Jusqu'alors, elle était seulement une fillette perverse. Et après trente ans, elle sera encore mieux. Je lui raconte le coup de fil de Yamilé. Pour moi, ce n'était qu'une blague mais Gloria l'a déjà faite plein de fois, elle-même :

« Zéro blague ! Si vous vous voyez, je suis sûr que tu vas lui plaire et elle va te sauter dessus. Tu comprends pas que je connais bien le coup, moi ?

– Elle dit que c'est un club de...

– Quel club ? Zéro club ! Ah, je peux pas te laisser seul une minute. Toujours à chercher les histoires !

– Mooooi ? Je fais rien, moi ! C'est les autres qui commencent ! »

Elle va prendre le carnet près du téléphone et déchire en petits morceaux la feuille où j'ai noté le téléphone de Yamilé, 791952.

« Ici, pour la métisse, et pour la Noire, et pour la Blanche, et pour la gourgandine, et pour la femme bien, je suis là, moi ! Pour tout ! Tu as pas suffisamment avec moi ?

– Je le connais par cœur, le numéro. Tu veux du café ou du rhum ?

– Les deux. »

Je vais à la cuisine. Elle me suit, m'enlève la cafetière des mains :

« Laisse, papi. Je vais le faire. Il faut que tu t'habitues à avoir une femme chez toi, doudou. »

Mieux vaut ne pas la contrarier. Et puis j'aime la voir s'activer avec ses bracelets d'argent. Je suis comme le chien de Pavlov : je salive et j'ai la queue en l'air dès que je les entends tinter, ou dès que je la regarder vaquer dans la maison sans chaussures. Ses mains et ses pieds me rendent fou. Je suis lancé avant même de l'avoir sentie, touchée. Il me suffit de la voir à moitié nue avec sa blouse, ses savates ou pieds nus en train de nettoyer la maison, les bracelets qui tintent et une cassette de Mark Anthony à plein volume. Elle travaille un peu, elle se met à suer et son con devient génialement puant. Je suis vulgaire et déplacé, j'assume. Encore un gars de la rue de plus. C'est une vocation, il faut croire, parce que les femmes élégantes, aristocratiques et parfumées ne m'attirent pas.

Bon, à y repenser, il y a bien eu une de ces grandes dames pour me plaire, une qui appartenait à cette espèce disparue de la zone limitrophe à mon perchoir. Cela s'est passé un certain soir d'automne à l'auditorium national de Madrid. J'étais assis tranquillement à ma place, dans une loge. Beethoven et Brahms par l'orchestre symphonique de Berlin, au programme. Le concert devait commencer par la Cinquième, évidemment. Peu avant, cette femme délicieusement mince jusqu'à la maigreur est venue s'asseoir près de moi. Une jupe courte et des bas noirs, un léger accent français. Elle a laissé tomber son manteau de fourrure à terre, l'a piétiné avec fureur, plantant ses talons dans les plis et le maculant de poussière. Je suivais son manège du coin de l'œil et son air sadomaso m'a plu. Elle avait les traits, le maintien, le champ magnétique de la vieille putain, une pute aristocratique, de luxe. On s'est regardé, souri, salué poliment, puis nous avons échangé nos avis à propos de Beethoven, Brahms, l'orchestre et le chef de cette soirée. Et là, elle a tenté une estocade :

« Et vous, vous faites quoi ?

– Moi ? Plein de choses. Ça dépend des moments.

– Aaaah. Mon mari est capitaine de navire. Un supertanker. En ce moment, il est en Amérique du sud.

– C'est loin.

– On a l'habitude.

– Ça ne doit pas être facile, d'être une épouse de marin.

– De marin, peut-être, mais moi j'adore être une femme de capitaine.

– C'est plus lucratif.

– Oh... »

Applaudissements, courbettes du chef, ultimes accords des cordes et le concert a commencé. La musique n'a pas empêché l'exquise dame de me chuchoter dans l'oreille toutes les deux minutes. Elle m'a donné l'impression d'être en pleine ovulation. Elle devait trop mouiller. Après, cependant, je me suis dit que c'était impossible : elle avait dépassé la soixantaine.

« Vous avez déjà pensé à la musique que vous aimeriez pour votre enterrement ?

– Je veux l'incinération. Et mes cendres aux ordures.

– Aaaah... Moi, j'ai toujours demandé l'*Heroica.* »

Elle a passé longuement en revue les villes européennes où elle avait écouté cette œuvre. Elle se souvenait de tout dans les moindres détails, comme seuls le peuvent ceux qui ont peu ou rien d'autre à penser, l'orchestre, la salle, le petit nom du chef, l'époque de l'année, les erreurs du pianiste, le premier violon...

Pendant qu'elle parlait, je regardais ses cuisses minces, gainées de soie noire, un peu écartées, et je m'imaginais m'agenouiller devant elle, enfoncer la tête et les lui ouvrir encore pour que ma langue atteigne le point G.

La *Cinquième Symphonie* et les chuchotements à mon oreille ont continué. Je me suis dit qu'on irait peut-être chez elle, ensuite. Sa chambre à coucher serait raffinée, style XIXe un peu surchargé, sans doute. Des fraises et du champagne sur une table basse et moi qui la déshabille lentement à la lumière de quatre bougies parfumées, puis qui me mets au travail rien qu'avec la langue et les doigts, jusqu'à ce qu'elle n'y tienne plus et aille chercher un fouet... Elle murmurait encore son baratin tandis que je délirais sur sa piaule.

J'ai esquivé cette tentation, finalement. Je me sentais un tantinet dépassé par des perspectives de brutalité extrême, inspirée par un livre qui avait été publié cet automne-là. Ce n'était pas le soir pour se risquer trop loin, disons. Installé dans une autre loge, mon petit ange gardien me surveillait de loin. Quand nous sommes sortis de la salle de concert, il m'a sévèrement blâmé pour mon manque de courtoisie. La vérité, c'est que j'ai conservé le désir d'explorer cette femme luxurieuse. J'aurai sans doute une deuxième chance, de toute façon. Pour l'instant, je garde mes vieilles habitudes. Je suis attiré par la saleté, la sueur, la porcherie sous les aisselles. J'aime les servantes, les bonnes, les putes, les cuisinières, les catcheuses, les vendeuses à la criée. Les plus vulgaires, les imparfaites, les analphabètes qui savent tout et qui mettent des corsages courts, exhibent leur nombril, baratinent le premier venu et le branlent sur le Malecón, en plein jour, pour dix ou quinze pesos. Gloria est tout ça à la fois, réuni en une seule femme. Elle se laisse pousser les poils sous les bras, maintenant. Tout ce marigot à foisonner, comme les Allemandes mais sans déodorant, collé de sueur. Rien que de renifler ça, je deviens une bête, je perds la boule. C'est une drogue dure, son odeur.

Je la colle contre moi, je la caresse, je l'embrasse, je la hume, je la chauffe un peu et ça y est. J'éteins le feu alors que le café n'est même pas passé. Je prends une gorgée de rhum et je la lui glisse dans la bouche. Je l'entraîne sur le lit, je la mets toute nue et je la contemple. J'aime la regarder de derrière. Elle se couche sur le côté, remonte les genoux au menton. Je me branle sans hâte. On s'observe tous les deux, sans nous toucher. Depuis toute petite, elle a l'habitude de voir des pines d'homme. De regarder. Elle me l'a raconté sans rien laisser de côté. A sept ans. Un appartement communautaire de la rue Laguna, pas assez de chambres et des tonnes de gens, les toilettes communes, la promiscuité inévitable, alors Gloria regardait et se laissait regarder. Dans l'immeuble et le quartier, les corrompus et les corrupteurs ne manquaient pas. A dix ans, elle s'est amourachée de son prof de danse et elle a mis toute son énergie à l'avoir. Elle avait déjà quelque expérience, du moins pour ce qui était de mater et de se laisser mater. Mais le type résistait, et elle le cherchait, elle voulait l'exciter sauf qu'il savait que c'était de cinq à dix ans de prison pour détournement de mineur. Et au tribunal, il ne pourrait jamais dire que la fille l'avait séduit parce qu'en plus ils l'auraient accusé de faux témoignage et de diffamation contre la pauvre fillette innocente.

Le malheureux tentait d'esquiver, de continuer les cours

comme d'habitude, mais l'obstination de la pauvre fillette en question était diabolique. C'était bien plus qu'un caprice d'enfant précoce : Gloria était un petit monstre. Un jour, sous un prétexte quelconque, elle a débarqué en trombe dans la piaule du prof, qui vivait justement dans le même appartement communautaire de Laguna. Très à l'aise, elle est allée à une réserve d'eau qui se trouvait dans un coin et elle s'est renversée un broc dessus.

« Oh, regarde, Rodolfo, je suis toute mouillée ! Je vais attraper l'angine ! »

Sans lui laisser le temps de faire quoi que ce soit, elle s'est déshabillée :

« Sèche-moi. Va chercher une serviette et sèche-moi. »

Rodolfo en est resté comme deux ronds de flan. Jusqu'où elle pouvait aller, cette gosse ? Il est allé prendre une serviette et il a bien fermé la porte. Il ne pensait qu'à la prison.

« Fifille, sur la tête de ta mère, reste tranquille. Je vais me retrouver au trou, moi.

– Sèche-moi, Rodolfito. Allez ! »

Sitôt qu'il s'est approché avec la serviette, elle lui a attrapé la bite sous le pantalon. Pas de détours, avec elle. Elle allait droit au but :

« Fais-la voir.

– Petite, sur la tête de ta mère ! Je me retrouve au trou...

– Tiens, regarde. »

Elle s'est assise sur une chaise, a posé les pieds dessus, ouvert les jambes et lui a montré son sexe minuscule, couvert de poils noirs, drus, trop denses pour une fille de dix ans. Elle s'offrait.

« Sors-la, fais-la voir ! »

Il est allé à la porte, il a vérifié qu'elle était bien fermée. Il est revenu et il l'a sortie. Il bandait à moitié, déjà. Elle l'a caressée un peu avant de la prendre dans sa bouche. Elle ne l'avait jamais fait avant, mais elle savait comment s'y prendre. L'intuition, peut-être. En tout cas Rodolfo a joui en deux minutes et elle s'est baignée dans son jus. Allègrement. Elle l'a étendu sur tout son corps comme si c'était une crème de beauté. Ça lui a plu, à Rodolfo. Et pour la prison, elle était au courant :

« N'aie pas peur. Je vais pas te risquer. Au contraire. Je vais m'occuper de toi.

– Tu seras ma petite fiancée ?

– Je vais pas l'être, non, parce que je le suis déjà. Ta fiancée, ta petite femme, tout ce que tu veux. »

Cette histoire entre une fille de dix ans et un homme de quarante-deux a duré des années. Mais Gloria ne croyait pas en la fidélité. Elle a toujours été radicalement, viscéralement volage. Et ce n'est pas un choix, chez elle. C'est aussi naturel, indiscutable que le fait de respirer ou de boire un verre d'eau. A côté de son amour pour Rodolfo, il y avait beaucoup d'écarts, de-ci de-là. A quatorze ans, un jeune de son âge l'a pénétrée. Quelques jours après, elle a demandé à Rodolfo qu'il en fasse de même. Il lui a demandé d'où venait cette décision et elle lui a raconté ce qui s'était passé le plus naturellement du monde. Il en a été vexé comme un pou : le droit de cuissage était à lui et rien qu'à lui. Certainement pas à un petit morveux de quatorze ans. Leur relation est devenue trop tumultueuse. Amour et possession, on connaît la chanson. L'erreur originelle. L'origine de la famille, de la propriété privée et de l'Etat. Aussi pragmatique que résolue, c'est Gloria qui a coupé les ponts. Elle était bien trop jeune pour commencer à souffrir à cause des hommes. Quand elle m'a raconté tout ça, elle a remarqué avec une certaine tristesse dans la voix :

« Je l'aimais beaucoup. Mais rien n'est éternel.

– Tu le vois toujours ?

– Oui. Il vit seul, depuis. Il a dépassé les soixante ans. Il est très méfiant.

– Il habite loin ?

– Toujours pareil, l'appart' communautaire de Laguna. Ça me fait peine de le voir si pauvre, si malheureux, si amer, sans enfants, sans personne pour s'occuper de lui. Et en plus, il me repousse. Dans une couillerie de misère, il vit. Des fois j'y vais pour nettoyer un peu, l'aider, mais cours toujours. Il me laisse même pas entrer.

– Tu étais amoureuse de lui.

– Comme une folle. Dans ma tête, je jouais à qu'il était mon mari, qu'on avait des petits, tout ça.

– Tu n'as jamais eu d'enfance.

– Mais si, mais si. C'était des jeux de fillette. Comme à la dinette.

– Mais avec une vraie bite.

– Ah, ah, ah... Je crois qu'ils étaient tous au courant, chez nous. Je passais mon temps dans sa chambre. Dix-onze ans et je lui faisais sa lessive, son ménage, ses repas, tout de tout. Mais il était respecté. Il a toujours été sérieux, un homme bien. Moi, ça m'était égal si les autres savaient.

– Et si quelqu'un l'avait dénoncé ?

– J'aurais dit que non, que c'était des menteries. Les gens sont toujours prêts à nuire, à faire du mal, mais lui, ils le respectaient. C'est quelqu'un de sérieux.

– Je pense que tu es née pute.

– Me parle pas comme ça.

– Je le disais gentiment.

– Une fois, on m'a dit que dans une vie antérieure j'ai été

une femme légère, de celles qui étaient dans les cabarets. Et encore avant, une Gitane.

– Et dans cette vie-ci, tu continues.

– Oui, papi, c'est vrai que j'aime m'amuser avec les hommes. J'aime voir des pines. Voilà. Beaucoup. Différentes. C'est mal ? Regarde les chiens. Ils le font en pleine rue et c'est normal.

– Sauf qu'on n'est pas des chiens, nous.

– C'est pareil. On est des animaux. »

Tout en parlant comme ça, je l'ai pénétrée peu à peu, doucement. On se caressait.

« Tu es un petit animal, oui. Toute tiède et velue.

– Oui, papi, oui. Et j'aime les chiens, moi. Ah, achète-m'en un, un grand, bien noir, bien méchant et bien tordu, avec une langue immense...

– Pour quoi faire, follasse ? Qu'est-ce que tu ferais avec un chien pareil ?

– Pour baiser avec lui devant toi. Pour le branler, pour... »

Elle a continué son délire avec le chien noir. A un moment, elle m'a retourné et elle m'a sucé le cul. Elle m'a mis un doigt, puis deux.

« Aïe, papito, comme ça me plaît, d'être ta femme et ton mari ! Si seulement j'avais une banane, un concombre, une carotte... Il est à moi, ce cul-là. A moi complètement. Ah, j'ai jamais eu un mâle comme toi. Tu me rends folle, salaud ! »

Je me suis détendu. Je me livrais à elle.

« Pour toi je retournerai en maison de passe, papi. Pour toi je le fais autant de fois que tu demandes. Je veux t'entretenir, doudou. Les maques, ça me plaît à moi. »

Gloria dans toute sa gloire, Gloria au-delà de la gloire. Nous avons passé deux bonnes heures comme ça, peut-être plus. Toute la vie, si on voulait. Elle a une imagination inépuisable, sans cesse renouvelée. C'est un don. Pur et distillé. Quand je n'en peux plus, je fais un gros effort de volonté : je me retire et je jouis dans sa bouche. Elle avale tout.

« Ah, aujourd'hui il est acide, ton jus ! Des fois il est doux, des fois amer... Ah, ça me bouffe les papilles, comme une prune verte, tu me laisses la bouche en feu, con ! »

On rit, on se détend. Je retourne à la cuisine, je termine le café, on le boit, on fume, on attaque le rhum. Gloria va mettre une cassette et Roberto Carlos entre en scène. Une fois qu'elle a bu quelques verres, qu'elle a niqué, bu encore, elle se relaxe et elle parle encore plus. C'est une occasion d'accumuler du matériel pour mon roman.

« Parle-moi de la maison de Milagros.

– Ah, tu demandes toujours ça ! Pourquoi tu veux tant savoir ?

– Habille-toi. On va y aller.

– C'est fermé.

– Menteuse.

– C'est vrai !

– Depuis quand ?

– Il y a des mois. Ils ont même failli l'expulser de chez elle, Milagros.

– Et pourquoi ?

– Ah, ah, ah, mais pour être une pourvoyeuse, enfin ! Ah, ah, ah ! Hé, ti'gars, tu vis ici ou dans les nuages ?

– Pourquoi tu dis ça ?

– C'est qu'elle était devenue célèbre, cette maison, mon amour. Il venait des clients de partout. Des gens de la haute, des notables comme des pedzouilles, et tous avec le portefeuille plein. Il y avait des marchands de produits agricoles qui t'avaient une de ces quantités d'oseille ! Et comment je le leur raflais, moi ! Des fois, je les baisais même pas parce qu'ils avaient tellement bu qu'ils pouvaient plus bander. Et moi, je leur faisais les poches, qu'ils s'en rendaient même pas compte. Ah, l'argent coulait à flots, ça oui !

– Ça devait être grand, alors.

– Sept chambres, et on était toujours dix ou douze femmes. Des fois plus. Beaucoup d'allées et venues.

– Il y avait un bar ?

– Ils en avaient installé un dans le salon. C'était une infraction, déjà, et puis quand ils ont pondu la loi contre... Bon, moi j'ai pas eu de tracas, vu que j'étais plus là-bas depuis un moment.

– Hein ?

– J'y étais plus.

– Comme ça, bien gentiment, tu es partie ?

– Milagros m'a jetée.

– Tiens, pourquoi ?

– Son petit mari s'était entiché de moi, alors j'ai dû me le taper quelques fois. Elle l'a découvert et hop, dehors ! Mais pas de scandale, pas de criailleries. Entre gens bien, on était. Sauf qu'il m'a fallu partir dare-dare.

– Hé, mais t'es pas facile, toi non plus. A qui ça viendrait l'idée de baiser le mari de la patronne ?

– A moi.

– Oui, rien qu'à toi. De l'air dans le crâne.

– Moi, sans cervelle ? Oh non, papito, moi je fais rien juste pour le plaisir. Ce type, il a une boucherie. Il me payait bien. Des fois deux cents pesos pour un coup mal tiré en trois minutes. J'allais renoncer à ça ? Non, merde, pour rien au monde ! Et puis je n'ai pu le baiser plus longtemps parce que c'est revenu aux oreilles de Milagros et le foutoir a commencé.

– C'est bien tombé, ça t'a épargné les histoires avec les flics.

– Oui, mais c'est dommage. Des petits boxons de rien, il y en a, dans les faubourgs. Une quantité. Des trucs pour miséreux, merdiques absolument. Ça vaut pas la peine. Moi, chez Milagros, je me faisais des cinq cents pesos, certains jours. Ah, c'était grand...

– Elle finira par rouvrir. Si ça se trouve, elle te pardonnera.

– Non. On se baigne jamais dans la même eau. En plus, quand je laisse tomber quelque chose, moi, ça va à la ruine. De mon temps, la maison désemplissait pas, la thune changeait de mains à une vitesse ! Elle m'a jetée et une semaine après elle a dû fermer, un peu plus ils l'expulsaient et ils les mettaient en prison. Elle et le mari, et le type qui tenait le bar. Ils étaient prêts à rétamer même la vieille qui passait le balai et changeait les draps ! Ils s'en sont tirés parce que Milagros a arrosé tout le monde, jusqu'à Mahomet ! Les billets contre le silence.

– Tu es rancunière.

– C'est un don que j'ai. Ce que je laisse tombe en ruines, voilà.

– Tu y allais le soir ?

– N'importe quand. Moi, j'agis selon l'inspiration. Bon, et puis suffit. Pourquoi tu veux tant savoir ? Pour te mettre jaloux ?

– Non, petite. C'est pour le roman.

– Tu te fiches de moi avec ça. A tous les coups tu l'écriras même pas.

– Si. Il faut que je commence, un de ces jours. Je dois me décider.

– Rien du tout, tu écris.

– Je te dis que si. Le plus dur, c'est le titre et la première page.

– Je croyais que ça s'appelait *Un cœur gros comme ça* ? Ou tu as encore changé d'idée ?

– Non, c'est un bon titre mais... Je ne sais pas ce qui m'arrive. J'ai plein de matière mais je ne vois pas par où commencer. Je suis... déboussolé.

– Tu es capable de mettre toutes ces histoires de boxon à mon nom.

– Comment tu veux t'appeler ?

– Dans le livre ?

– Oui.

– A part Gloria, ce que tu voudras.

– Choisis-en un.

– Katia.

– Je préfère Gloria, moi.

– Mais on va savoir que c'est moi ! Quelle tristesse ! Me fais pas ça, sur ta vie ! Change le nom, au moins.

– Qui peut savoir ?

– Oui, c'est ça. Tu divagues, de toute façon. Tu écriras rien.

– Ça te plaisait, la maison de Milagros ?

– Bien sûr. La belle vie, c'était. Pas de sentiments, au moins. Depuis quand tu as vu une pute sentimentale ?

– Les hommes, ils aiment les putes.

– Ça, c'est un mensonge. Ils aiment les putes dans la rue et au box', mais chez eux il leur faut une dame. Propriété privée et le panneau : RESPECTEZ LA PELOUSE.

– Ah, tu me plais trop, toi.

– Oui, oui... Pour faire le zinzin au lit.

– Personne ne sait le destin qui nous attend. Peut-être qu'on finira par se mettre ensemble et...

– Concubinage, rien du tout. Je nous veux mariés. Et en blanc, tous les deux. Avec...

– D'accord, d'accord. Reprends pas tes salades.

– Et avoir des jumeaux, papi.

– T'es pas bien dans ta tête ? Les enfants, je supporte pas. Où tu as vu un vieux bercer des bébés ? J'en ai élevé trois. Pas un de plus, Gloria. Et encore moins des jumeaux !

– Ah, ah, ah ! Quel comique tu fais ! Un petit garçon, que j'ai ! T'es pas vieux du tout, papito. T'es un sacré morceau de mâle.

– Oui ?

– Ah, ah, ah ! Mais voyez-le un peu ! C'est qu'il aime les compliments, le bougre !

– J'aime ton rire, surtout.

– Menteur ! Aucun homme l'a aimé. Ils me laissent pas rire, à moi.

– Pourquoi ?

– Ils disent que c'est un rire de pute que j'ai.

– Parce que tu es la joie de vivre.

– Oui, mais ça les met en rage. Ça leur fait honte.

– Ça t'est arrivé d'être triste, au boxon ?

– Une seule fois.

– A cause d'un homme ?

– Oui.

– Pourquoi ?

– Je me suis toquée de lui. Un Chinois. Chinois-métis. Beau comme le jour.

– Foncé ?

– Tu entends ce que je dis ? Chinois. Mulâtre avec du chinois. Il avait un dragon de toute beauté tatoué sur le bras, une Vierge sur l'épaule, une dent en or... Aaaah, la folie ! Et comme il aimait s'habiller de blanc, toujours impeccable. Un vrai dandy. Et cette queue qu'il avait ! Immense immense. Une bite qu'on veut se prendre et se manger.

– Et toi, serrée et étroite comme tu es...

– Qu'est-ce que tu racontes ? Sois pas benêt, mon amour. Ça, c'est souple comme du chewing-gum ! Qu'est-ce que tu crois ? Ce qu'il aimait, c'est me baiser par terre. Toujours par terre.

– Et pourquoi tu es tombée amoureuse ?

– Ah, je saurais pas expliquer... Il niquait pas pareil, lui. Tendre, sans vulgarité, très très beau... Comme toi tu me baises, papi. Attentionné, en me disant des jolies choses. Enfin, tu comprends. Ça se décrit pas. Tu as le coup de foudre, et voilà.

– Il te payait ?

– Au début oui, évidemment. Ensuite non. Mais il me laissait toujours de l'argent, comme cadeau. Et toujours des présents. Ah, il était plein aux as. Toujours sur les plages, avec les étrangers, à fricoter des trucs... Après, il venait me visiter pour me dire qu'il allait laisser sa femme et me sortir de là et me marier. Ça a duré comme une année, une année et quelque. Il m'emmenait promener, boire des bières... Un jour, il a disparu et j'ai plus rien su de lui. Il y a pas longtemps, je l'ai croisé. Il dit qu'il a eu presque deux ans de galère, et puis un an de taule.

– Pourquoi ?

– Tu te souviens de quand le dollar était interdit ?

– Non, tu crois ?

– Ils l'ont pris avec deux cents dollars et ils lui en ont collé pour des années mais il en a fait qu'une.

– Et maintenant ?

– Maintenant, il cavale les étrangères. Il recommence. C'est qu'il est beau comme un astre. Oh, je suis content que ça se soit terminé parce que moi j'allais souffrir beaucoup. C'est un homme très impressionnant, très. Il passe sur la plage et tu vois les touristes, elles le matent avec la bouche ouverte. Et bien sûr qu'il se prend celle qu'il veut. Pas besoin de se tirer des vieilles ni rien de ça. Pour que tu saches, il aime pas les blanches ni les blondes.

– Les brunettes ?

– Tout comme moi. Couleur cannelle. Enfin, un jour il se trouvera son bon pain. Il se marie avec une gringa et il part vivre tranquille là-bas...

– Tu ne l'as revu qu'une fois ?

– Non, ça m'arrive de le croiser. Mais c'est passé, entre nous. Tout passe. Il prend jamais l'initiative, on se voit dans la rue, comme ça. Il m'a perdue, au final. Dans la vie, il y a rien d'éternel. Même chose pour nous, maintenant : je peux pas consacrer mon existence à te courir après et toi qui fais ton joli coq. Parce que je finirai par me lasser, ou bien il en apparaît un autre qui me plaît et qui sait me convaincre, qui m'épouse, s'occupe de moi et de mon fils. Et voilà, et terminé... Ah, je veux même pas penser à ça mais c'est la vérité.

– Oui, c'est vrai.

– Ça s'est passé de la sorte avec le père de mon fils. Et après avec le Chinois, et après avec... Bon, pareil une paire de fois. Et si tu continues indécis comme ça...

– Hé, tu cherches la bagarre, là ? Qu'est-ce que tu veux ?

– Qu'est-ce que tu veux que je veuille ? La même chose que toutes les femmes : me marier, vivre avec toi, avoir des petits, que tu m'aimes, que tu sois mon mari. Tenir bien ma maison. M'organiser ma vie.

– Pratiquement rien, quoi.

– Toi, tu vas continuer à vivre seul ? Il te faut quelqu'un pour s'occuper de toi.

– S'occuper de moi ? J'ai la tête d'un bébé, d'après toi ?

– Tous les hommes, ils sont comme des pitchounes. Ils ont besoin d'une femme pour prendre soin d'eux.

– Oooohh...

– Oh, j'ai patience, papito. Je suis amoureuse de toi comme une chienne, mais il y a une limite à tout. Réfléchis voir à ça. Prends les décisions qu'il faut, parce que tout a une limite.

– C'est pas si simple, Gloria. Mais aussi tu as vingt-neuf ans, c'est logique que tu fasses des projets pour l'avenir.

– Fais pas ton vieux, hé !

– Non, mais on est deux générations différentes.

– Humhum.

– Toi, tu poursuis ton but et tu ne t'occupes pas du reste. Les gens de mon âge, ils fonctionnaient autrement.

– Et comment ?

– On nous a amenés à ne nous occuper que du reste, à ne plus tenir compte de nous.

– C'est pour ça que tu es tellement amer.

– Et tellement paumé. Et tellement déçu de tout. Au moins, je ne me suis pas suicidé, c'est déjà pas mal. Ce qui me sauve, maintenant, c'est le cynisme. Etre un peu plus cynique et sceptique tous les jours. Tout ce que je veux, c'est m'isoler. Qu'ils continuent à s'entredéchirer entre eux, qu'ils restent avec leur haine et leur rancœur. Mais moi, qu'ils me foutent enfin la paix, qu'ils arrêtent de me taper dessus au nom de ceci ou de cela.. J'ai seulement besoin de quatre dollars en poche, et d'un peu d'amour et de compassion dans mon cœur.

– T'es tout mélancolique aujourd'hui, papito.

– Mélancolique mes couilles ! Me laisse pas tant parler, que je vais m'aigrir encore plus. Viens, on va chercher encore du rhum. Ensuite je te fouette le cul et on va au lit.

– Ah, sauvage que tu es ! Toujours pareil.

– Oui, la fiesta avec l'Orchestre symphonique national ! Faut se la donner, Gloria, faut se la donner, parce qu'après c'est trop tard. »

14

Les petites tracasseries avec l'ambassade de Suède m'auront donné du fil à retordre. J'ai dû y retourner une bonne douzaine de fois. En vélo, par le Malecón. Dix bornes. Il fallait toujours de nouveaux papiers, ou bien c'était Agneta qui devait faire d'autres démarches encore à Stockholm. Certains moments, je pensais que c'était pour se payer ma tête, mais non : apparemment, c'est juste qu'ils s'ennuient derrière leurs vitres antiballes, au milieu de leurs classeurs en acier. Ils se sont tellement protégés des terroristes, des envahisseurs, des microbes, des maladies tropicales et d'autres fléaux divers qu'ils ne savent plus quoi fabriquer et doivent inventer des petites mesquineries. A un certain point, le type qui me recevait a fermé les yeux d'un air excédé et m'a dit : « Je vois que les Cubains attendent toujours la dernière minute pour tout. » J'ai senti qu'il me provoquait, qu'il cherchait un prétexte pour ne pas me donner le visa. Quoi, j'avais une tête de voyou, de maquereau de Gloria, de drogué ? Je ne pense pas, non. Alors, je l'ai ignoré, mais j'aurais pu lui répondre : « Cher Monsieur, voilà plus d'un mois que vous me rendez chèvre avec vos papelards. Vous croyez quoi, que vous m'accordez l'entrée au paradis ? Votre visa, vous pouvez vous le carrer au cul. Je bouge pas d'ici. Dommage pour vous. Vous aimeriez bien avoir un animal tropical de mon espèce qui vous rende visite de temps en temps. »

Je n'ai rien dit de tel, bien entendu. J'ai affecté le même sourire cynique que le sien et je lui ai demandé d'un ton presque négligent : « Demain, alors ?

– Oui, monsieur. Je vous promets que votre visa sera prêt demain. »

Lorsque je l'ai enfin eu en mains, je suis allé au siège de la compagnie aérienne, j'ai récupéré mon billet et mon humeur s'est améliorée d'un coup. Après, je suis allé dans une cafétéria au coin et j'ai bu deux ou trois bières pour fêter ma victoire. Et je ne sais pas comment mais l'idée m'est venue d'écrire un poème à Gloria.

Ce n'est pas un poème d'amour, à proprement parler. Un poème de sang, peut-être. Je me sentais libre. Mon esprit prenait du champ. En des instants pareils, les petits moi sadiques et cyniques triomphent dans ma tête.

Je suis le vampire
Qui te surprend toujours
Et boit ton sang chaque jour.
Ta sueur, tes soupirs,
Tes larmes sont mon repas,
Ton sperme je le bois,
Et par tes lèvres tu ne sais pas
Que je suis entré vivre en toi.
Parasite, serpent, virus,
Je suis ton cœur, je suis ta merde,
Tes mains, ton cerveau, ton mucus,
Tes pieds et ta langue pour te perdre.
Et ainsi je continuerai à t'égarer

Animal tropical

Comme un démon inlassable,
Tu seras mienne à jamais,
L'épouse du diable.

Et quand je m'endormirai
Parce qu'il faudra bien, après,
Tes crocs perceront mon cou,
Ma vampire à ton tour,
Ma sueur, mon sperme, mes larmes
Serviront à tes charmes
Et par mes lèvres tu me pénétreras
Jusqu'à l'âme, clouant mes bras.
Je vivrai à l'intérieur de toi
Et en moi, oui, tu habiteras.

II

L'amante suédoise

1

Tout est plus simple, maintenant. J'écris sur les feuilles souples d'un beau cahier. Je lis un petit livre de prières celtiques plein de textes réconfortants :

A Jésus la semence,
A Jésus la récolte.
Laissons-nous conduire
A la grange du Christ.

A Jésus la mer,
A Jésus les poissons.
Laissons nous prendre
Aux filets du Christ.

Certains soirs, je remonte Sveavagen. Un peu plus haut que Radmansgatan, il y a un bar qui s'appelle La Habana. Ils servent à manger, aussi. Cher comme pas possible. Une bière à la pression vaut cinq dollars. Mais il y a toujours de la salsa et des Noirs de La Havane qui font danser les Suédoises, et donc je retourne à la folie pour quelques instants. Ils me racontent comment ils ont séduit leurs filles du Nord sur le Malecón ou à Guanabo, et comment ils viennent ici faire la fête avec d'autres nanas pour échapper un peu à celles qui leur ont mis le grappin dessus. Ils n'ont jamais une couronne en poche. Ils tirent le diable par la queue, certains en donnant des cours de danse, d'autres en demandant sans cesse de l'argent à leurs femmes. Ils ne parlent ni ne comprennent un mot de suédois.

Parmi ces Cubains, il y en a un qui est Blanc et anthropologue. Dépressif. Il ne danse pas, lui. Ça fait quatre ans qu'il est à Stockholm. On ne l'entend presque jamais. S'il continue sur cette lancée, il va crever de tristesse. « Pourquoi tu ne retournes pas à Cuba ? », je lui demande, et il ouvre de grands yeux effarés et il chuchote « Non, non, non ! » Je crois qu'il va finir cinglé, ou qu'il se tirera une balle dans la tête.

Un autre, de passage, celui-là. Il habite Umea. Sans travail non plus. Il ne comprend pas la langue. Il se lamente pendant une demi-heure. En se plaignant de tout. Ah, je ne les supporte pas ! Je me rentre tranquillement dans mon petit chez moi. Métro, train de banlieue. J'écoute du Bruce Springsteen, du Lou Reed, je mange du pain et du fromage, du pain et du saumon. Tout en buvant de la bière, je lis un essai de Bertil Malmberg sur l'histoire de la langue espagnole. Philologie de fantaisie. Dans la vie, on perd beaucoup de temps en trucs inutiles. J'écris quelques poèmes maladroits pour Gloria, je les fourre dans une enveloppe et je les lui envoie par la poste. Chaque lettre coûte plus d'un dollar. Pourquoi tout est si cher, ici ? Pour moi, en tout cas. Sans doute que ce n'est pas la mort, pour les Suédois. Par chance, ce qui est vraiment bon est gratuit. Agneta, par exemple. Elle est douce, tendre, calme, silencieuse, elle a de beaux seins, elle mange peu, elle s'entretient. C'est une grande jouisseuse : il suffit que je lui pince un peu les tétons et que je l'embrasse pour qu'elle soit mouillée. Elle ferme les yeux en gémissant et elle est partie. Loin. Je joue avec elle. Je la lèche, je lui mets la langue, je la branle. Elle s'est finalement décidée à me suçoter la pine. Pas beaucoup, mais elle essaie, au moins. Au début, rien à faire :

« Oh non. J'ai jamais fait ceci. Je ne peux pas.

– Quoi, ça te file la gerbe ?

– Ça me quoi ?

– Ça te répugne ?

– "Répugne" ? C'est quoi ?

– Ah, bordel ! On va voir ça, on va voir si elle est si sale.

– Non, ce n'est pas sale.

– "Elle" n'est pas sale.

– Oui.

– Alors vas-y, con ! Suce, crapote, tète, languote... »

C'est comme ça. Je me suis transformé en dictionnaire de synonymes. En plein milieu de la baise, il faut que je m'arrête pour chercher des mots similaires à ceux qu'elle ne connaît pas. Mais c'est encore mieux que le reste. L'autre solution, ce serait de parler anglais avec elle mais l'anglais, entre la télé, les livres et les gens que je croise, je n'en peux plus. Plus je le parle, moins ça me plaît. Quant au suédois, j'arrive à peine à deviner deux mots. Pour l'instant, tout ce que je dis, c'est « tack ».

On s'accoutume, peu à peu. Je suis arrivé à Stockholm très propre sur moi. Un jean usé, une chemise en toile beige et une veste marron, l'archétype de l'intello libéral. Et mes meilleures manières, aussi. Vingt heures de vol de La Havane, avec escales. En chiant dans mon froc à chaque décollage et chaque atterrissage, parce que je ne peux pas m'en empêcher. Enfin, pas littéralement mais presque. Et puis, deux ou trois heures après avoir posé le pied sur le sol scandinave, musique, whisky, canapé et dehors une petite pluie froide pas trop méchante, câlins et hop, au lit avec l'amante suédoise. Je m'attendais à pire, franchement, mais non. Pas besoin de se martyriser. Elle réagit à tout, Agneta. Pas exigeante comme les Cubaines qui veulent une pine d'acier jusqu'à la gorge pendant au moins une heure, et sans fléchir, parce qu'autrement elles te disent que tu ne les aimes plus : « Ça te plaît plus, papi, je vois bien que ça te plaît plus. » Ce qui fout tout en l'air : le mâle doit se concentrer à mort pour lui prouver que c'est faux, qu'elle est géniale, etc. Très souvent, elles font ça avec une idée derrière la tête, rien que pour le saper, l'épuiser, faire en sorte qu'il ne puisse plus aller voir d'autres femelles. C'est une merveille, l'astuce des femmes. Je les adore. Et j'apprends tout le temps, grâce à elles.

Agneta est bien plus facile. Une langue fourrée, une branlette avec les doigts, quelques coups de pine et elle est aux anges, et elle jouit comme une odalisque. A flots. Je ne m'y attendais pas, non. On dit tellement que les Suédois sont naïfs, et froids, et la tête ailleurs. En espagnol, il y a même cette expression : « Fais pas ton Suédois », fais pas semblant de ne pas comprendre. Mais non, pas du tout. On tire de très bons coups, elle se donne et elle me dit : « Oh, qu'est-ce que tu es, toi ? Tu me rends folle ! »

Le seul problème, c'est que je dors mal. Trois ou quatre heures et je me réveille, et il fait jour, et terminé. La nuit tombe à onze heures et trois heures plus tard il faut oublier. La folie. Pour moi, c'est complètement dingue. Et à Umea, où j'ai dû aller deux ou trois fois, c'est encore pire : le jour tout le temps. Quand vient l'hiver, la nuit sans arrêt.

A part ça, il ne se passe rien. Le séminaire à l'université s'est déroulé sans surprise, ni bonne, ni mauvaise, et depuis je mange du saumon, je bois du café ou du thé, je baise une petite fois par jour, ou deux petites fois, voire trois petites fois. J'écoute de la musique, je regarde les tulipes, je cours une demi-heure en milieu de journée pour éliminer les toxines, à force de tout ce saumon et tout ce fromage. Presque tous les jours, à cette heure-là, il y a un soleil correct. J'habite loin du centre, il y a des bois, des mauvaises herbes, des mares avec des canards et des mouettes qui se les caillent. Je reviens en suant, je me mets par terre tout nu et je fourre le nez dans mes aisselles. C'est une odeur forte. Je ferme les yeux et voilà Gloria levant les bras pour que je la renifle à plaisir.

Le souvenir de Gloria me poursuit. Je voudrais qu'elle soit ici. A la place, j'ai eu une petite liaison avec une Africaine bien fessue, pendant le séminaire. Un cul, mais un cul... Excessif, comme ses nénés d'ailleurs. Un matin, alors qu'on ressortait du Parlement après une visite groupée, ce cul impossible s'est coincé dans la porte-tambour. Elle était divisée en quatre parties. Dans celle devant moi, il y avait un Suédois, puis moi, puis l'Africaine et visiblement elle n'a pas eu le temps de se glisser à l'intérieur. Ses grosses fesses ont bloqué le mouvement giratoire mais le Suédois, qui ne voyait pas ce qui se passait derrière lui et qui était pressé de sortir, a poussé dessus. Dans son cube, l'Africaine criait et jurait mais on ne l'entendait pas, avec ces grosses vitres. Et le Suédois qui pousse en avant pour sortir, et l'Africaine qui pousse en arrière pour se dégager, et moi au milieu. J'en ai perdu mon anglais, d'un coup. Je ne savais pas quoi dire. Impossible de jouer les intermédiaires entre l'Europe et l'Afrique. Les secondes ont passé comme des minutes. Finalement, j'ai repris mes esprits et j'ai crié au Suédois :

« *Excuse-me ! Excuse-me ! Hey, you, come back, come back !* »

Pour sortir cette merde, pas besoin de trop penser. Il est d'une lenteur, mon cerveau... Mais bon, il m'a entendu, il a arrêté de pousser, le cul a été libéré et nous avons tous fait comme si rien ne s'était passé. C'est ça, la classe. Et encore plus quand ça se produit au Riksdags. Une fois dehors, on s'est regardés, l'Africaine et moi. Elle se frottait le popotin avec des « Ooooh », je n'ai pu me retenir : j'ai éclaté de rire et elle m'a imité.

Quelques soirs plus tard, il y a eu une petite fête pour les participants au colloque. A part moi, ils étaient tous profs d'université et ils ne dansaient pas. Des gens sérieux, quoi. Ils ne faisaient que parler et parler. J'avais remarqué l'Africaine au téléphone avec son mari, auparavant. Un cadre militaire important dans leur pays, visiblement. Elle répétait tout le temps : *« Oh, honey, I love you. »* Par la suite, elle m'a montré une photo de ses trois enfants et de son mec en uniforme de parade, et elle très jolie en habit traditionnel... Toujours est-il qu'elle a abusé du vin, ce soir-là. On a bu quelques verres ensemble. A un moment, elle est venue à moi avec le plus doux sourire qui soit et elle m'a entraîné sur la piste de danse. Je n'avais pas envie de ça, moi. Elle me serrait contre elle, me caressait le dos, me disait dans l'oreille : *« Ooh, very nice, very nice. Ooh, really very nice. »* J'ai le dos très sensible, moi. J'ai plaqué mes mains sur cet énorme, splendide cul africain, et cinq minutes plus tard on était dans ma chambre, à l'étage au-dessus. Ça a été grandiose. Ses cheveux sentaient le sale. Elle avait de petites tresses qui n'avaient pas été défaites depuis Dieu sait quand, très mignonnes avec leurs boules de couleur mais vraiment puantes, alors je me suis concentré sur d'autres régions de son anatomie. Dehors il faisait à peine plus que zéro mais on suait et on suait, nous deux. Elle était fantastique, incroyablement souple, et elle levait les jambes à l'azimut. J'avais la tête fourrée là-dedans quand elle a lâché deux pets bien sonores. Je la besognais avec la langue et j'ai senti les deux jets d'air sous pression m'atteindre au front. J'ai risqué un coup d'œil. Pas de merde. Okay. En avant. Elle était très agitée, elle. Elle me prenait la bite dans les mains, elle la voulait. Moi, j'avais le préservatif déjà prêt. Je me suis couvert et j'ai plongé dans la jungle noire. Inoubliable. Très folklorique, tout ça. Il était quatre heures du matin ou presque lorsqu'elle est retournée prudemment à sa chambre. Moi, je suis descendu boire un peu de thé et me fumer un bon cigare. Il y avait encore quelqu'un par là. Un Vietnamien homo allongé sur un canapé, en train de regarder la chaîne Playboy à la télé. Une couverture tirée sur lui. Par en dessous, sa main s'activait dur. Branlette vietcong dans l'aube scandinave. On fait ce qu'on peut.

Le lendemain, j'ai essayé de remettre le couvert mais l'Africaine gardait les yeux au sol. Sans oser me regarder, elle a murmuré : « *Sorry. Too much wine yesterday night. Sorry.* »

J'ai voulu jouer le latin lover. Je lui ai dit que ça avait été super, qu'elle n'avait pas à regretter, que rien n'était plus naturel entre un homme et une femme qui se plaisent. Des idioties de ce genre. Mais elle ne s'est pas laissé convaincre. Les jours suivants, elle m'a évité. Alors j'ai demandé au Vietnamien gay à quelle heure passaient les meilleurs films, sur la chaîne de Playboy.

2

Lou Reed a chanté quelque chose qui dit à peu près :

When you pass through the fire,
You pass through humble
You pass through a maze of self-doubt...
Quand tu passes par le feu,
Tu passes par l'humiliation
Et par un dédale de questions sur toi-même.
Quand tu passes par l'humiliation,
La lumière peut te brûler les yeux.
Il y a des gens qui ignoreront toujours ça.
Passe par l'arrogance,
Par la douleur,
Par un passé encore présent,
Et mieux vaut ne pas espérer que la chance te sauve.
Il faut que tu passes par le feu jusqu'à la lumière.

Le soleil est bien timide entre les nuages. Il pleuviote, le thermomètre monte à vingt. Avec un peu de bol, on arrivera à 22, aujourd'hui. Agneta conduit avec prudence. Lou Reed est tout mélancolique à propos de magie et de perte. Elle ne quitte pas des yeux la chaussée mouillée. On franchit un pont interminable, de plusieurs kilomètres de long. A un point, il monte jusqu'à soixante mètres de haut, ou plus, pour que les gros navires transatlantiques puissent passer.

« Il y a beaucoup de suicides, à cet endroit.

– Beaucoup, c'est-à-dire ?

– Cinquante ou soixante par an.

– Couilles de loup ! Un suicide hebdomadaire. Il est dans le Guiness des records, ce pont ?

– Je ne sais pas.

– Comment ça se passe ? Ils se noient ?

– Ils se tuent en touchant l'eau. Je ne sais pas. Ils meurent. »

On reste silencieux un moment. Des voitures nous dépassent. Agneta accélère un peu, atteint les soixante-dix mais pas plus. Deux motos nous doublent aussi, en se rabattant brutalement et en oscillant sur leurs vastes roues. On croirait des fusées, avec ces types habillés en cosmonautes. Cent mètres plus loin, ils disparaissent derrière le rideau gris de la pluie. Ils doivent taper les deux cents, facile. Agneta me parle :

« Si on a un accident et je meurs, n'oublie pas que tu as une assurance médicale.

– Ah, déconne pas avec ça. »

Elle a un sourire timide et triste, triste de devoir aborder ce sujet :

« Les papiers sont dans l'armoire, près de la télé. L'étagère du haut. Il y en a d'autres mais les tiens sont en anglais. A ton nom. Tout bien défini.

– *Thank you very much, honey.* »

C'est mon tour de ne plus savoir quoi dire. Je regarde par la vitre. Pas d'inspiration par là non plus. Je tends le bras, j'arrête Lou Reed et j'inspecte plusieurs cassettes que j'ai apportées : Pablito F.G., Los Van Van, NG... J'en choisis une d'Omara Portuondo et tout de suite l'ambiance se réchauffe, *Soy Cubana, Son de la Loma, Siboney, Me acostumbré a estar sin ti*. Ça réveille des souvenirs. Trop. La cassette se termine en beauté avec *Yo sí como candela* :

Toi, joue pas tant avec moi
Que je suis comme la bougie.
J'ai chanté au Paradis
On m'a élevé un autel
Et j'oserais chanter jusque devant Dieu
Si jamais il le fallait.
Je fais des vers, j'improvise
Pour le niais et celui qui sait.
Rien ne m'arrête, rien,
Je me prends n'importe qui,
Et si je deviens mauvaise
Je ferme et j'emporte la clé,
Que je suis comme la bougie !

Les bois sont denses, d'un vert obscur et grave. Vers les dix heures du matin, on arrive à une plage déserte. Sable grossier, pierres, la Baltique toujours grise, sale et froide. Peu de sel, peu de mouettes, quelques pêcheurs solitaires ou bien personne. C'est une mer morose, pleine de saumons et de harengs à moitié congelés, prêts à finir en barrils.

Un petit vent glacial du nord-est. Le crachin a cessé mais le ciel reste plombé, silencieux, trempé. Nous marchons en écoutant le ressac accablé, le gros sable qui crisse sous nos chaussures, les rares mouettes qui piaillent et s'agitent. D'un bon pas, parce qu'il fait froid. Moi, j'aime observer les débris que la mer rejette sur le rivage, bouts de cordes ou de câbles rouillés, planches de bois pourries, bouteilles en plastique... Soudain, je vois une veste en cuir marron qui flotte entre deux eaux près du bord, complètement ouverte, les manches étendues sur le balancement des vagues. Elle est un peu décolorée mais visiblement pas déchirée, ni très usée. Elle est peut-être dans la mer depuis des semaines. Nous restons silencieux mais je crois que nous pensons à la même chose, tous les deux. Son propriétaire est tombé à l'eau, il s'est noyé, son cadavre a été mangé par les poissons et la veste est remontée doucement du fond pour flotter jusqu'à cette plage. C'est sans doute assez macabre, comme idée, mais elle nous est venue en même temps, à tous les deux. Pas besoin de mots pour savoir que nous pensons pareil.

On marche encore un peu avant de s'asseoir sur de gros rochers face à la mer. Derrière nous, le vent siffle dans les pins. Pas une âme qui vive en vue, à des kilomètres sur notre droite comme sur notre gauche. Rien. Pas même un bateau. Rien de rien. J'ai jamais aimé ça, le vent dans les pins. J'ai besoin de rompre ce silence, de parler de n'importe quoi.

« Une fois, au téléphone, tu m'as raconté qu'un ami à toi s'était suicidé. C'était sur ce pont ?

– Pas un ami, non. Mon amie est sa femme.

– Sa veuve.

– Sa quoi ?

– Quand le mari meurt, l'épouse s'appelle une veuve.

– Ah, oui.

– Il s'est suicidé de ce pont ?

– Pardon ? »

Des fois, j'oublie que je dois bien articuler et m'exprimer lentement, avec elle. Dès que je recommence à parler à la cubaine, elle est larguée.

« Il s'est sui-ci-dé de ce pont ?

– Aaah... Non, non. Ça été très... bizarre. – Elle se lève. – J'ai froid. On marche encore ? »

On continue sur le rivage. Au bout d'un moment, elle se lance dans son histoire :

« Jonas a fait quelque chose de très... Je ne sais pas comment le dire. Tordu ? Il est allé à une forêt près de chez lui. En voiture. Il a appelé la police avec le mobile et il leur a dit : "A tel endroit, il y a une auto bleue, numéro tel, et cent mètres à droite il y a un mort." C'est tout. Il a coupé. Quand ils sont arrivés sur les lieux, il était pendu à un arbre. Avec un papier collé sur la poitrine. Il avait écrit "Anna" et le téléphone de la maison. Le corps était encore chaud.

– Qui c'est, Anna ?

– Mon amie. Sa femme.

– Et rien d'autre ?

– Non.

– Pas d'explications ?

– Non.

– Il a jugé que c'était inutile. Il en avait plein les couilles, ce type.

– Plein les... Comment tu sais cela, Pedro Juan ?

– Parce que je le sais. Il en avait plein les couilles.

– Pour Anna, ce n'est pas trop facile. Elle a deux enfants petits et, aaah...

– C'est pas un problème. Il y a une bonne Sécurité sociale, dans ce pays.

– Ne crois pas. Il n'y a pas que ça.

– Et qu'est-ce qu'elle dit ?

– Je ne sais pas.

– Tu ne l'appelles pas ? C'est ton amie, non ?

– Je n'ai pas de nouvelles. Je ne lui téléphone jamais. Tout a éte tellement... brutal.

– La vie est brutale, Agneta. Tout est brutal. Tu as peur de la mort ? »

Elle ne répond pas, se contente de hausser les épaules. On marche encore une demi-heure. J'ai la figure et les mains gelées quand on remonte en voiture. On rentre. Le ciel se charge encore, il se remet à pleuvoir. Il fait quatorze degrés lorsqu'on arrive à la maison. Froid humide. Agneta prépare du thé, moi du rhum-coca. Je ne peux pas continuer à boire du thé comme ça, à toute heure, autrement je vais me flinguer le foie. Je me moque d'elle : « Il faudrait que tu fondes les Théoliques Anonymes et que tu te soignes. C'est terrible, cette dépendance ! » Elle rit mais elle met le disque de Madredeus à Porto, portugais et mélancolique en diable. Bordel, cette femme veut absolument me casser le moral ! Je me couvre et je vais m'asseoir sur le balcon minuscule, avec mon *Cuba libre* dans une main, un cigare dans l'autre. Je fume, les corneilles lancent leurs vilains cris. Tous les autres oiseaux vont se cacher quand il fait froid. Il n'y a qu'elles pour continuer à voler en criaillant, comme si de rien n'était. Le cigare terminé, je reviens à l'intérieur. Agneta s'est enrhumée. Elle a le nez qui coule.

« Ça doit être à la plage.

– Tu n'es pas dans ta meilleure forme, aujourd'hui. »

Elle m'observe en silence. Je lui prends les pieds et je commence un bon massage. Tous ses points sensibles réagissent par la douleur. Tous. J'insiste un peu, c'est plus fort que moi, et je me dis : « Ah, elle est vraiment foutue. »

« Je vais te masser chaque jour, Agneta. On va voir si je peux te rééquilibrer. »

La longue journée s'écoule lentement. En hiver, ce sera le contraire : la longue nuit... Mais je ne serai plus là, moi.

C'est alors que je me souviens des colliers que la santera

a préparé pour elle. Je les lui passe et je les consacre. Elle, elle croit que ce sont des breloques traditionnelles de Cuba. Je lui explique comme je peux et elle me regarde avec un sourire incrédule :

« Donc, ce sont des amulettes ?

– Eh bien... Si tu veux le voir de cette façon. L'important, c'est qu'ils te les envoient pour te protéger.

– Ah, ah, ah... Très typique ! Les Africains, ils en portent toujours. »

Elle les enlève, les dépose soigneusement sur le napperon blanc qui couvre la commode de la chambre. Ils restent là quelques jours, puis elle les range dans un coffret. Elle ne s'en est jamais servie.

3

En farfouillant dans un placard, je trouve cinq albums remplis de coupures de presse. Quatre d'entre eux contiennent uniquement des photos de voitures esquintées, d'accidents de la route, de blessés hissés dans des ambulances, d'estropiés en fauteuil roulant. Le cinquième est consacré à des articles sur les chevaux, les hippodromes, les courses, avec quelques histoires de Snoopy dans les dernières pages. Une grand portrait de John Lennon en ouverture. Moi, j'espérais trouver quelque chose de plus édifiant. Des revues porno, par exemple. Mais non, il n'y a rien de distrayant, seulement la mort et encore la mort. Il faut que j'achète deux ou trois canards de cul. Il y a quelques jours, j'en ai vu un, avec des vieilles, des dames très élégantes dans un salon bourgeois qui se déshabillaient peu à peu. Toutes nues, elles continuaient à sourire béatement à l'objectif. Très cool, ces mamies. Elles montraient leurs seins flétris, leur sexe dégarni, leur peau ridée. Ça m'a plu. Ça m'a rappelé certains errements avec des sexagénaires. Des fois elles sont pleines d'enseignements, ces dames. La soirée du concert à Madrid, je n'ai pas été tout à fait sincère en la racontant. Il y a des aventures que l'on préfère oublier, alors on prend un air dégagé et on dit : « Non, une vieille, j'ai jamais fait. Je suis un type correct. » Mais la réalité est tout le contraire : je suis incorrect, moi, et ces dames âgées recherchent les petits mâles qui bandent comme des ânes, pas les vieux schnoques de quatre-vingts ans. Ce qui est parfaitement logique.

J'avais quarante ans lorsque l'une d'elles, qui avait dépassé la soixantaine depuis longtemps, m'a séduit. Une ancienne danseuse, très mince, qui s'y est pris très habilement. En douceur. Jusqu'au jour où, après quelques verres de whisky, la vieille dame indigne s'est retrouvée à poil sur une chaise, les jambes écartées, et moi debout devant elle, en train de la besogner de la pine. Dedans, dehors, sur un rythme tellement bon qu'elle en oubliait son espagnol. C'était une New-yorkaise qui vivait à La Havane depuis trente ans mais là, enfilée, elle a levé ses yeux bleus au plafond et elle s'est mise à délirer en anglais. Pendant plus d'un an, nous avons souvent répété ces petits jeux parce qu'elle avait beau être vieille, maigre, ridée de partout malgré les tonnes de crème qu'elle se mettait tous les jours, son con était rose, ferme, mouillé, juvénile. Il sentait très bon, aussi, même s'il s'était déplumé. Moi, je le contemplais et je lui disais. « Madame, la cantatrice chauve réclame de la chair. Elle a besoin d'un bout bout de bidoche pour chanter un aria. »

Elle s'amusait beaucoup, cette dame. Elle avait un autre amant, éternel celui-là. De son âge. Un musicien métis, baiseur et aussi pervers qu'elle. Il aimait se masturber en nous regardant. Ça m'amusait, à l'époque. J'étais un chat de gouttière noctambule, en chasse dans la nuit de La Havane.

Je remets les albums à leur place, avec soin. Au millimètre près. Je décide d'aller me balader au centre-ville. Train, métro, et j'émerge à la gare centrale. C'est le repère des poivrots. Hommes et femmes. Comme partout. Les poivrots éternels.

Stockholm est une ville sympa, si on a de l'argent. Autrement, il vaut mieux retourner à la maison écouter les corneilles, les yeux sur les arbres et le gazon vert, avec *King of the Blues* ou un truc du genre sur la stéréo.

On se retrouve le soir venu. Quand elle rentre, Agneta est toujours épuisée. Elle organise des rencontres internationales, des colloques. Il faut des interprètes, des traducteurs, des hôtesses d'accueil, des animateurs de débats... Elle les cherche, les engage, leur explique ce qu'ils devront faire.

« Ah, mais je ne sais pas ce qui se passe, toutes ces dernières semaines...

– Comment ça ?

– Ils sont tous en dépression, ou en clinique, ou ils ont le cancer, ou le psychiatre leur a interdit de travailler pendant six mois... Oh, je n'en peux plus ! Je me tue pour rien. Aucun résultat.

– Et ton chef ? Qu'est-ce qu'il en pense ?

– Ça ne l'intéresse pas. C'est mon problème. Chercher des personnes sans maladie. Des “gens sains”, ça se dit ?

– Oui.

– Voilà. Mais ce n'est pas facile. Les gens sains, ils ne sont pas disponibles. »

Elle pousse un gros soupir. J'essaie de lui changer les idées :

« Tiens, regarde, ils ont envoyé la revue d'un club de lecteurs.

– Oui... Le Bockernas Klubb. Ils le font toujours.

– Il y a un livre de shiatsu. Pas cher. Tu devrais te le commander. Ça te ferait du bien d'essayer. »

Elle ne répond pas. Des fois, tous ces silences, ça me les brise. Mais ça peut me plaire, aussi. J'attrape ses pieds et je les masse. Aucune amélioration. Elle a mal à tous ses points, mais mal... Ensuite, il y a un long silence. La porte-fenêtre du balcon est entrouverte. Il entre un peu de froid. Il est six heures, le thermomètre a dû tomber à quinze ou moins, déjà. Je garde ses pieds dans mes mains. Je lui repasse de l'énergie et je pense à Gloria. Au début, il y a trois ans et quelque, elle avait des bourdonnements d'oreille après nos heures de baise. Elle quittait le lit et elle s'exclamait :

« Chaque fois que je nique avec toi, j'ai les oreilles qui se bouchent ! Ça bourdonne. Ça m'est jamais arrivé !

– Parce que tu te charges.

– Je me charge de quoi ?

– De l'énergie que je te transmets.

– Avec la pine ?

– Avec tout. Je te charge. Toi, tu as beaucoup d'énergie mais elle n'est pas ordonnée. »

Alors je lui expliquais et elle m'écoutait avec intérêt. Elle apprenait. Elle a un esprit très ouvert. Rien ne la surprend. Elle est prête à réfléchir au moindre sujet. Si je lui dis : « Tiens, il y a un Ovni qui vient d'atterrir sur la terrasse », elle va voir, tranquillement, et elle me répond : « Pourquoi pas ? Tout est possible. »

Agneta interrompt mes rêveries.

« Le shiatsu, non, je ne crois pas. Mais...

– Mais quoi ?

– Eh bien... J'aimerais croire en Dieu.

– Pour quoi faire ?

– Tout serait plus facile.

– Ça, c'est sûr.

– Toi, tu y crois ?

– Oui.

– Comment on "peut" croire en Dieu ?

– Je ne sais pas. Ça ne s'explique pas. J'ai perdu la foi à

treize ans, moi, et ensuite j'ai été perdu un bon bout de temps. Beaucoup de confusion dans ma tête.

– Ça ne s'explique pas ?

– Ça n'a pas d'explication, non. Celui qui prétend le contraire est un emberlificoteur.

– Un... Oh.

– En plus, je n'aime pas parler de ça. Personne ne croit plus en rien, maintenant. Ça me fait honte, de croire.

– Ah, j'aimerais... J'ai besoin de cette expérience.

– Ce que tu trouveras existe déjà en toi. Il n'y a rien de plus à chercher. »

4

Je me suis trop excité en écrivant une lettre à Gloria : « Je vais te sucer le cul, je vais te boire ton sang, tu ne désireras plus rien d'autre dans la vie. Tu seras esclave et reine à la fois, tu m'aimeras et tu me détesteras, tu seras heureuse et tu voudras mourir, et tu ne pourras jamais t'éloigner de moi. Et nous serons deux fous d'amour. Je deviens comme un étalon en rut quand je ferme les yeux et que je pense à toi. »

C'était la pure vérité. J'écrivais sans penser. Tout me venait droit du cœur. Lorsque je n'ai plus été capable de continuer, je l'ai glissée dans une enveloppe et je suis allé à la boîte aux lettres au coin de la rue. Revenu à la maison, je me suis entièrement déshabillé et je me suis étendu sur le balcon mouchoir de poche. Trois heures de l'après-midi, un soleil correct, vingt-trois degrés. En fait, je ne peux pas étendre complètement les jambes à cause de la rambarde mais au moins je me chauffe un peu. Je suis toujours excité. Je me masturbe un brin, pas trop. Ah, purée, cinquante balais et je me conduis encore comme un ado ! Je me traîne dans le salon : si jamais un voisin me voit et qu'il lui prend d'appeler les flics ? Encore que je n'ai pas compris où ils étaient, les gens. On ne voit jamais personne. Même pas à une fenêtre.

Qu'est-ce qu'ils fabriquent, toute la journée ? Où ils sont ? J'ai le cœur qui bat fort. Je me plante devant une glace et je me branle un peu plus en fantasmant sur Gloria. Je suis fou. Elle me rend dingue, cette salope. Je m'arrête au dernier moment et j'attends le retour d'Agneta. Je ne vais pas gâcher ce qui peut donner du plaisir à quelqu'un. Le courrier arrive. Que de la publicité, à jeter. Je lis quelques pages du livre d'une romancière italienne à la mode. Trop lent, trop besogneux. Barbant. Je trouve de moins en moins d'auteurs qui me plaisent. Ce doit être l'âge : on devient plus exigeant, le goût s'affine. Encore trois heures avant qu'Agneta ne revienne et j'ai la bite toujours prête à dégainer. Comment ils diraient ça, les Suédois ? Ils doivent bien avoir une expression pour désigner ce moment où le sang afflue dans le muscle, qui grossit et s'étend sans arriver à la tension maximale. Certainement.

Musique. Eric Clapton. Il y a quelques magazines espagnols qui traînent, abominables. La jet-set européenne avec ses yachts et ses noces... Je ne tiens pas en place. J'ai envie de boire et de fumer mais je résiste. Je pourrais me bourrer toute la journée, ici. J'attrape la Bible. J'adore l'histoire de Sara séduisant le Pharaon en Egypte et se faisant passer pour la sœur d'Abraham. Finalement, il comprend la supercherie et il le rend à Sara, il expulse le type de son pays mais celui-ci repart avec plein de richesses et en plus il obtient un vaste territoire pour ses troupeaux, et il évince son neveu qui lui aussi s'est enrichi grâce au sale tour qu'ils ont joué au Pharaon. Excellente, l'intrigue. Si j'écrivais un remake sur ce thème, tout le monde ou presque s'indignerait : « Oh, quel cynique, ce mec ! » Alors qu'en réalité il n'y a rien de nouveau sous le soleil. Sara pourrait être une cavaleuse, Abraham le maque de La Havane typique et le Pharaon un industriel allemand bourré aux as, par exemple. Rien de neuf. La vie est un éternel *remake*.

Agneta arrive enfin à six heures. Un petit baiser rapide, c'est tout. Elle est toujours nerveuse, quand elle rentre du travail. Elle enlève ses chaussures, sa veste.

« Ah, je n'en peux plus...

– Hein ?

– L'interprète qui devait venir de Göteborg la semaine prochaine. Elle ne vient plus. Elle a appelé aujourd'hui. Elle a un lumbago. Je ne sais plus que faire. Pourquoi ils tombent tous malades ? Qu'est-ce qui se passe ? »

Moi qui ne pense qu'à l'enfiler et à la faire jouir, et elle stressée par le mal de reins de cette meuf... Elle me scie. Elle met un disque. Mozart, les concertos pour flûte numéro un et deux. Allegro maestoso.

« Tu veux une tasse de thé ?

– Quoi, du thé ?

– Tu préfères du café ?

– Agneta ! Tard comme ça, le thé, c'est tout mauvais.

– Je ne comprends pas.

– *It's dangerous. Very dangerous.*

– *A cup of tea ?*

– *Yes, very dangerous. It's no time for a cup of tea,* zob !

– Oh !

– *It's time for a big glass of rum.*

– Oh ! »

Je me prépare un grand verre de saké-coca. Le rhum, ici, c'est trop cher. Envoyez le saké.

« Tu bois très sec.

– N'importe quoi. Tu ne sais pas ce que c'est, picoler pour de bon. A propos, il y a une bouteille de vodka dans le placard.

– Ah oui, depuis longtemps... Un... Un ami me l'a offerte. »

Elle a rougi, d'un coup.

« Un ami, hein ? Un adepte de l'amour platonique ?

– Plato...nique ? Ah oui, ah... Je ne sais pas, je... »

Du rose au rouge tomate. Les joues en feu.

« Quoi, ça t'embête, d'avoir des amoureux platoniques ?

– Non. C'est un ami.

– Toutes les femmes en ont, jusqu'à quatre-vingts ans passés. Elles aiment toutes ça, le flirt désincarné. On ne touche pas, on ne fait rien. Ah si, des fois ça va jusqu'à tripoter un nib, deux ou trois baisers sans la langue...

– Tu connais beaucoup la psychologie féminine.

– Zéro psychologie ! La pratique, c'est tout. La praxis. C'est pas à un vieux singe qu'on apprend à faire la grimace.

– Singe ? Comment ? Je ne comprends pas. »

Je dois répéter le proverbe, le paraphraser jusqu'à ce qu'elle capte.

« Pff, bon, Agneta. L'important, c'est qu'il t'a offert cette méga boutanche de vodka. Donc il peut être platonique tout ce qu'il veut, et si un jour il cherche à te mordiller un peu les tétés tu peux le laisser faire, à condition qu'il continue à ramener de la gnôle. Ou mieux encore : la prochaine fois, qu'il se radine avec du whisky.

– Ah oui ? Tu aimes mieux le whisky ?

– Oui ! Du scotch. Rien que du scotch. »

Je m'envoie quelques rasades de saké. J'essaie de lui faire goûter mais pas moyen, elle ne lâche pas son thé. Bon, suffit. Je lui tombe dessus. On s'échauffe bien sur le canapé, avec Mozart pour témoin. Et encore à boire.

« Touche-toi avec du saké, doudou.

– Quoi ? Je ne comprends rien. Tu es ivre.

– Moi ? Pas du tout. Je suis content. Allez, viens au lit. »

Sitôt dit... On n'arrive pas à vingt pour cent de nos grandes baises avec Gloria, mais ce n'est pas si mal. Après tout, on se trouve à quelques kilomètres du cercle polaire, non ? On ne peut pas demander plus. A mon avis. Je lui ai lâché toute ma purée dans la figure. Son style, c'est de se donner : elle ferme les yeux, elle s'abandonne et elle a plusieurs orgasmes. Silencieux. Un soupir discret et plein de jus, un petit gémissement et ça recommence. Et moi sur elle, à la tringler.

« Agneta ? Dans une vie antérieure, tu as été ni suédoise ni esquimaude ni laponne. Je pense que tu étais une négresse de l'Afrique, ou de la Polynésie, ou des Caraïbes, ou bien une gitane d'Andalousie. Une femme chaude, très chaude.

– Oui ?

– Mais oui ! A quarante-quatre ans, tu as eu dix ou douze hommes. C'est un bon palmarès, pour ici. Je crois.

– Oui ? Non. C'est normal.

– Ça me plaît. Ici, les gens parlent peu mais ils sont *on the road*, ils cherchent ce qu'ils aiment.

– Je n'ai pas cherché. J'ai été des années sans fiancé, des fois.

– Tu me plais énormément. Tu es une jouisseuse. Je n'imaginais pas que tu serais aussi chaude.

– Moi non plus.

– Ah, déconne pas, Agneta ! Tu as quarante-quatre ans, hé ! Et tu vas me dire que tu as toujours été un bonnet de nuit ?

– Un... bonnet de nuit ?

– *Nightcap*.

– Oh, non ! non. Crois-moi, je ne savais pas... Oh, je n'ai jamais été comme ça. Jamais je n'ai ressenti...

– Ressenti quoi ? Parle ! Tu t'arrêtes toujours au milieu des phrases. Pourquoi tu es si timide ?

– Je ne suis pas timide. Je dois réfléchir. C'est une langue difficile, la tienne. Je ne trouve pas les mots.

– Bon, d'accord. Qu'est-ce que tu n'as jamais ressenti ?

– C'est que... J'ai toujours pensé que je suis... que j'étais comme la glace. Gelée. *Frozen*. Comment on dit ?

– Frigide ? Que tu ne sentais rien ?

– Ça, oui. Frigide. Comme maintenant, je n'ai jamais été. Avec toi c'est différent et je ne sais pas... expliquer. Je suis... perdue.

– Perdue rien du tout. Oublie la névrose et le drame, prends ton pied et baise tout ce qui bouge, parce que le monde n'en a plus pour longtemps.

– Qu'est-ce que c'est ? Je ne comprends rien.

– Jouis avant que la ménopause te tombe dessus.

– Ah, ménopause... Non. Il y a encore des années avant cela. »

5

Des Latinos qui vivent ici ont tellement insisté et insisté que j'ai fini par passer une soirée avec eux. Le Péruvien de la bande avait l'intention de causer politique sud-américaine toute la nuit, et de l'homme nouveau, et de la division tragique de la gauche, et de la restructuration de je ne sais quoi. Ça fait treize années qu'il est en Suède, ce type, et il retourne dans son pays quinze jours tous les six ou sept ans. Le Chilien a les mêmes obsessions et il vit en Europe depuis deux décennies. Moi, je leur disais : « Oh, oui, oui, bon, vous m'excuserez ? » et j'entraînais la femme du Péruvien sur la piste de danse. Puis celle du Chilien. C'est une boîte de salsa, peu fréquentée.

Les deux nanas travaillent dans une conserverie de poissons. Quand je commence à danser avec la Chilienne, elle me demande pardon parce qu'elle met en boîte des harengs-mayonnaise, en ce moment, alors il se peut qu'elle sente encore un peu le poiscaille. Je la renifle sous les cheveux, dans le cou. Elle frissonne. En réalité je souffle de l'air sur sa peau et je remarque que ses tétons se tendent, bien dessinés sous son léger pull de laine.

On retourne à la table. Le Chilien et le Péruvien remettent ça, alors je leur dis :

« Franchement, je n'aime pas parler politique.

– Pourquoi ?

– C'est du charabia, pour moi.

– Impossible ! Tout est politique.

– C'est ce que les politiciens t'ont fait croire, oui. Pour moi, rien n'est politique. Comme je vois les choses, rien ne devrait être touché par ça.

– Attends, attends, Pedro Juan ! Explique un peu. Ça ne tient pas debout, ce que tu dis.

– Rien à expliquer. Je vous ai dit que je n'aime pas en parler. Personne n'y comprend rien, à la politique.

– Faux.

– Vrai : et les premiers à ne pas avoir idée de ce qu'ils font, d'où ils vont, ce sont les dirigeants politiques. En général, ils ne peuvent pas tenir le cap plus d'un an. Après ça, ils font naufrage et le courant les emporte. Donc c'est quoi, la politique ? Un bateau à la dérive en pleine tempête. Bon, on va danser ?

– Non, non, pas danser, mais attends... »

Je me lève, je les laisse la bouche ouverte et je pars sur la piste avec la femme du Péruvien. C'est la Suédoise la plus moche et bizarre de tout le pays et des alentours. Je n'arrive pas à comprendre comment il s'est débrouillé pour se trouver une pareille cata dans un coin du monde qui regorge de meufs superbes, voire délectables, lesquelles n'attendent qu'un homme pour tomber amoureux d'elles et les rendre heureuses. Comme si son boulot d'étripeuse de flétan ne suffisait pas, elle est aussi fossoyeuse pour le petit cimetière d'une église protestante dans les faubourgs. Et elle me raconte tout ça d'un ton extasié.

« Viens, viens me voir au cimetière. Ça va te plaire.

– Le cimetière ?

– Oui ! Il est très vieux. Avec des chênes magnifiques. Viens avec du temps, qu'on bavarde. Je peux te téléphoner pour que tu arrives au moment d'un enterrement. C'est très joli.

– Ouais... Un travail génial, que tu as.

– N'est-ce pas ? Ça me plaît beaucoup. Mais il y a seulement un ou deux enterrements par mois, je ne gagne pas assez, alors il faut que je continue à la conserverie. »

On en était là, à causer cimetières et macchabées, sans plus rien à boire. Ils pleurent que tout est trop cher. Les femmes sont maladroites, autant dire qu'elles ne dansent pas, et eux avec leur fixette sur leurs traumatismes d'adolescents politiques... J'ai tenu une heure, en tout. J'ai dit que je devais aller aux toilettes, j'ai pris ma veste et je me suis barré. Dans ma poche, j'avais une fiasque avec un peu de vodka. Je suis parti vers les docks. Ils n'étaient pas loin. Il y avait du brouillard, il faisait froid, sept degrés ou moins. Quai des brumes. Il étaient en train de charger de grands troncs d'arbres sur un bateau, à deux cents mètres devant moi. J'ai sorti mon menton du col et j'ai respiré un bon coup d'air glacé qui sentait bon. Je me suis purifié les poumons un bon moment en regardant la manœuvre de chargement. Le brouillard pesait, immobile. On dirait qu'il crée toujours une atmosphère romantique, mystérieuse. Des éclats de lumière jaune çà et là dans cette ambiance inquiétante de nuit sans étoile, de grisaille, avec les couleurs estompées du navire et les ombres des grues massives qui se mouvaient lentement, tels des pachydermes bleutés. Soudain, je me suis rendu compte que ce tableau d'une beauté énigmatique m'inspirait une sorte de terreur. J'avais peur, oui. De quoi ? Pourquoi cette montée d'adrénaline ? Ces déplacements silencieux, peut-être, sans personne en vue, sans aucun bruit. La lumière était fascinante et en même temps annonciatrice de quelque chose de terrible, d'inattendu. Tout pouvait disparaître, d'un coup. Un revers de main du chaos et la destruction. Il ne resterait plus que le brouillard figé, le silence et une vague lumière jaunâtre.

Je suis parti. La fiasque était vide. Je suis arrivé à la maison vers trois heures, à moitié pété. Plongée dans le sommeil, Agneta ne s'est pas réveillée. Je me suis endormi avant que ma tête ne touche l'oreiller. De la vodka pure courait dans mes veines.

A deux heures de l'après-midi, on atteint les trente degrés. Quel bonheur. Un record pour juin. Le soleil tape, on sue, on parle, on rigole. Il y a un très long programme d'opéra à la radio. A notre plus grande stupéfaction, ils passent en intermède le *son* cubain de Buenavista Social Club, avant de recommencer avec le bel canto. Etrange, vraiment. Agneta lit l'horoscope dans le supplément du dimanche : les Poissons, c'est-à-dire moi, auront une nouvelle et magnifique relation amoureuse, et de « bonnes perspectives professionnelles ». Les « Sagittaires » – elle – connaîtront une passion difficile, travailleront en équipe et en seront très contents. Après, on boit du vin d'Alsace en inspectant les annonces immobilières du *Dagens Nyheter*. Coquet appartement proche du centre de Stockholm, quatre-vingts mètres carrés, deux millions et demi de couronnes.

« Oh, il me plairait, celui-là... »

Mais nous avons conscience tous les deux de la gratuité de ce commentaire. Au supermarché le plus abordable qui soit, nous n'achetons que les promotions, les pommes de terre et les carottes encore pleines de terre. Dans ces conditions, autant oublier le coquet appartement.

Je lui masse les pieds. Brusquement, je passe ma langue

dessus et je bande. Je les suce. J'adore. Elle, elle croit que ce sont seulement les siens, mais non. Les pieds de femme m'excitent. Il y en a qui disent que ce sont des symboles phalliques, ou des substituts du phallus. Je n'en sais rien, moi. C'est vrai ? Bah. J'en profite pour frimer un peu. Du spectacle, j'adore ça. Je me branle, je lui montre ma pine bandée, tartinée d'huile solaire et bien bronzée. C'est que je m'occupe d'elle. Je la mets au soleil, je la cajole, je la caresse. Elle est très importante, pour moi. Avec tout le plaisir qu'elle me donne, il faut être reconnaissant.

Agneta rougit mais elle la regarde, captivée. Je vais chercher l'appareil et on se prend en photo tous les deux, à poil, trempés de sueur en plein soleil, moi brun comme un Arabe, elle plus rouge qu'un crabe. Je la laisse avec le vin et je vais faire une demi-heure de jogging dans les bois. Je reviens, je me douche, on mange des boulettes de viande, de la salade, des fruits. Elle sort pour aller voter aux élections au Parlement européen de 1999. Je somnole un moment, je lis vaguement ce qui me tombe sous la main, *Hippopotamus* je crois, je pique encore du nez. Je me réveille, je fume un cigare. Un verre de whisky avec des glaçons. A sept heures, il se met à pleuvoir et la température tombe d'un coup. J'ai les mains et les pieds gelés. On regarde un documentaire sur des paysans irlandais qui tressent des paniers avec des branches de saule et de noisettier. A neuf heures, on boit de la bière, on dîne d'une omelette aux champignons et on écoute Lou Reed. Aussi, on parle des rats gigantesques qui infestent la vieille ville de Stockholm et le port, où elle a vécu dans une maison antique avec son premier mari et où elle a dû lutter constamment contre ces bestioles. Après, je lui parle des biftecks de requin et des cuisses de grenouille, et de comment on chasse ces petits animaux dans les étangs au sud de La Havane.

La température continue à descendre. Je dois enfiler mes chaussettes de laine. Elle prend un bain chaud, en assurant qu'elle a une odeur de cigare sur elle. Ensuite, elle boit un verre de lait tiède et elle est couchée à dix heures et demie. Moi, je continue à lire tard, parfois interrompu par des flashs dans la tête : Gloria, mes visites aux santeras de La Havane, tout un tas de gens, de lieux, d'instants. Le désordre et la confusion, le chaos, la tempête toujours à l'horizon. Ils ne dorment pas, eux. Pas de repos, parce que quand ça arrive il faut avoir la maîtrise de soi. La folie qui guette, toujours. La perte de la raison. Le mieux, c'est de garder l'esprit vide et de renoncer à lutter. Des fois, l'éloignement du point d'origine induit la confusion. Rien dans la tête, alors. Lorsque je parviens enfin à la sérénité, je vais me coucher.

Le lit est douillet, Agneta entièrement nue dedans. Elle fait tout ce que je lui demande. Il est minuit ou plus, j'ai les extrémités congelées et je me presse contre elle pour me réchauffer. Lorsque je touche son ventre infime, elle se met sur le dos, se trémousse à peine, sans se réveiller. La sensation d'être guetté par la folie pèse à nouveau sur moi. Elle me surprend parfois ainsi, à l'improviste. Est-ce que je peux vraiment devenir dingue, un jour ? C'est une perspective qui m'effraie mais qui demeure. Elle me plonge dans une angoisse terrible, menace le fragile équilibre en moi. A ces moments, je suis assailli par le désir de m'enfuir à travers champs en hurlant.

Cette fois, pourtant, elle ne dure que quelques minutes. J'arrive à la dominer et je m'endors rapidement. Il est six heures et demie quand je me réveille, comme toujours avec une érection parfaite et comme toujours en cédant à la tentation d'embrasser Agneta, encore et encore, jusqu'à la tirer du sommeil. Elle me trouve allongé sur le dos, les jambes ouvertes, en train de me masturber lentement.

« Oh, mais qu'est-ce que tu fais ?
– Ça te plaît ?
– Oui.
– Branle-toi aussi.
– Quoi ?
– Touche-toi le clito. Et fais voir tes nichons. Putain, c'est du porno, ces nénés ! Montre encore. Aaaah, qu'est-ce qu'ils sont bandants ! »

Elle aime bien ces shows X privés, Agneta. Bientôt, je l'enfile en murmurant tout bas : « Attrape, Gloria, prends cette pine. Elle est à toi, salope, parce que tu me rends dingue... » J'y vais doucement pour durer. Fidèle à elle-même, Agneta jouit et jouit et jouit comme une petite jument en chaleur. Quel bonheur, quel pied ! Finalement, ça part tout seul, un jet de sperme après l'autre. Les yeux fermés, je pense à Gloria, je pense à cette métisse et je chuchote encore : « Attrape, doudou, prends mon jus, salope. Il est à toi comme je suis à toi. »

Ensuite, petit déjeuner : corn flakes, lait caillé, une tasse de thé. Agneta n'a pas trop de temps devant elle. Elle avale un peu de céréales en feuilletant le journal :

« En Suède, la participation aux élections européennes a été de 38 % seulement. Rien que 49 % dans toute l'Europe.
– La politique n'intéresse personne.
– Je crois bien. C'est encore moins qu'en 1995.
– En 2003, ça n'arrivera pas aux 30 %. Tu verras.
– Mais qu'est-ce qui intéresse les gens, alors ?
– Le fric, Agneta, le fric. C'est ça qui les passionne. Pour l'argent, ils oublient tout, ils s'abrutissent. Ils croient que le fric va les soulager de leur peur. On leur fout la trouille pour mieux les contrôler. Comme les mauvais parents font à leurs enfants. »

Agneta continue à tousser. Depuis la veille, elle n'arrête pas. Elle va prendre des comprimés dans la pharmacie de la salle de bains. Après avoir lu la notice, elle hésite à les mettre dans son sac :

« Je n'ai que celles-là et elles sont très...

– Fortes ?

– Oui, fortes. Même la langue se...

– S'engourdit. Elles sont anesthésiantes.

– Voilà.

– Laisse tomber cette cochonnerie. Ce dont tu as besoin, c'est d'une bonne partie de bite-au-con quand tu reviens.

– De quoi ?

– De bite-au-con. La bite. La queue. Au moyen de. Par l'introduction de. En la prenant, bien profond.

– Ah, du *slang* !

– Ah, purée... Oui, mon amour, si tu veux, du *slang*. Une bonne baise, ça résout bien des choses. Ça te guérit des maladies, de la mauvaise humeur, de la tristesse, de la déprime, du rhum, ça te fait oublier les soucis d'argent. Etc.

– Oh oui, je le crois, je le crois. »

6

La matinée s'écoule lentement. J'écoute plusieurs fois de suite un disque de Jeff Buckley. Il fait dans les 25. Pendant qu'un poulet cuit dans le four, je prends le soleil sur le balcon riquiqui. Derrière l'immeuble, à une cinquantaine de mètres, il y a un petit cimetière et une église, ou plutôt une chapelle. Il vient parfois quelqu'un pour déposer des fleurs sur une tombe mais en général c'est désert : rien que de vieux arbres grandioses, l'herbe verte, les stèles toutes simples, le silence et la solitude. On est loin des cimetières catholiques avec leur débordement de fioritures absurdes, leur luxe de marbre, de statues et d'orgueil *post mortem* pour dissimuler la putréfaction des cadavres, le grouillement répugnant des vers. J'aime contempler celui-ci, si paisible, tout en écoutant le rock lent et triste de Buckley.

Agneta revient à midi. On déjeune ensemble, avec un excellent rouge de Navarre, rond en bouche, à parfaite maturité. Elle, elle veut un verre de lait.

« Si tu bois ça en mangeant du poulet, ça va te faire du mal.

– Pourquoi ?

– Le vin facilite la digestion.

– Pas au milieu de la journée. Je dois retourner au travail. »

Elle est comme ça. Mais bon, on savoure en écoutant Jeff Buckley.

« Tu aimes ?

– Oui. Tu as de la bonne musique, Agneta.

– Je ne l'avais pas entendu depuis longtemps, ce disque. Il s'est suicidé à vingt-cinq ans.

– Aaaah...

– Je ne l'ai acheté que pour une chanson, ce disque. *Lilac Wine*.

– Et maintenant tu ne veux pas en boire, du *lilac wine*.

– Ah, ah, ah.

– Tant mieux. Il y en aura plus pour moi. »

Je reste pensif un instant. Vingt-cinq balais et le grand saut. Tourmenté, le mec.

« Il faut faire attention à soi, Agneta. On croit le faire mais la possibilité est toujours là.

– Possibilité de quoi ?

– De se coller une balle dans la tête.

– Oh !

– Des fois, c'est terrible. La matière première de l'artiste, c'est sa vie. C'est énorme, ça. Un écrivain, par exemple, doit fouiller dans sa propre merde et en sortir des choses.

– Je... J'imagine.

– Un type normal, il laisse le caca sécher. Et il oublie. Il laisse derrière toutes les merdes de sa vie. Celles qu'il a faites aux autres et celles qu'on lui a faites. Que tout ça sédimente, sèche bien et arrête de puer. Mais un artiste, lui, il transforme ça en matière première. En matériau de construction. Il en tire des sculptures, des tableaux, des chansons, des romans, des poèmes, des nouvelles... Et tout ça empeste la merde fraîche.

– Oh, Pedro Juan... Pourquoi tu parles comme ça ? »

Elle repousse son assiette, dégoûtée. Moi, j'ai parlé les yeux fermés, seulement occupé par mon verre de vin. J'ai assez mangé de poulet à l'ail, je suis rassasié. J'ouvre les paupières, je découvre son air écœuré, je les referme et je continue :

« Le problème n'est pas qu'on se tire une balle dans la tempe ou non. Tu as toujours la solution de le faire, quand tu n'en peux plus. La question, c'est de ne pas le faire jeune. Il faut les emmerder, d'abord. Baiser les fils de pute. Les obliger à me tolérer. Qu'ils n'aient plus d'autre recours que de supporter mes livres et de me maudire. Ensuite, je verrai ce que je fais. Si ça se trouve, je ne me tuerai pas. Je vivrai par et pour mes couilles, joyeusement. Jusqu'à quatre-vingt-dix ans. Ou cent. »

Agneta revient à six heures. Elle se prépare un bol de lait caillé et de céréales et elle absorbe sainement cette saine nourriture sur le balcon, au soleil. Moi, je lis encore un peu mais cette inactivité forcée me pèse trop et je finis par l'entraîner au bord d'un canal proche, avec un château de l'autre côté. Il y a des régates de canots vikings à rames. Un petit carnaval de trois jours avant le *Midsommar*. Les équipages sont déguisés. Les plus amusants sont ceux qui offrent une parodie de Clinton et de la Lewinski. Ils rament dur, ceux-là. Ils arrivent en finale. Les autres sont en cowboys, en vikings, en bébés, en Elvis Presley... Ça me donne soif.

« On se prend une bière ? Viens.

– Oh, non, non. Il y a beaucoup de vent.

– Et puis quoi ? Une bièrette de rien du...

– Non, non ! Ma gorge. »

Ce n'est pas sa gorge qui l'arrête, non. C'est qu'il y a quelques types un peu pompettes devant le stand de bière. Elle a une trouille bleue des alcooliques, de l'alcool. Je me retiens de lui dire : « Eh bien rentre chez ta maman, moi je reste. » Mieux vaut éviter les crises. En fin de compte, elle fait beaucoup d'efforts pour supporter mes manières de sauvage. On repart vite. Je me rends compte qu'elle fuit la foule, les ivrognes potentiels. Elle voudrait peut-être me fuir, moi aussi. Je la retiens par un bras.

« Agneta ? Où tu cours comme ça ? Loin de quoi ?

– Je marche toujours à cette allure. »

Elle me regarde. Je crois déceler de la peur dans ses yeux. Je surveille ma respiration. Patience, Pedro Juan, patience... Va savoir quel traumatisme les cuitards et les rassemblements ont pu lui provoquer ?

« On a raté *Les Simpson*, aujourd'hui.

– Non. J'ai programmé l'enregistrement.

– Ah, l'efficacité scandinave ! Quel pied. »

Avant de passer la cassette, on regarde les infos. Massacres au Kosovo. Des dizaines, des centaines de morts découverts ces derniers jours. Ils les enterrent. Agneta se cache les yeux à chaque fois que la caméra zoome sur les visages livides ou bleutés des cadavres. Des gens habillés comme vous et moi, normaux, qui reçoivent soudain de la mitraille dans la bedaine et qu'on met dans des fosses communes sans même connaître leur nom. A moitié décomposés. Ils doivent salement puer. A chaque fois, Agneta fait une grimace de terreur, ou de dégoût, et détourne le regard.

« Ça te fait peur ?

– Oui... »

Elle se colle à moi, enfouit sa figure dans mon épaule. La mort l'épouvante. Le bulletin météo, ensuite : nuageux, vingt-cinq pour cent de probabilités pour de la pluie en fin de semaine. Températures en baisse, rafales de vent, maximum 18 degrés.

« Oh, je voulais aller en forêt avec toi ! Prendre l'air un peu. J'ai une amie qui a des chevaux et...

– C'est toujours pareil. L'été suédois se détraque chaque week-end.

– J'aimerais me promener avec toi. A cheval. Tu aimes les chevaux ?

– Je préfère les juments, ah, ah, ah !

– Comment ? Pourquoi les juments ?

– Ah, ah, ah, ah. »

Elle ne comprend jamais mes blagues. Elle se laisse aller contre moi en fermant les yeux. Je la caresse et je lui dis des mots doux. C'est une solitaire, cette femme. Trop souvent seule, à penser à la mort et au temps qui passe, à manger du lait caillé et des céréales, à écouter des opéras très dramatiques, à économiser sou par sou en se disant qu'elle est une ratée, une petite employée de merde qui n'aura pas assez d'argent pour sa vieillesse. Elle ne s'accorde jamais le moindre plaisir, elle vit chichement, prudemment. Convaincue que la moindre incartade peut être mortelle.

On ne peut pas vivre comme ça. Ça me plaît, de la caresser. Quand je lui dis quelque chose de gentil, son visage change. Ou quand je lui mets ma bite. Doucement, peu à peu, en la tripotant. Ses traits se modifient, se détendent. Elle rajeunit. Mes caresses lui enlèvent vingt bonnes années. Sans savoir pourquoi, je lui demande :

« Tu ne serais pas enceinte, doudou ?

– Oh, je pensais exactement à ça !

– Oui ? Voilà, on y est.

– Où ?

– A la télépathie.

– Tu y crois, toi ?

– Bien sûr. Ça m'arrive toujours, moi et les femmes qui vivent avec moi.

– Aaaah...

– Réponds.

– Pardon ?

– Tu ne serais pas enceinte ?

– Non, non. S'il te plaît.

– Tu voudrais un enfant ?

– Oh, non, non !

– Une fille ? Des jumeaux ? Des triplés ? Choisis et je mets la graine à ta convenance.

– Oh ! Ah, ah, ah !. Non, non. Je suis... inquiète.

– Les règles ?

– Mmmm.

– Elles sont en retard ?

– Oui.

– De beaucoup ?

– Trois ou quatre jours.

– Ce sera à cause des médicaments.

– J'espère. Ils me font ça, oui.

– Et si tu es vraiment enceinte ?

– Oh, non, non ! Ne dis pas ça, Pedro Juan ! S'il te plaît.

– Mes enfants sont tous les trois intelligents, beaux, grands. Très... élégants.

– Oui, je sais, mais non, non...

– Ah, c'est juste quelques jours, Agneta. Arrête ton drame.

– Non, non. Je me tue ! »

Je le fixe droit dans les yeux :

« Qu'est-ce que tu racontes ?

– Je me tue. Je ne veux pas des enfants. »

7

Le dimanche, à dix heures du soir, on regarde un film de Sean Penn, *Crossing Guard*, avec un Jack Nicholson torturé par la culpabilité. Agneta est à moitié endormie à côté de moi sur le canapé. Je vais à la cuisine me verser un grand verre de vodka et coca et je reviens :

« Tu en veux ?

– Non.

– Tu as dormi jusqu'à onze heures ce matin. Tu ne "peux" pas avoir sommeil.

– Si. Toute la semaine, j'ai mal dormi. A cause de ma toux.

– Ça ne s'additionne pas, le sommeil. Ce qui est passé ne compte plus.

– Mais...

– Si je devais rattraper tout mon sommeil perdu, je resterais au lit au moins vingt ans.

– Quoi, autant ?

– Pfff... Entre les cuites, les séances de baise avec deux ou trois femmes ensemble, les fêtes, les orgies, les affaires, les amis, les jobs, le travail d'esclave dans les champs de canne à sucre de six heures du matin à huit heures du soir, la folie, les insomnies, l'angoisse, la dépression, l'envie de me pendre à une poutre, et tout ça...

– Aaah...

– Tu vois ces cernes ? Ces rides ? Ma calvitie ? Les cicatrices ? Alors que toi, tu es parfaite. La peau ferme, les cheveux brillants, un corps idéal.

– J'aime prendre soin de moi.

– De l'eau, du thé, du lait, huit heures de sommeil, pas d'enfants, de la maison au bureau et du bureau à la maison, de l'opéra, de la musique symphonique, des crèmes nourrissantes, des promenades en forêt...

– Ah, ah, ah ! On croirait une... recette.

– La recette Agneta pour rester éternellement jeune.

– Ah, ah, ah !

– Tu n'as jamais fumé de hasch.

– Je n'ai jamais fumé rien. Ni cigarette, ni rien.

– Coke ? Opium ?

– Non.

– Amphétamines ?

– Nooon !

– Même pour baiser toute une nuit ?

– Non.

– Tu as déjà mis de la crème de menthe à ton mari ?

– Que... Comment ?

– Sur le bout de la pine. Tu n'as jamais essayé ?

– Oh, non ! Quelle drôle d'idée !

– A Cuba, c'est normal. On a l'impression que le gland grossit encore.

– Ah, je ne savais pas...

– Films pornos ? Magazines ? Clubs pour lesbiennes ?

– Non, jamais.

– Je ne te crois pas. Mais Agneta, l'imagination !

– Ce n'est pas bien. Rien de ce que tu dis n'est bien.

– Qui est-ce qui invente les interdits ? Quelqu'un le fait à sa convenance et ensuite il décide pour toi : "Tu peux faire ci mais pas ça. Ça, c'est dangereux. Ça, c'est convenable et ça, ça ne l'est pas..." Aaaah, on m'a assez baisé la vie avec des lois et des interdictions et des ordres ! Ils m'ont tenu par les couilles avec leurs conneries de morale, d'éthique, de correct et d'incorrect. Et au bout du compte tu t'aperçois que ces messieurs vivent comme des dieux sur l'Olympe, se vautrent dans le luxe et le stupre. Mais ils le font en secret, hein, pour que personne ne les voie. En public, ils rabâchent leurs promesses d'un avenir radieux.

– Nous sommes différents. Toi, tu es... consumé.

– J'en ai plein le cul que d'autres pensent et décident à ma place. Il faudrait que chacun défende un peu plus son propre espace. Et le fasse respecter par les autres.

– Tu es en colère ?

– Oui, je le suis. Ils m'ont aigri, à force de balancer toute cette merde sur moi. »

On reste en silence un moment pour regarder le film, puis je reviens à la charge :

« Tiens, toi, pourquoi tu suces jamais ? J'aime qu'on me suce la pine, moi. J'adore ça.

– J'essaie déjà. Tu me demandes, j'essaie.

– Oh ouais ! Tu essaies, oui. Tu poses tes dents dessus et tu lui fais des chatouilles. C'est ça, une turlute ? Non. Sucer, c'est se la mettre au fond de la gorge. La savourer. A en jouir.

– Je ne le fais jamais. Je... Ah, je ne l'ai jamais fait, plutôt ? C'est comme ça qu'on dit ?

– Oui.

– Donc je.. j'ai jamais sucé. Avec toi, première fois. C'est un vilain mot. Su-cé.

– Ça te dégoûte ?

– Non, non.

– Si ! Ça t'écœure. Un de ces jours, je vais te saouler et je vais te donner mon cul à sucer. Tu vas voir que ça guérit d'avoir l'estomac délicat. Une cure de cheval, même.

– Aaahh, aaarrgh... Non, s'il te plaît, ne parle pas comme ça.

– Ça te dégoûte. Je le savais. Tu m'aimes ?

– Oui, mais...

– Pas de mais ! Si tu m'aimes, rien ne te dégoûte. Si tu fais la fine bouche, c'est que tu ne m'aimes pas.

– Oh, non ! Tu es brutal, tu es...

– Violent, viscéral, radical, sauvage, agressif, tout ce que tu voudras, mais le fond du fond, c'est que tu ne m'aimes pas. Qu'est-ce que tu as appris avec tous ces hommes ?

– "Tous ces", non.

– On a fait le compte ensemble, non ? Et on est arrivés à dix ou douze. D'accord, ce n'est pas énorme. Mais c'est suffisant pour apprendre un peu ! Quoi, ils étaient ennuyeux, au plumard ? Qu'est-ce qu'ils faisaient dans la vie, d'ailleurs ? Leur métier.

– Oh, ah, ah, ah !

– Rigole pas ! Je suis sérieux, là. Réponds vite. Tu as déjà eu un journaliste ?

– Oui.

– Des profs de fac ? Des hommes d'affaires ?

– Oui.

– Des écrivains, des artistes ?

– Euh... Un. Journaliste et aussi écrivain.

– Et un milliardaire ?

– Non, non !

– Et un pauvre, très pauvre ?

– Oui. Un.

– Lequel ?

– Pfff... Assez, Pedro Juan.

– On ne peut pas s'arrêter là ! C'est une étude sociologique sur tes amants. Réponds plus vite, sans tellement réfléchir.

– Ah, ah, ah !

– Dis !

– Quoi ?

– Le pauvre.

– Oui ?

– Qu'est-ce qu'il faisait ? Son boulot.

– Euh... *Truck driver.*

– Camionneur ? Ah, c'était lui, ce devait être lui ! Alors il ne t'a jamais tirée dans son bahut ? Il ne te l'a pas donnée à sucer pendant qu'il conduisait sur l'autoroute ? Il ne t'a pas emmenée dans un bar louche pour que tu le branles sous la table ?

– Non, non, non, oohhh...

– Mais c'était quoi, ce camionneur ? Une honte pour sa profession !

– Non, c'est que... Cela n'a pas été longtemps. Seulement deux semaines.

– Et un prolo ? Un ouvrier d'usine ? Tu en as eu ?

– Non.

– Un paysan ?

– Non.

– Un docker, un sportif, un pompier ?

– Non. Ah, ah, ah !

– Tous des intellos à part le *truck driver* ?

– Oui.

– Ah, tu es mal équipée pour la vie, toi.

– Tu es contre les intellectuels.

– Non.

– Mais tu ne les apprécies pas.

– En tant qu'amants, ils sont médiocres, généralement. Sauf quelques exceptions mais ceux-là, il faut bien les chercher.

– Toi, tu en es un. Intellectuel.

– Moooi ??! Je ne crois pas, non !

– Tu écris des livres, tu peins, tu es journaliste.

– J'"étais" journaliste. En des temps préhistoriques. Et aujourd'hui j'écris ou je peins à mes moments perdus. C'est un passe-temps.

– Je ne crois pas.

– Eh bien, tu as tort.

– Je ne crois pas. *It's a joke.*

– Ce n'est pas du tout une blague, Agneta. Je doute fort de pouvoir écrire encore un ou deux livres. Si je n'ai plus rien à dire, je me tais.

– Oh !

– Je pense ouvrir un stand de fruits et légumes dans un marché. Avec les Noirs. Avec la radio-cassette à fond toute la journée, Pablito F.G. ou la Charanga Habanera et moi, à vendre des tomates. »

8

Je passe des jours et des jours sans rien faire. Je prends le train de banlieue, puis le métro, et je vais au centre ou dans la vieille ville. Je marche, je regarde, j'observe les gens, je mate les Suédoises. Il y en a des splendides, avec des seins géniaux. Minces, pas de cul, mais elles me plaisent quand même. Elles ont de la classe. Peut-être qu'elles trouvent ça vulgaire, les fessiers rebondis. Le soir, je regagne ma forêt.

Aujourd'hui, j'ai traîné à la maison. Une journée nuageuse, pluvieuse et froide en pleine semaine. Je vais un peu courir sous les arbres, je reviens épuisé, je me douche, je déjeune de boulettes de viande avec des galettes. En inspectant les étagères, je trouve plusieurs livres d'Umberto Eco, dont son étude en version anglaise sur l'origine des langues européennes et leur influence sur la culture. Je la lis mais j'avance lentement. En italien, ce serait plus facile.

De retour très tôt, Agneta se met à bosser comme une folle. Elle a décidé de s'occuper de tout le linge sale, et il y en a beaucoup. Elle enfile de vieux sabots déglingués pour descendre au sous-sol, à la laverie. Elle revient, se déchausse et passe l'aspirateur. Partout. En hâte. Elle met un CD : « Pavarotti et ses amis ». Un chiffon humide sur les meubles, du désinfectant parfumé au citron dans les toilettes. Elle va et vient, nettoie, rince, brique. Je me mets à la regarder. Purée, c'est une dingue du ménage tout comme Gloria ! Elle ne laisse rien, elle court dans tous les sens, et là aussi avec un fond sonore à plein régime. Gloria, ce serait Willy Chirino et La India, ici c'est Pavarotti. Mais c'est la même chose. J'imagine déjà son con trempé de sueur, odorant. Je m'excite et je pense à Gloria mais je garde ça pour moi. Et j'essaie de me calmer.

Plus tard, on parle du livre d'Eco :

« Il t'intéresse ?

– Oui.

– Tu te contredis. Tu n'es pas cohérent.

– Pourquoi ?

– Il y a quelques jours, tu m'as dit que tu n'es pas un intellectuel.

– Tu voulais me coincer ou quoi ? Je vais te dire franchement : je préfère vendre des tomates et des carottes. Ma vraie vocation, c'est le commerce. Gagner de l'argent. C'est par là que j'ai commencé tout jeune, avec mon père : en vendant des glaces, des sacs en papier et des B. D. d'occasion. Mais des fois j'aime bien lire des choses aussi intelligentes, aussi documentées, aussi sérieuses. C'est fascinant, qu'on puisse construire un livre tellement parfait. Moi, je suis un bâcleur. Tu te rends compte ? Ça me plaît, de bâcler. De laisser mes bouquins à moitié faits, les tripes à l'air, pas bien léchés...

– Philosophie de vendeur de tomates.

– Possible. Ça me plairait d'être au marché, sale, puant, à essayer de caser mes laitues, mes poivrons, ce qu'il y a. J'aime ces gens, je me sens bien avec eux. Il y a toujours des femmes fortes du cul et de la gueule, provocantes, vulgaires, prêtes à n'importe quoi pour deux pesos. Filles des rues, trafiquants, voyous de la Havane… J'adore ce petit monde. Et si elles sont Noires ou métisses, en plus…

– C'est vrai ? Tu préfères ?

– Oui. Sans hésiter. Les enjôleuses, les roublardes. Il faut apprendre à traiter avec elles, parce qu'elles essaient toujours de te soutirer de l'argent. Par tous les moyens. Elles ont des milliers de ficelles. Ce sont des actrices.

– Tu vas le faire ?

– Quoi ?

– Vendre des tomates.

– Sûrement. J'écris encore un livre et terminé. Je ne pense pas avoir grand-chose de plus à raconter. Je ne veux pas ennuyer les gens juste pour gagner quelques malheureux dollars et qu'ils disent après : “Ce type est un crétin, il écrit n'importe quoi.” Non. Dans ma tête, j'ai encore un livre et point final. Et ensuite, les tomates jusqu'au bout ! Peut-être que je continuerai à peindre, quoique. Quand je peins, je ne pense pas. Et c'est exactement ce qu'il me faut : ne pas penser. »

Agneta reste silencieuse un moment, avant de demander : « Quel livre c'est ?

– *Un cœur gros comme ça.* Comme qui dirait la biographie d'une petite Cubaine. Une amie à moi.

– Je suis d'accord. Très bien. Si tu veux de moi, je pars un an à Cuba et je t'aide.

– Ah, ah, ah.

– Je parle sérieusement ! Moi aussi, j'ai besoin de vendre des tomates, d'oublier le bureau et d'apprendre l'espagnol.

– Là-bas, c'est le cubain que tu apprendras. C'est un dialecte.

– Ah, ah, ah !

– Et je vais te cubaniser, moi. Te coloniser. Je te lâche au milieu des Noirs du marché des Cuatro Caminos et ils vont te cubaniser bien.

– Oh non ! Avec toi, juste. Ne me laisse pas seule.

– C'est ce que tu dis maintenant, ici. Là-bas, tu me demanderas de te laisser seule. En une semaine, cubanisée comme tout et hop, à te repaître de folklore et de négritude ! »

On se tait à nouveau, puis elle me montre le livre sur la table :

« Eco, je le connais.

– Oui ? Hé, c'est que tu fréquentes les gens bien, con ! Parfait, ça.

– Je ne l'ai rencontré qu'une fois. Il est venu à un congrès que j'ai organisé à l'université, et comme c'est l'ami de mon ami d'Irlande...

– De ton fiancé d'Irlande.

– Non, ah, ah, ah... C'est que tous les deux, ils sont chercheurs et... Hi, hi, hi...

– Ce rire nerveux que tu as ! Ta maison est pleine de livres irlandais, Dublin, les flûtes, les petits moutons, les cartes postales, les tableaux, les disques... On croirait que c'est le consulat d'Irlande à Stockholm.

– Ah, ah, ah !

– Je croyais que c'était terminé. Tu continues toujours, avec lui ?

– Oh... Hi, hi, hi...

– Ça va. Pas besoin de répondre.

– Euuhh...

– Pas besoin, j'ai dit. »

Je mets un peu de vodka dans un verre, des glaçons, du coca, je prends un cigare et je vais sur le balcon. C'est une belle soirée. Une ravissante fillette d'une dizaine d'années joue avec un chien noir. Elle fait pareil presque chaque jour. Dans quelques années, elle deviendra une splendide et sexy Suédoise mais pour l'instant elle n'est qu'une gamine sensuelle, une provocation vivante dans un jardin public. Elle se roule sur le gazon en jouant avec le clebs. Dans une salopette bien serrée, sous laquelle les seins commencent à pointer, le petit cul à se former. Elle respire la sensualité, déjà. J'allume mon cigare et je le savoure tout en la contemplant. Ah, purée ! Soir, vodka et tabac...

Agneta est pareille que Gloria, au fond. A part qu'elle est née en Suède. Aussi indomptable que la Cubaine. C'est pour ça qu'elle baise et jouit si bien. Elle poursuit son affaire avec son Irlandais. Et moi qui me croyait l'exclusivité, imbécile que je suis. Même chose qu'avec Gloria : elle essaie de me faire croire que je suis le seul et l'unique tout en poursuivant sa vocation de pute, par-derrière. Deux identiques grandes salopes. Jusqu'à l'odeur de leur con. Le seul désavantage d'Agneta, c'est qu'elle ne suce pas. Mais elle apprend tous les jours. Lentement mais sûrement. Ah, venir de si loin pour découvrir ça...

Agneta sort sur le balcon. Elle respire l'odeur du tabac. Ça lui plaît, visiblement.

« Tu veux une vodka ? Je t'en prépare une ?

– Non. Je préfère manger quelque chose.

– Assieds-toi. Tiens-moi compagnie un moment.

– Bon, mais rien que quelques minutes. Après, nous dînerons.

– Mouais. – Les yeux levés, je lui montre la lune presque pleine. – Regarde-la, elle. Elle nous tourne autour. Elle ne se cache pas. Elle fait ses cercles au-dessus de notre tête.

– Aaah.

– Et elle me rend folle.

– Je le crois. Elle a une influence sur...

– Sur tout. Avec cette lune-là, les spermatozoïdes me montent au ciboulot. A chaque fois, c'est pareil.

– Je ne comprends pas. Les...

– Spermatozoïdes.

– Sperme, je sais ce que c'est.

– Et tozoïde non ?

– Non.

– C'est un seul mot. Le nom des enfants microscopiques qui se ruent sur l'ovule, à qui arrivera le premier. La vie est ainsi faite. C'est la toute première chose qu'on fait, dans l'existence : courir comme un fou pour parvenir quelque part avant les autres. A un but que l'on ne connaît même pas, que l'on ne situe même pas. Ces petits fous, ils courent, ils courent sans savoir où ils vont. Sans avoir idée de "pourquoi" ils le font.

– Mmmm.

– A la fin, il n'en reste qu'un seul. Le plus fort, le plus rapide. Le plus malin, aussi. Celui qui a poussé les autres, leur a fait des croche-pieds. Le plus costaud, le plus agressif et le plus fûté.

– Ah, oui, mais... Ils ne courent pas. Pardon de corriger mais ils ne peuvent pas courir. Ils nagent.

– Ah, ma Suédoise chérie... Exactement : ils nagent. Ils ne courent pas. Ils nagent. Frénétiquement. Ils vivent pour ça. »

La vodka m'a mis de bonne humeur. Je charge une cassette des Van Van et je danse un peu. Tout seul. Je n'arrive pas à lui faire essayer quelques pas de salsa, ou même de danse de salon. J'ai voulu lui apprendre mais elle refuse.

« Ça ne te plaît pas, alors ?

– Si. J'aime, mais je ne sais pas.

– Tu niques bien, tu es une jouisseuse, tu bouges les hanches juste comme il faut quand tu la prends dedans.

– Oh, Pedro Juan...

– C'est la même chose. Baiser et danser, c'est pareil. »

Je ne plaisante pas, quand je dis que la lune me chamboule. Ce n'est pas une blague, comme dirait Agneta. Cette nuit-là, on baise énormément. On joue. Ou plutôt c'est moi qui joue et elle se laisse faire. Elle aime bien ça, être mon jouet. Une heure et demie, peut-être plus. Ensuite, on dort comme des souches. On se réveille à sept heures et me voilà la bite en l'air à nouveau. Je la bourre une bonne demi-heure. Elle finit par se lever en hâte pour notre thé quotidien. Elle n'a même pas le temps de prendre une douche.

« Oh, je vais être en retard !

– Bah, c'est pas grave. C'est comme ça qu'on fait, à Cuba. On arrive tous avant ou après, mais jamais à l'heure qu'il faudrait.

– Mais ici c'est la Suède, Pedro Juan, la Suède. Aaah...

– Tu t'es lavée ?

– Euh... Non.

– Très bien. Dans quelques heures, tu te mets un doigt dedans et tu le renifles.

– Aaah non ! Tu es... fou.

– C'est génial. Les singes, ils se sentent sans arrêt. Et ils aiment.

– Oh !

– Là-dedans, tu as ton jus et le mien mélangés. Une odeur magnifique. Ça va te plaire.

– Peut-être que c'est une bonne idée. Je le ferai. Oooh, *it's very late* ! »

A chaque fois qu'elle se trouble, elle n'arrive plus à parler espagnol.

Je l'appelle au bureau vers dix heures :

« Tu es arrivée très en retard ?

– Quinze minutes.
– Ah, mais c'est rien.
– Si, beaucoup. Mais je n'ai pas le temps. Je ne peux pas, maintenant.
– Tu as plein de travail ?
– Oui, oui.
– Bon, on se voit plus tard.
– Aaah, Pedro Juan ! Euh... Je ne suis pas enceinte.
– Sûr ?
– Oui.
– Tant mieux. La tranquillité.
– Je te laisse. J'ai beaucoup de travail.
–Ça dure longtemps, chez toi ?
– Oui. Peut-être cinq jours.
– On fait comment, alors ? Dans le cul ?
– Oooh, non, non...
– Donc par-devant, avec le sang et tout. *No problem.*
– Non ! Ah, tu es... Je te laisse. Tu es un fou. Raccroche, s'il te plaît. J'ai beaucoup de travail. »

Je la laisse.

9

Vers midi, je fais mon jogging dans un bois de pins, de chênes et de bouleaux. Il y a un sentier qui suit un canal. La terre est sombre, humide, souple. Couverte de mousse et d'aiguilles de pin. Je me sens bien, à courir en regardant les rameurs dans leurs canoes et leurs kayaks. D'autres nagent dans l'eau glacée de la Baltique. C'est aujourd'hui que j'ai compris pourquoi cet endroit me plaît tellement : dans une forêt du même genre, près de Vilnius, j'ai connu un jour d'amour fou avec une Lithuanienne sublime. Une aventure très bizarre. Elle ne parlait que le lithuanien et le russe, pas un mot d'anglais, ni de français, ni d'espagnol. On s'était rencontrés le soir précédent, au cours d'un dîner. On a dansé. J'avais trente-cinq ans, alors, et j'étais très passionné. Elle, danseuse dans un groupe folklorique, était tout aussi romantique. Grande, mince, vive, délicieuse. On s'est plus mutuellement au premier coup d'œil. On a dansé encore. A ce stade, on aurait dit deux serpents entortillés l'un sur l'autre. On a essayé de monter à ma chambre, évidemment, au quatrième étage du même hôtel. Impossible : un type mauvais comme la gale lui a interdit l'accès, sous prétexte qu'elle n'était pas enregistrée. Je lui ai proposé quelques roubles. Rien. C'était un hôtel pour étrangers, elle n'avait pas le droit de monter, point. Ils étaient charmants, les Soviétiques.

Je ne sais toujours pas comment nous avons pu communiquer, la Lithuanienne et moi, mais nous avons passé tout le reste de la nuit dehors, à marcher, à nous bécoter et à nous chauffer. Le lendemain, on est allés dans le bois que je disais. On a fait l'amour comme des cinglés. On a bu du vin, de la bière. Dans l'après-midi, on était un peu pompettes et je lui ai chanté *Nosotros*. Elle me fascine, cette chanson. On croirait que Pedrito Junco l'a écrite spécialement pour moi, et non pour prendre congé de sa fiancée peu avant d'être emporté par la tuberculose :

Nous
Qui nous sommes tant aimés
Il faut maintenant nous séparer.
Plus de questions, je t'en prie,
Ma tendresse est infinie,
Je t'aime de toute mon âme
Mais au nom de cette flamme
Et pour ta paix
Je te dis adieu.

Elle a pleuré. Moi aussi. Elle m'a susurré une chanson d'amour lithuanienne. On a encore versé des larmes, bu plus de bière. Le lendemain, je repartais à Cuba et elle s'envolait pour l'Allemagne avec sa compagnie de danse. J'ignore comment on a pu s'échanger ces détails. Elle ne m'a pas demandé mon nom, ni moi le sien. Ni adresse, ni téléphone. Rien. On a marché dans ces bois qui me semblaient être le paradis. On s'est séparés en pleurant éperdument. Pour toujours. Sachant que nous ne nous reverrions jamais.

Et maintenant je fais du jogging dans une forêt qui me rappelle cet incroyable moment d'amour et de souffrance, survenu quinze ans plus tôt.

Trois jeunes nagent au bord d'une petite jetée. Ils sont complètement nus. Dans les dix-huit ans. Ils se pissent dessus. Planqué derrière les mauvaises herbes et les bouleaux, je les observe. L'un d'eux remonte sur la jetée et se met à pisser sur les deux autres, qui ferment les yeux, ouvrent la bouche et reçoivent la pluie dorée dans la figure. Lorsqu'il a terminé, un autre le remplace. Intéressant, ce trio : exhibitionnistes, sodomites et adeptes de l'ondinisme. Ils ne me remarquent pas, trop absorbés par leurs petits jeux.

Je continue à courir, jetant de temps à autre un regard dans les buissons à la recherche d'une femme assassinée. La première fois que je suis venu ici, Agneta m'a raconté qu'ils en avaient retrouvé une quelques jours auparavant. Le journal l'a rapporté sans préciser l'endroit mais elle m'a dit simplement : « C'était dans ce bois. » Depuis, je guette un cadavre sous les arbres.

Je rentre. Agneta m'attend. Du courrier est arrivé. Une lettre de Gloria. Je la mets de côté sans l'ouvrir, et surtout sans lui accorder d'importance.

Le téléphone sonne. C'est sa nièce. Elle va passer d'ici peu. Elle habite en ville et elle veut se promener avec nous en forêt. D'accord ? Mais oui, bien sûr. Agneta n'a pas d'enfants mais elle a deux nièces. Je m'habille. Vingt minutes plus tard, on frappe à la porte. C'est elle, avec sa fille, Erika, un bébé de quatre ou cinq mois. Elle a la trentaine et c'est la Suédoise typique, la nièce : très mince, gros seins, blonde de partout, souriante, yeux bleus, conversation limitée au strict nécessaire. Tout de suite, Erika se met à beugler. Sa mère s'installe dans un fauteuil, découvre ses beaux nénés fermes et pleins, et la petite s'envoie deux litres de lait. Ah, ça me transporte, de voir ces splendides nibars ! Je dois avoir les yeux qui brillent trop. Elles ont sans doute compris que je rêvais d'écarter Erika et de me mettre à sucer à sa place. Du coup, elles prennent un air renfrogné et la nièce se hâte de ranger ses appâts. On reste silencieux, à se regarder en chiens de faïence tous les trois. Erika ne regarde personne, elle s'est endormie, le ventre plein.

Je finis par me lever pour aller sur le balcon. Rien. Rien à mater. Que les arbres. Tout ce que je voudrais, c'est attraper ces nibs et... Pfff. Je rentre. Je mets mes chaussures, ma veste, ma casquette :

« Je vais prendre l'air. Je vous attends en bas.

– Oui. »

Elles descendent une demi-heure après. La nièce a dû lui expliquer qu'elle a pris un voyou chez elle, qu'il faut faire attention, etc. On marche dans le bois. Un quart d'heure. Sans échanger un mot. Ce n'est pas si grave, quand même ! Partout dans le monde, les hommes cherchent à voir les seins des femmes et elles, elles en montrent un petit peu, rien qu'un petit peu. C'est très normal, ça ne mérite pas tout ce drame et tout ce silence. Elles veulent que je me sente coupable ? Eh bien non, j'assume ma lubricité.

Il fait froid, et encore plus sous les arbres. La nièce passe un appel sur son mobile. On va sur une route secondaire. Dix minutes après, son mari arrive en voiture. Il nous salue sans baisser sa vitre, et c'est à peine un mouvement des paupières. On lui répond de loin : « *Hi !* » Ils s'en vont. J'ai les mains gelées, et la figure, et les pieds, et les oreilles. On s'assoit sur un banc en face du canal. A cent mètres, il y a une quarantaine de yachts luxueux amarrés au ponton. Des voiliers, en majorité. Battant pavillon allemand.

« Quelle beauté, ces rafiots ! Allez, tu t'en achètes un, Agneta, et on s'en va tous les deux.

– Hmmm. Un yacht comme ceux-là, c'est... vingt ans de mon salaire. Ou trente.

– La vache !

– Ils sont allemands. Ils ont de l'argent, eux.

– En Europe, tout est toujours la faute des Allemands.

– Non, non, mais... Bon, ceux qui viennent ici, en tout cas, ils sont riches. Très, très riches.

– Comme partout. Celui qui n'a pas de thune, il ne voyage pas, il reste à la maison. A propos de maison, allons-y parce que je vais geler sur place, moi.

– Oh... Tu as froid ?

– Ma doudou, sur ta vie ! Quand on est sortis, il faisait douze degrés. On doit être à dix, là.

– Pour moi c'est très plaisant. »

A notre retour, Agneta se met à préparer le dîner. Dieu fasse que ce ne soit pas du saumon. Je n'en peux plus, de tout ce saumon, pain, et fromage... Je cherche de la musique à la radio et soudain j'entends de l'espagnol. Incroyable mais vrai. Une station FM qui s'appelle Match 81.9. Ils passent une longue interview en anglais et en espagnol d'un Cubain qui vit à Washington. On est partout ! C'est incroyable. Il siège à l'Académie de la langue espagnole des Etats-Unis, ce monsieur. Quelle classe ! Il dit que l'espagnol se porte très bien, qu'il est parlé dans le monde entier. J'aime écouter ça, même si c'est faux. Tout cet anglais qu'il y a, ça me traumatise. « Lorsque je suis arrivé ici, il y a quarante ans et quelque, si on entendait un inconnu s'exprimer en espagnol, on se saluait, on devenait amis. Plus maintenant. De nos jours, rien de plus normal que d'entendre notre langue dans les magasins, les restaurants, n'importe où. »

Au dîner, salade et rosbif. On dirait que le saumon cède du terrain.

« Tu aimes donc tellement le saumon que ça, Agneta ?

– Oui. C'est une tradition. Je mange toujours du saumon et du caviar.

– Du caviar en pâte. Pas du vrai. On croirait du dentifrice.

– Oh non !

– Oh si. »

Après, je soigne mes habitudes de bourgeois : café, whisky et un bon cigare. Sur le balcon, bien entendu. C'est une chose qui ne me plaît pas, en Europe : il fait onze degrés mais on doit fumer dehors. Même si on se pèle les couilles.

« Tu viens avec moi, Agneta ?

– *Sure !* »

Des fois, c'est bon, d'avoir de la compagnie quand on fume. Mais je préfère être seul, en général. Savourer un excellent cigare, c'est un acte de réflexion, une méditation. Comme pêcher. En tête à tête avec soi-même, et avec le fil. On réfléchit, on se parle, on est dans l'introspection. La cigarette est compulsive ; le cigare, philosophique.

Au coin de l'immeuble, sur le gazon, ils ont installé des bacs à sable avec balançoires, jeux et cabanes en bois. La mairie claque ses sous en l'honneur des enfants et de l'été. Pour l'heure, il y a deux filles et un petit garçon. Elles se balancent avec force, très haut. A chaque fois, elles crient mais elles s'élancent encore. Elles ne risquent rien, les balançoires sont bien attachées, avec des chaînes en acier. Ici, tout est soigneusement fixé, contrôlé, vissé, testé. Haute sécurité. Les gens ont oublié ce que le mot « danger » veut dire. Elles se balancent à cent quatre-vingts degrés, les petites. A fond. Elles hurlent, elles rient. Elles ont peur mais elles ne perdent pas la tête. C'est le grand frisson, mais elles continuent. Le garçon, lui, est moins téméraire. C'est un trouillard, en fait. Il n'ose en faire autant et il oscille à peine sur son siège. Alors que les filles prennent leur pied, crient de peur, pissent peut-être dans leur culotte mais continuent toujours plus haut.

On les regarde.

« Quand j'étais gamin, je faisais pareil.

– Oui ?

– A fond. Toujours plus haut. J'en faisais presque dans mon froc mais j'aimais trop ça. Je serrais les fesses, je dominais ma trouille. Ça me plaît, ça : aller jusqu'au bout sans perdre le contrôle de soi.

– Je le crois, oui.

– Je suis pareil depuis tout gosse.

– Tu fais tout comme ça. *On top.* »

10

Le week-end, il ne se passe rien. Je me lasse de cette existence conjugale. Aller au supermarché, acheter de la bière, du lait, du fromage, du pain, des œufs, du café. Si, le samedi matin, un paquet est arrivé par la poste. La télé par câble. J'installe le boîtier. On va pouvoir mater des films de cul, enfin. On a maintenant douze chaînes en plus, dont une française. Super. Elle, c'est surtout la BBC et CNN qui l'intéressent.

J'ai tellement bien caché la lettre de Gloria que je l'ai oubliée. Un matin où je suis encore seul, je fixe le plafond. Qu'est-ce que je fais ici ? Le silence est hallucinant. Comment ils parviennent à un calme aussi absolu, les Suédois, dans un quartier pourtant bien peuplé ? Silence continu, parfait, et... Merde, la lettre de Gloria ! Je la cherche, je la fourre dans mes poches, j'enfile mes tennis, je dévale les escaliers et je marche jusqu'au petit cimetière. Il y a des fleurs fraîches sur quelques tombes. C'est un bel endroit, verdoyant, tranquille avec ses stèles de pierre toutes simples.

Près de la chapelle, sous des arbres gigantesques au feuillage épais, d'un vert intense, il y a un banc sur lequel je m'assois. J'ouvre l'enveloppe. Une carte couverte de baisers rouges, cannelle, dorés, argentés, émeraude, deux fleurs séchées et une longue lettre de quatre pages. Extraits :

« Je suis une sentimentale incorrigible. Tu m'apportes un peu de chaleur intime. Au fond nous nous ressemblons même si tu es comme tu es, c'est-à-dire pas très facile, mais j'en retire un plaisir extraordinaire. Sans cesse je prie Dieu pour que tu m'acceptes telle que je suis. Des fois, je me dis que je suis folle mais la nuit vient, j'allume une chandelle, je m'asseois et je me pose des questions. Je me remets en cause et ensuite je sais que tout est en ordre, j'ai la conscience tranquille et je m'endors heureuse, sans me soucier de ma solitude. Je suis allée à l'église de la Caridad, à celle de Regla, à celle de Las Mercedes, et je me suis agenouillée devant le Seigneur, et j'ai prié pour mon père, pour toi, pour nous tous, pour qu'Il ait pitié de nous... »

Je la relis plusieurs fois, puis je sens un grand calme en moi et je ne pense à rien. Je fais quelques pas sur le gazon souple, en regardant les dates sur les tombes. Il y en a plusieurs très anciennes, des gens qui ont vécu au XIXe siècle. Voilà ce que nous sommes, au début et à la fin : de la poussière et du silence. Mais nous avons trop peur de le reconnaître, alors nous remplissons de bruit et de tumulte ce qu'il y a entre le commencement et la conclusion.

Je reviens lentement à l'appartement et j'écris à Gloria :

« Je vais rapporter un fouet pour toi. Il y aura beaucoup d'amour, beaucoup de tendresse, de baisers, de pine et de coups de fouet. Je vais te soumettre, te réduire en esclavage. Tu seras mon petit animal. Tu n'as jamais eu un homme pareil dans ta vie et tu n'en auras jamais après. Tu m'inspires. C'est à la fois spirituel et physique. En moi tu réveilles l'ange et le démon. Et donc nous allons profiter du présent. Parce que l'avenir, c'est maintenant. Je voudrais vivre avec toi dans une grande maison. Rien que nous deux et un chien noir qui te plaise. Tu ne pourras pas te raser les aisselles ni les jambes. Pas de déodorant, pas de parfum. Rien que toi et moi. Nature. Seuls et sauvages dans une maison isolée, à l'extérieur de La Havane. Loin des gens qui se mêlent, qui posent des questions. Et t'engrosser. Je rêve de te mettre grosse et de te posséder. Tu seras belle avec ton bide en avant, et je t'adorerai. Toi avec un bébé. Tes seins qui vont gonfler, gonfler, gicler leur lait. Je vais t'adorer comme tu n'as jamais cru qu'un homme pourrait t'aimer. Tu me rends fou. »

Ah ! Cette femme ne me laisse pas en paix, jusqu'en Suède ! Avec elle, j'ai trois possibilités : premièrement, la remettre pute et être son maque. J'aime penser qu'elle est mon esclave, qu'elle me ramènera l'argent et le déposera dans mes mains, et elle-même me l'a proposé plein de fois. Deuxièmement, la sortir de ce quartier, chercher une maison dans un coin tranquille, peut-être au bord de la mer, là où personne ne nous connaîtra, avoir deux ou trois enfants et mener une vie tranquille. Ça aussi, elle me l'a demandé. La troisième option, ce serait de l'oublier. Déménager, m'en aller loin, tout seul. Et ne plus jamais la revoir.

Je ne sais que faire. Elle me tourmente, elle me rend dingue. Et la salope suédoise qui m'inocule son virus, elle aussi. Peu à peu. Chaque jour plus tendre, plus séductrice, plus rouée...

Pfff ! Dans ce silence absolu, je cogite trop, moi. Je mets le disque de Pavarotti et Bucchero, le *Miserere*. Je vais sur le balcon. J'ai besoin d'air frais. Il fait soleil, c'est une belle journée. Deux filles arrivent au coin de l'immeuble, chacune de leur côté. L'une d'elles traîne un berger allemand derrière elle. L'autre a une chienne noire à poils longs. Elle se saluent. Les clebs se reniflent et s'excitent mutuellement. Ils jouent, emmêlent leur laisse. La rencontre était prévue, visiblement. Elles s'étaient donné rendez-vous. Elles entraînent les chiens sur le petit terrain de football raisonnablement clotûré par un grillage de cinq mètres de haut, referment la porte et les lâchent en liberté. Ils sautent, galopent, se mordent, grondent, jappent, dressent l'oreille, se reniflent encore. Ils courent un peu plus loin et le mâle grimpe la femelle. Un coup rapide, incomplet, parce que déjà chaque fille rappelle sa bête, reboucle sa laisse. Elles se disent au revoir et s'éloignent en direction opposée. Un peu étranglés, le chien et la chienne obéissent à leur maîtresse, non sans tourner la tête pour se jeter des regards navrés, anxieux. Le mâle voudrait rebrousser chemin. Ils sont totalement insatisfaits, l'un comme l'autre. La traction sur son collier l'oblige à renoncer. Il baisse la tête et avance, résigné. Je reste encore un instant sur le balcon, jusqu'à la fin du *Miserere*. Lorsque je reviens devant la stéréo, je vois la durée du morceau affichée sur l'écran digital : 4 :15. Tout s'est passé en moins de quatre minutes. Peut-être que ce sont des Suédoises vierges, ces filles. Ou des vierges « qui font la Suédoise » : qui ne comprennent rien, qui n'imaginent même pas.

Lorsqu'Agneta revient, je lui rapporte l'incident. Elle réagit avec une logique féminine imparable :

« Elles avaient quel âge, ces filles ?

– Euh... Dans les dix-huit, dix-neuf.

– Alors vierges rien du tout. Elles savent très bien. Mais elles n'ont pas apprécié que les chiens soient contents et elles non. »

Elle se prépare du thé. Elle ne perd plus son temps à m'en proposer une tasse à six heures du soir, désormais. Elle s'assoit et elle tricote un pull pour moi. Cela fait des mois qu'elle a commencé. Rien ne presse. Ça, c'est sûr. Rien ne presse. On ne va nulle part.

On reste longtemps ainsi, en silence. Elle boit son thé sans sucre et elle fait aller ses aiguilles. J'aurais envie de me verser une vodka-coca et d'aller fumer sur le balcon mais le ciel s'est couvert, le thermomètre descend en flèche. Il y a une demi-heure, il était à 22. Moins de 17, maintenant.

« Ah, regarde ! Il faut qu'on voie ça. On est peut-être riches, déjà ! »

Elle se lève, revient avec un billet de loterie, le gratte de la pointe de son aiguille. Rien, comme d'habitude. Des fois, elle joue aux courses hippiques. Elle perd aussi. Trois ou quatre tentatives par semaine, loto ou canassons.

« Riche ? Si tu continues à acheter ces trucs tous les jours, tu vas te retrouver encore plus pauvre.

– Pas tous les jours.

– Presque.

– Je veux être une vieille millionnaire. Comme la voisine de maman.

– Elle l'est, vraiment ?

– Douze millions de couronnes.

– Comment tu le sais ?

– Ils le publient dans le journal. Tous les ans. La liste de ceux qui ont le plus d'argent et qui paient le plus d'impôts.

– C'est idiot. Ils peuvent se faire enlever, assassiner.

– C'est ce qu'ils disent, eux. Mais il y a la liberté d'information.

– Pfff.

– Ma mère aussi, elle a quelque argent.

– Elle est dans le journal ?

– Elle n'a pas tant.

– Elle pourrait partager un peu.

– Je crois qu'elle a des actions. Elle achète et elle vend en Bourse.

– Tu "crois" ?

– Je ne suis pas sûre. On n'en parle jamais.

– Pourquoi ?

– On ne parle jamais d'argent. J'ai supposé pour les actions parce qu'elle cherche toujours cette information dans les journaux. »

A propos de journal, celui du jour consacre deux pages entières à un festival de rock. Je lui demande de me traduire le gros titre :

« Une fille est morte pendant le concert.

– Comment ?

– Etouffée. Beaucoup de monde.

– Qu'est-ce qu'il dit exactement, le titre ?

– "La police a arrêté un jeune toutes les six minutes, en moyenne."

– C'est le titre ?

– Oui.

– On va se promener un peu ?

– En forêt ?

– Oui.

– Il fait du vent.

– Pas grave. Couvre-toi, Agnes. On y va. »

Vestes, chaussures, et en route pour le petit bois. Avec le sentier au bord du canal.

« A la maison tu t'ennuies, Pedro Juan ?

– Des fois, oui. »

Froid, bise. Je plonge mes mains dans les poches. Il y a un chewing-gum. Un seul. Je le sors et je le lui tends :

« Tiens, tu veux ?

– Oui. »

Elle le prend et je reste avec une envie de mâchouiller de la gomme à la menthe. Un voilier de course passe lentement sur le canal, en direction de la haute mer. De la cabine nous parvient de la musique symphonique, à plein régime.

« Cette musique, ça ne s'écoute pas comme ça.

– C'est du Malher. La *Symphonie numéro sept.*

– Tu connais toutes les œuvres classiques comme ça, Agneta ?

– Oh non. Quelques-unes. »

Un truc étrange survient : soudain, la proue se tourne vers la rive et en quelques secondes le bateau vient s'échouer dans la boue et les herbes. En douceur, mais carrément. Pour le sortir de là, il faudrait un filin et une autre embarcation. L'avant de la coque s'est retrouvé à un mètre à peine de nous. Je m'arrête pour voir ce qui s'est passé. Agneta continue à marcher, elle. Un gros type en short, coiffé d'une casquette, apparaît sur le pont. Il chancelle, complètement saoul. Il se penche par-dessus le bastingage et manque de finir à la baille. Ça faisait longtemps que je n'avais pas vu quelqu'un tenir une cuite pareille. En découvrant la situation du voilier, le bonhomme se frotte le visage et se lamente. J'ai l'impression qu'il va se mettre à pleurer. Il s'affale sur une chaise en toile, les yeux dans le vide. J'étudie une intervention possible. Tendre une écoute en poupe et le haler ? Non, ça ne servirait qu'à l'échouer encore plus. Il faudrait un deuxième bateau et le tirer à partir du centre du canal. C'est la seule solution. Mais bon, au moins on peut lui remonter le moral, à ce type. Il est tout seul, apparemment. Bourré, désespéré, il n'arrivera à rien. Je lui crie :

« *Hey, man, it's no problem !* »

Agneta, qui était restée à distance, revient à toute allure quand elle m'entend. Elle m'attrape par le bras.

« Hé, lâche-moi !

– Ne te cherche pas des problèmes, Pedro Juan.

– Quel problème ? J'essaie d'aider, c'est tout !

– Il est saoul.

– Et alors ? Ça arrive à tout le monde, de se péter la ruche et de faire une connerie.

– Qu'est-ce que tu dis ? Je ne comprends pas.

– N'importe qui peut se saouler. Il est dans de sales draps, là, mais on peut facilement...

– Viens, viens, on s'en va. Tu ne peux pas te mettre dans des ennuis. »

A bord, Malher continue à tonner. Je regarde le type. Il pleure, effondré sur sa chaise. Les deux mains sur la figure, il sanglote comme un enfant qui s'est perdu.

11

Après le déjeuner, je sors sur le mini-balcon. Je me déshabille, j'allume un cigare. Agneta me rejoint, s'asseoit en face de moi avec du café et des lamelles de chocolat. Ses yeux tombent sur ma pine.

« Oh ! »

Elle inspecte les alentours, au cas où quelqu'un serait à sa fenêtre...

« Pas de risque. Ils ne peuvent pas me voir, les voisins. »

J'ai tout calculé, déjà : la rambarde masque cette partie de moi. J'ouvre les cuisses, je m'exhibe. Agneta me regarde et ses yeux s'allument.

« Je n'ai jamais eu un mari aussi... nature que toi.

– Non, jamais. »

J'aime ça, me montrer. La bite grossit, s'allonge, commence à s'élever comme une trompe d'éléphant... Bon, n'exagérons pas. De bébé-éléphant, disons. Agneta soupire.

« Ah, Pedro...

– Regarde ça, Agnes. Tu me fais bander sans la toucher, doudou. C'est de la télépathie. »

Elle continue à mater, fascinée par la bestiole qui s'étire et se gonfle.

« Oh, Pedro Juan. Tu es... obscène.

– Quel raffinement, con.

– Comment ?

– “Obscène.” Très joli, ce mot. Très euphonique. Un mot magnifique pour désigner des choses supposément répugnantes. Et j’aime comme tu le dis, aussi : “Oh, Pedro Juan. Tu es... obscène.” Un petit peu obscène.

– Non. Totalement obscène. Très obscène.

– Simplement, profondément obscène. Ah, je viens juste de comprendre ! Ça ne m’était jamais venu à l’esprit, de penser à ces termes. Je crois que je suis quelqu’un de très normal, en fait.

– Mais...

– Mais quoi ?

– Tu me plais beaucoup.

– Parce que je suis obscène ?

– Je suppose que oui.

– Evidemment. Tu as toujours eu des maris bien élevés, bien pudiques. Et il te manque encore quelque chose.

– Quoi ?

– La sodomie. Quand je t’aurai sodomisée, tu verras que tu es entrée au Club des Obscènes. Très select, ce club.

– Oh ! Ah, ah, ah !

– Rigole, rigole. Bientôt tu pleureras. De douleur et de plaisir.

– Non, non. *It’s a joke.*

– T’inquiète. Je te la mettrai avec de la vaseline.

– Qu’est-ce que c’est, la vaseline ?

– De la pommade. Bon, ça suffit pour aujourd’hui. Regarde un peu les arbres et laisse la bête se reposer. Tu veux aller à la maison de campagne ?

– Oui. Allons. »

Pour me rhabiller, je me lève. Agneta panique :

« Les voisins, Pedro Juan !

– Pas de soucis. Ils doivent tous être derrière leurs rideaux, à se masturber.

– C'est sérieux. Ici, ils sont capables d'appeler la police.

– Le show est gratuit ! Tu veux parier qu'ils sont là, planqués, à regarder en se branlant ?

– Tu es un fou.

– Ah, ah, ah ! Allez, viens. »

Leur maison de campagne est à une demi-heure en voiture. Ni la sœur ni les nièces ne sont là, par chance. C'est un endroit tranquille, au milieu de vastes champs où paissent les brebis. La ferme la plus proche est à cent mètres, séparée par des murs de pierre et des haies. On sort des chaises dans le jardin de derrière, on se met tout nus et on lit un moment au soleil. Vingt minutes plus tard, les nuages arrivent, un vent glacé se lève et la petite orgie solaire est terminée : on se réfugie à l'intérieur. En une heure, on passe de vingt-cinq à quinze degrés. Heureusement, le salon a deux canapés moelleux, des tapis épais et les murs doublés de panneaux en noyer et noisetier. Le feu de bois est prêt dans la cheminée mais ce serait quelque peu exagéré, pour l'instant. Les grandes fenêtres offrent un beau paysage. Nous sommes sur une colline, avec au loin la Baltique grise et embrumée. Entre la mer et nous, dix kilomètres ou plus de pâtures, de champs de blé, de pommes de terre et d'oignons, de vergers, de granges et d'étables impeccablement peintes en rouge et en blanc, de vaches et de moutons, avec une route secondaire sur laquelle voitures et camions filent en silence. Je remets ma veste. Plongée dans sa lecture, Agneta lève la tête.

« Tu vas marcher ?

– Oui.

– Tu t'ennuies ?

– Non, Agnes. J'ai les yeux fatigués. Je vais me promener. »

J'atteins la route, je la traverse et je m'engage sans hâte sur une prairie. A deux cents mètres, le long de la chaussée, plusieurs maisons s'alignent. Un panneau annonce : LOPPIS. Marché aux puces. Puis c'est un champ en friche, immense, où la bise du nord-est couche les mauvaises herbes et les fleurs sauvages. Plus à l'écart de la route, au bout d'un court chemin, un grand tas de ruines. Briques, gravats, portes et fenêtres fracassées, éclats de verre, chevrons brisés... Le contraste est saisissant, au milieu de la beauté simple de cette étendue de minuscules fleurs multicolores, d'herbes vertes, sépia, argentées, de plantes fragiles, de lichen et de mousse qui couvrent les pierres.

Je m'approche du Loppis. Une table avec des chaises, trois mâts blancs sur lesquels flotte le drapeau suédois. Sur un côté, il y a une enfilade de vilaines cahutes faites de vieilles chutes de bois, de planches sauvées d'un incendie, de grillage sale. Quelques poules, coqs et lapins se tapissent là-dedans. Personne en vue. Je n'entends que le bruit du vent et de mes pas sur le gravier. Une grande tente en toile, rudement secouée par la bise qui fait un bruit étrange en s'engouffrant dedans. Devant, en plein air, une bonne centaine de vélos antiques et rouillés attendent. Aucun ne vaut plus de deux ronds, à mon avis. Un amas de ferraille, et pourtant chacun a son prix dûment indiqué sur une étiquette collée à la selle. Je les inspecte une par une, comparant leur valeur. Pourquoi je fais ça, aucune idée.

J'entre sous l'auvent. Fripes, manteaux sur leur cintre, paniers en osier, montres, lampes, miroirs, rouleaux de fil électrique, poêles, machines à écrire, fers à repasser, sécateurs, sonnettes, interrupteurs cassés... Tout est vieux, abîmé, poussiéreux. Dans une caisse, un assortiment de fouets. En cuir tressé, d'environ trois mètres de long. Une dizaine au fond de cette grande caisse. Au crayon à papier, on a écrit sur le carton : 10 COURONNES. Un dollar et quelques cents. Sur une impulsion, j'en prends un, je l'examine en détail. Il est bien souple, presque neuf. Je l'enroule et je le glisse prestement sous ma veste. Même une couronne, je ne paierai pas. Je veux le voler, ce truc.

Je ressors et je vais sous une autre tente. Toujours personne. On dirait que l'endroit a été abandonné. Ici, il n'y a que de vieux livres en suédois, quelques-uns en anglais, et encore un bric-à-brac inutile de grille-pain hors d'usage, de balances, de corbeilles, de guirlandes de Noël, de breloques. Le sol est couvert de tapis puants. Le vent s'acharne sur les murs de toile, menace de les arracher à tout moment. Certains éléments de ce fouillis me ramènent en mémoire des pages bizarres de ma vie. De vieux microsillons de crooners américains, fin des années 50, début des années 60. A La Havane, mes oncles riches et bien nés les avaient tous, ces disques. Chez eux, il y avait des armoires pleines de 33 tours de chanteurs yankees. Mais eux, ils n'écoutaient que de l'opéra et de la musique classique. Jusqu'à en être écœurés.

Je vois aussi des porte-documents dans une matière qui imite grossièrement le cuir. Sans doute des années 60, 70, couleur crème. Ils me rappellent la Bucarest socialiste. A cette époque, on voyait beaucoup de types dans les rues avec ce genre de serviettes sous le bras, portant des costumes en tergal minable et des cravates en nylon. En général, ils n'avaient aucun papier là-dedans, seulement une tranche de pain frottée d'huile et d'ail, un petit pot de yogourt et un paquet de cigarettes blondes sans aucun goût.

Le troisième centre d'exposition est en dur, celui-là. Briques et pierres. A l'entrée, un modeste comptoir. Quelques tables et des chaises. Il y a du café, des chocolats, des gâteaux, des boissons fraîches en vente. Et du monde, enfin : deux promeneurs venus se protéger du vent gelé et, assis à l'une des tables, un monsieur gros et gras en manches de chemise. Dans les soixante-dix ans. A mon entrée, une petite cloche a sonné. L'homme me jauge lentement. Il y a une nuance agressive et torve dans son regard. Comme si son cerveau ne fonctionnait pas correctement. Je lance : « *Hi !* » Il ne bouge pas. Détourne les yeux, Ignore mon salut.

Plus loin, une femme obèse et minuscule, avec une tête de mongolienne. On dirait la naine des *Ménines*. Elle grommelle quelque chose à l'intention du type et me mate de travers. Elle a un café et un petit pain devant elle. Elle rote bruyamment en pivotant la tête vers moi, et encore une fois en faisant la grimace. L'air est plein de poussière, on la voit très bien dans la lumière qui entre par une fenêtre aux vitres sales. Encore des objets accumulés au fond de la salle : couverts, casquettes, chapeaux, cendriers, stylos sans plume, bouteilles vides, vieux magazines... Plusieurs caisses avec des revues des années 40, leur belle mise en pages, des communiqués à propos de la guerre. Presque tout date de cette époque, ici. Certaines de ces reliques abîmées pourraient servir de décoration mais c'est impossible, elles sont trop rouillées, détériorées. Il y a quelques chandeliers, quelques bronzes qui ont été jadis de toute beauté. Une commode remplie de pierres, de vulgaires cailloux qui n'ont l'air de rien mais un écriteau prévient que chacun d'eux vaut cinq couronnes. A côté, des tiroirs pleins de cartes postales moisies et élimées.

Je ressors sans me presser, les mains dans les poches. Je palpe le fouet en surveillant le gros type et la naine du coin de l'œil. Ils ont retrouvé leur immobilité, leur silence. Je dis :

« *Hi !* » encore. Ils me regardent. Leur attitude exprime une sorte de blâme très désagréable. Je m'attends à ce que le vieux me crie de m'en aller au plus vite, de ne pas revenir et de ne plus jamais lui imposer ma vue.

La clochette tinte encore quand j'ouvre la porte. Je sors à l'air frais. Je reprends l'allée de graviers en écoutant mes pas. J'ai le vent dans la figure, maintenant. Glacé. Il me brûle les joues. De la main droite, je caresse le fouet sous ma veste.

La maison me paraît très confortable, au retour. Accueillante et chaude. J'attrape une cannette de bière et je vais consulter le thermomètre. Quatorze degrés Celsius. J'ai une envie pressante de chier mais au moment où je me hâte vers les chiottes Agneta m'appelle du salon. Elle a un album de photos sur les genoux. D'ici, à la campagne, au fil des ans et des hivers. Dans les premières pages, Agneta et sa sœur sont des petites filles qui jouent dans la neige.

« Ça, c'est le Noël mille neuf cent cinquante-cinq. La neige montait jusqu'aux fenêtres. Deux mètres de haut.

– Pff ! En hiver, ce doit être un congélateur, cette bicoque !

– Quoi ? »

Je serre les fesses pour ne pas me caguer dessus.

« *A freezer.*

– *Yes, but sometimes...*

– Agneta ? Je vais faire dans mon froc.

– J'aime le paysage. En hiver, c'est très différent.

– Moi, ça ne me dirait rien, de vivre ici dans le froid.

– Des fois, on a moins vingt-cinq.

– Je vais me chier dessus, Agneta !

– Viens. On regarde ces photos. »

Elle me tire par le bras pour que je m'asseoie dans le fauteuil près d'elle.

« J'ai trop besoin de caguer ! Tu ne comprends pas ?

– Je ne comprends pas. Qu'est-ce que tu dis ?
– Caguer ! Première conjugaison. Comme “aimer”.
– Je ne sais pas.
– Je dois... y aller. Aux toilettes. »
Et je pars en courant.
« Ah, oui ! *Sorry, sorry.* »
Je m'enferme là-dedans et... oh, quel soulagement ! Je me sens plus léger, d'un coup. Elle est toute petite, cette salle de bains. Je ferme les yeux, je pose le front contre le rebord du lavabo et j'écoute le vent mugir dehors. Il fait vibrer le lambris sur les murs. Une lamentation discrète, persistante, seulement interrompue par les bêlements des moutons. Parce que le soir, ils s'approchent de la maison. Ils arrivent en broutant et s'attardent un moment à mordiller l'herbe de-ci de-là. Avec la bise de la Baltique et les brebis pour fond sonore, je chie encore un peu. Je me concentre pour expulser toute ma merde, j'écoute les craquements du bois et je me sens très vide. Parfait.

12

Je cours dans le bois de bouleaux sans toucher terre. C'est une longue passerelle de planches étroites fixées sur pilotis. En dessous, à un demi-mètre, il y a un étang très sombre, plein de vase. Il ne passe presque personne, par ici, alors les planches se perdent presque dans les herbes hautes, épaisses. Je cours très vite, à l'aveuglette, en écrasant les herbes et en faisant trembler la passerelle sous mes foulées. Je respire fort. Je fuis quelque chose. Quoi, je n'en sais rien. Inutile de savoir. J'ai le souffle coupé mais j'accélère encore, jusqu'à ce que je trébuche et que je tombe dans l'eau. Je m'enfonce dans cette fange noire et froide. Je me débats un peu mais l'eau est trop visqueuse, trop pesante, et elle m'arrive maintenant aux épaules. J'essaie de me raccrocher aux planches mais je ne vois plus rien. La nuit est venue d'un coup. Je suis pris d'une angoisse terrible dans cette obscurité, seul, prisonnier d'un étang glacé. J'ai de la vase jusqu'au menton et je continue à m'enfoncer. Je suis incapable de crier. J'ai ouvert la bouche pour appeler à l'aide mais ma gorge est paralysée par la peur, il n'en sort rien. J'arrive pourtant à extraire les bras de la mélasse, je commence à agiter les mains désespérément et...

Je me réveille. Mes mains affolées dans l'air. Je pousse un

cri, complètement sorti du sommeil. Agneta se redresse en sursaut à ma gauche. Sans le vouloir, je lui ai donné un coup sur le nez et elle gémit « oh, oh ! » en se tenant le pif. Elle essaie d'empêcher le sang de couler. Elle a reçu un sacré pastisson, apparemment.

« Je t'ai frappée ? Je t'ai fait mal ?

– Oh oui, plein de fois ! Plein de fois ! »

Je ne peux m'empêcher de rire. Encore sous le choc du cauchemar, j'arrive pourtant à me réjouir de la voir ensanglantée, blessée. Le fils de pute surgit en moi aux moments les plus inattendus. Mais elle se surveille tellement, Agneta, elle a une vie tellement aseptisée que c'est bien qu'il lui arrive quelque chose, de temps à autre.

Elle doit se lever en chouinant. Elle va prendre du coton. Moi, je pars à la cuisine boire un verre d'eau. Il fait déjà jour. C'est insupportable. Trois heures du matin et la lumière est là. A onze heures du soir, la nuit daigne enfin tomber. Je vais pisser, je reviens à la chambre. Agneta est assise dans le fauteuil, la tête basse, en pleurs. Si cela avait été Gloria, je lui aurais retourné une autre baffe et je l'aurais enfilée sur-le-champ, dans cet état, en léchant son sang pour avoir son goût dans ma bouche, tel Dracula. Et elle, ça la rendrait folle et elle me dirait : « Mets-la-moi à fond, purée, bats-moi encore, encore ! » Et à chaque gifle elle aurait un orgasme, et je continuerais à boire son sang. Mais elle est *crazy*, Gloria, et elle réveille en moi ce que j'ai toujours été.

Tout ça défile dans ma tête tandis que je contemple Agneta en train de sangloter et de contenir sa très modeste hémorragie nasale. Je me tripote un peu la pine et elle se gonfle. La vérité. J'ai des désirs de la baiser, de lui coller encore deux torgnoles pour qu'elle continue à saigner, qu'elle arrête d'être aussi chiante et minable. Mais je me contiens. Si je me laisse emporter, je serai de retour aux Caraïbes bien plus tôt que prévu. Dans les vingt-quatre heures. Alors non, Pedro Juan. Du calme, papito, du calme. Ce n'est pas sa faute si elle est tellement délicate, tellement chochotte, tellement bête. Allez, Pedro Juan, respire un bon coup, petit, et ne t'égare pas. Voilà, c'est passé, fiston, c'est fini. Calmos.

Je souffle, je me détends. Je retourne à la cuisine boire encore. Je regarde un instant le petit cimetière par la fenêtre. Je ferme les yeux, je me concentre quelques secondes puis je retourne dans la chambre avec un verre d'eau. Tout gentil :

« Allez, Agneta, c'est fini.

– Oh, oh... »

Le coton est plein de sang. J'ai dû la cogner vraiment fort, donc. A nouveau, j'éclate de rire. Trop bruyant pour un petit matin suédois.

« Oh, Pedro Juan, pourquoi tu ris ? Les voisins peuvent entendre. Ils vont se plaindre. Pourquoi tu es amusé ? J'ai très mal.

– Ah, pardonne-moi, doudou ! Je t'ai cognée salement ? Excuse, mon cœur. C'est à cause d'un cauchemar.

– Oui, oui. Des coups. Plein de fois. »

Comme toujours dans les moments difficiles, elle perd son espagnol, n'arrive plus à construire ses phrases.

« Plein de fois, hein ? Oh, comme c'est triste.

– Oui.

– Ah, ah, ah, ah, ah, ah... »

Je ne peux pas me contrôler. Nouvelle crise de rire, tout aussi assourdissante.

« Oh, mais comment est-ce possible ? Ne rie pas, s'il te plaît. Pas de rire.

– Ah, ah, ah, ah, ah, ah... »

C'est plus fort que moi. Elle sourit, en se forçant. Quand j'arrive enfin à me calmer, je me sens parfaitement bien.

« Voyons voir, doudou. Relève le blaze.

– Qu'est-ce que tu dis ?

– La tête en arrière, Agnès. La tête. En arrière. »

Je prends un autre coton, je l'aide, je lui caresse les cheveux et voilà. En deux minutes, son nez s'est arrêté de saigner. Je jette un coup d'œil au réveil. Quatre heures et quart. J'ai sommeil. J'arrive à la convaincre de se recoucher avec moi. Je me noue un mouchoir sombre sur les yeux. Je la touche un peu. Elle est nue, moi aussi. A onze heures la veille, quand on s'est mis au lit, on a tiré un bon coup et maintenant je bande à nouveau. Elle me plaît, cette salope. Je lui prends la main pour qu'elle caresse ma bestiole. Elle aime. Elle le fait avec une grande douceur, elle devient comme une chatte. Elle en ronronnerait, presque. Bon, comme ça les baffes et le pif en sang sont déjà oubliés.

« Allez, Agneta, ça va. Je tombe de sommeil, moi.

– Oui, oui. Dors. Excuse.

– Quoi ?

– Excuse. *Sorry.*

– Endors-toi et arrête avec tes excuses parce que je vais te donner de la pine à sucer sur l'heure, de quoi perdre tes bonnes manières.

– Pardon ?

– Rien. Dors. »

Le réveil sonne à sept heures. Je sens Agneta contre moi, bien tiède. Je la caresse, je l'embrasse. Elle me répond avec la bouche serrée mais je lui mets la langue, moi. J'aime l'haleine du matin. Elle, ça la bloque. Elle est aseptisée au point qu'elle ne comprend rien aux odeurs. Je descends à son con. Il sent très fort, avec tout ce jus de la nuit dernière. Je me dis que je suis en train de sucer un cimetière de spermatozoïdes. Bonne odeur, goût meilleur encore. Je la langote jusqu'à lui faire quitter terre. Je suis comme Saturne, dévorant mes propres enfants. Je l'ai envoyée dans une autre galaxie. Elle jouit, jouit à nouveau, jouit. C'est le moment de l'enfiler. La vache, quel pied elle prend ! Elle ferme les yeux et elle s'en va. Elle se laisse tringler. Je la bourre longtemps, jusqu'à ce que je vienne moi aussi, en soufflant comme un cheval.

Pfff ! Cet appartement fermé comme un coffre-fort ! J'étouffe. Claustrophobe, d'un coup. Je me lève d'un bond, je m'enveloppe dans le peignoir en velours. Huit heures moins vingt sur le réveil. Je vais ouvrir la porte du balcon. De l'air, putain de mes deux ! De l'air ou je crève ! Je ne supporte plus ces rideaux toujours tirés, ces fenêtres toujours closes ! Vingt degrés au thermomètre. Les jardins sont verts, le soleil brille, le silence et le calme règnent, le ciel est bleu, les oiseaux chantent et... personne en vue, absolument personne. Où ils se cachent, tous les Suédois du coin ? Des fois j'imagine qu'ils ont des tunnels secrets et qu'ils se déplacent sous terre, comme des taupes.

Je passe à la cuisine. Je prépare mon café, son thé. Agneta surgit en courant, désespérée :

« Je crois que je n'aurai pas le temps. Oh.

– Ces parties de jambes en l'air matinales sont une atteinte à la stabilité professionnelle.

– Ooohh, je ne comprends pas ! Plus tard, s'il te plaît.

– Le thé. *It's ready.*

– Ce ne sera pas possible. »

Elle me donne un baiser, deux, trois, et elle se jette dans les escaliers. Le prochain train est à 7h56. Elle peut l'avoir mais elle sera très en retard au travail. Elle devrait arriver là-bas vers huit heures et demie, si je calcule bien. Il faut que je fasse plus attention aux baises du matin. S'ils la vident, je ne me le pardonnerai pas. On peut être fils de pute, d'accord, mais pas à ce point.

Resté seul, je sors sur le balcon. Air pur et café. Soudain, sans même y penser, je repars dans la chambre. Dans un coin sur le sol, j'étends mon foulard rouge. Dessus, je pose un petit verre de vodka, un cigare, mes colliers de Changó et d'Obbatalá. J'allume une chandelle et j'installe les petites images votives que j'ai apportées avec moi : Santa Bárbara, San Lázaro et la Caridad del Cobre. Je consacre, je prie. J'invoque aussi l'Africain et l'Indien. Un frisson me parcourt : quelqu'un demande de l'eau. Je ramène un verre, que je consacre également, avec certaines prières que je connais par cœur. Quel dommage que je n'aie ni herbe du Vainqueur, ni myrrhe, ni basilic... Je lis trois fois l'invocation au Juge suprême pour les hommes, que Gloria a recopiée pour moi sur un papier quelques jours avant mon départ de la Havane : « (...) Je vois arriver mes ennemis mais à trois reprises je répète : "Ils ont des yeux et ne me voient pas, des mains et ils ne me touchent pas, une bouche et ne me parlent pas, des pieds et ne m'atteignent pas." »

13

A la télé, ils repassent très souvent le combat de Floyd Patterson contre le Suédois Ingemar Johansson à New York, en 1959. Ses compatriotes gardent un souvenir ému de cette râclée. Johansson envoie le Noir au tapis. Il se relève. Crochets du droit, au tapis. Il se relève. Encore des crochets, un direct à la mâchoire, au tapis. Jabs dans le foie. Au tapis. Ils s'acharnent sur ces séquences, les repassent en boucle jusqu'au moment où l'arbitre déclare l'Américain K.-O. Ensuite, on voit les deux aujourd'hui, quarante ans plus tard. Vieux, gros, souriants, ils évoquent la rencontre au Madison Square Garden. Ils sont devenus amis, depuis. Patterson est venu à plusieurs reprises en Suède, il a appris la langue et s'est marié avec une blonde du cru, très blanche. A chaque fois, Johansson termine par la même formule : « *A champion always is a champion.* » Les journaux publient des photographies de l'époque. Sur l'une d'elles, on voit Frank Sinatra et Floyd Patterson, très jeunes, devant un bar de Stockholm la nuit, tout sourires.

J'aime bien regarder ces films, ces clichés. J'avais huit ans, en ce temps-là, et mes parents mangeaient de la vache enragée. On vivait dans un tout petit appartement de Matanzas, avec un balcon minus, dont le seul avantage était qu'il se trouvait à dix mètres de la mer, de toute la baie. C'était un immeuble entièrement divisé en logements minuscules, avec deux toilettes communes. Il y avait là des Libanais, des Espagnols, des Polonais, un vieux flic, un marin à la retraite, une paire de vieilles putes hors d'usage... Bref, un tas d'épaves dans un bâtiment avec vue imprenable. Mais il y avait aussi une putain très recherchée, Zoïlita. Le même prénom que ma mère. Les hommes lui envoyaient des messages sur des bouts de papier : « Je suis au bar de Mayito, Zoïlita. Rappli-que ! Ernesto », ou dans le genre. Ils chargeaient des gamins de les lui porter et parfois ces derniers se trompaient de porte. Ou bien ils demandaient : « Où elle habite, Zoila ? » et on leur montrait l'entrée de notre appartement. La première erreur de ce genre s'est produite un soir, vers six heures. Mon père était à la maison. Je ne veux pas me rappeler la colère qu'il a piquée. Je ne dois pas. Pour un peu, il aurait tué ma mère sur place. Par chance, cependant, elle avait l'esprit vif : en deux minutes, elle a compris ce qui s'était passé. Elle est sortie sur le palier, elle a hélé le petit qui dévalait les escaliers. Il ne s'est pas arrêté. Alors, elle est allée frapper à la porte de Zoïlita. Très calme, elle lui a poliment remis le message :

« Ceci est pour vous, señora ?

– Ah oui, pardon ! C'est que les pitchounes, ils ne savent pas que...

– Nous avons le même prénom, mais je suis une femme respectable.

– Ah, c'est pas grave !

– Pour vous non, pour moi si. Expliquez bien à vos amis où vous habitez. Je ne veux plus d'incidents. »

Cela n'a pas empêché les gosses de continuer à se tromper

mais un fait avait été établi, clairement : la putain, c'était l'autre Zoila, pas ma mère.

J'adorais ce quartier. J'y étais à l'aise. J'avais des amis en pagaille. Ils sont presque tous partis à Miami, par la suite. La nuit, ils volaient des yachts ou des hors-bords amarrés aux pontons du Club nautique et ils téléphonaient de Floride deux jours plus tard. Nous, on est restés là, avec nos passeports et nos visas en règle... Mais c'est une autre hitoire. Ce que je voulais raconter, c'est qu'au rez-de-chaussée habitait l'un des êtres les plus malheureux et malchanceux que j'aie jamais croisés. Concha. Si j'écrivais un roman basé sur sa vraie vie, ce serait un bide total : personne ne pourrait croire à une pareille avalanche de sales coups, du berceau jusqu'à la tombe. C'était une femme démolie, que le sort avait écrasée comme un vulgaire cafard. Elle était institutrice rurale dans un petit bled au diable-vauvert. Elle s'en allait à l'aube, rentrait chez elle après la nuit tombée. Trois ou quatre soirs par semaine, elle avait la visite de son amant de toujours, Cheo, un type lourd, ventru, grossier, la cinquantaine. Pour tout dire, il avait une mobylette Cushman rouge qui lui ressemblait comme deux gouttes d'eau. On aurait dit deux jumeaux, la moto et lui. Entre nous, l'antipathie était réciproque. Mais le seul téléviseur de tout le quartier, un Hotpoint disgracieux avec un écran tout petit, c'était un cadeau de Cheo à Concha. Alors je descendais, je saluais Concha, j'ignorais Cheo et je m'installais devant la boxe. Combats de professionnels, en dix rounds. Impressionnant. Des fois, c'était en direct du Madison. Et Cheo me détestait parce que j'arrivais la bouche en cœur, que je ne lui jetais même pas un regard, lui, le propriétaire de la télé, et que je me voyais tranquillement tous les combats, jusqu'au dernier. Des années plus tard, j'ai pensé que le bonhomme aimait peut-être tringler Concha pendant la retransmission des rencontres de boxe et que je dérangeais donc ses plans. Mais comme disait mon grand-père, Dieu est le seul devin... Moi, je devais faire un effort pour supporter l'odeur de merde et de pisse des chats et des chiens de Concha, et encore plus les airs mauvais de ce vieux salopard.

Ces soirées-là ont été mon initiation. Ensuite, à l'armée, j'ai commencé à pratiquer la boxe. Au risque de paraître prétentieux, j'avais une technique très élégante, et efficace. Ils m'avaient surnommé « Le Dandy ». Mais mon punch manquait de force. L'entraîneur me le répétait sans cesse : « Moins de finesse et plus de muscle ! » Et maintenant, en regardant la bagarre entre Patterson et le Suédois, je me suis souvenu de tous ces détails... Je me fais vieux, c'est clair. Les jeunes n'ont rien à se rappeler. Alors que moi, des souvenirs, j'en ai plein, et même trop. Quoique je préfère considérer l'aspect positif du truc : une mémoire puissante, c'est comme une racine qui plonge loin. Elle ramène plus de sève au corps. Et ce jus m'envahit, me nourrit.

Agneta téléphone, m'arrachant à tout cela, à ces bêtises qui ne me menaient nulle part, de toute façon.

« Tu pourrais m'accompagner à la prison Saint-Jacques, cet après-midi ?

– Saint-Jacques ? C'est où, avec un nom pareil ? En France ?

– Non, ici.

– Pourquoi elle s'appelle comme ça ?

– Je... Je ne sais pas. Tu pourrais ?

– Ah, une taule... C'est pareil que la morgue, pfff ! Je sais pas trop... Tu as quelqu'un qui a plongé ? Un frère, un cousin ?

– S'il te plaît, Pedro, s'il te plaît ! Dans ma famille... Aaaah.

Bon. Je fais partie d'une association d'entraide qui.. Après, je t'explique. Je dois apporter des livres et des journaux. J'ai besoin de toi. Ce sont trois grands sacs très lourds.

– Oh, dans ce cas...

– Je n'aime pas y aller seule.

– Tu as peur qu'ils te violent, qu'ils te tuent ?

– Je ne crois pas. La sécurité est excellente. »

Ah, purée ! Elle ne comprend jamais rien. Elle prend tout au pied de la lettre.

« D'accord, d'accord. Je vais venir te filer un coup de main. »

Elle me donne des explications hyper-détaillées sur notre rendez-vous.

« Et s'il te plaît, Pedro Juan, sois à l'heure.

– Evidemment. Quoi, je ne suis pas ponctuel ?

– Des fois non.

– Mais des fois si. Ah, ah, ah, ah !

– Ah, ah, ah. »

Elle s'est enfin détendue un peu. A l'heure dite et au lieu dit, on se retrouve. On prend le train et à cinq heures quarante-cinq pétantes Agneta sonne à la porte principale de la prison Saint-Jacques. On lui pose des questions à l'interphone, elle répond. On attend deux minutes, en levant le visage vers la caméra de surveillance pour leur faciliter la tâche. La porte s'ouvre automatiquement et nous entrons dans une petite prison bien propre, un unique bâtiment de quatre étages peint en beige clair et en blanc. Un haut mur couronné de barbelés l'entoure. Toutes les fenêtres ont des barreaux blancs. Il y a une pelouse, des plate-bandes immaculées, des arbres, des fleurs, deux terrains de sport. Coquet, léché. Une jeune femme splendide et très virile nous reçoit. Elle s'appelle Pernilla, d'après la petite plaque accrochée au-dessus du sein. Mon regard descend du badge à son cul. Ferme, nerveux. Elle ne doit aimer que par-derrière, celle-là.

Ils nous passent évidemment au détecteur à métaux, inspectent nos sacs et nous collent un badge de visiteur avant de nous laisser continuer dans une succession de couloirs. Un escalier. Tout est impeccable. Les grilles s'ouvrent devant nous grâce à la carte magnétique dont Pernilla est munie. Elles se referment de la même façon et ça, c'est très inquiétant. J'ai une certaine expérience en la matière. Nous avons déjà passé cinq grilles. Quartier de sécurité moyenne. Je sais que nous nous engageons dans un labyrinthe qui, à chaque pas, devient un cauchemar claustrophobique. Pourquoi je me suis mis là-dedans, bordel ? Des souvenirs reviennent en force, extrêmement désagréables. J'arrive à me contrôler en me répétant une idée toute simple : je suis ici pour apporter quelques bouquins, je serai dehors dans quelques minutes. Calmos, Pedro Juan, tout va bien.

Nous finissons par arriver à la salle de loisirs qui visiblement fait aussi office de chapelle luthérienne, de temps en temps. On doit attendre quelqu'un qui va encore inspecter les sacs, nous signer un reçu et prendre possession du chargement. Pernilla va le chercher. Je ne sais pas pourquoi mais j'imagine que ce sera un aumônier grave et onctueux, tout de noir vêtu.

A part nous, il n'y a qu'une personne dans la salle. Un type aux habits d'un gris fatigué. Il a une tête de taulard et il joue au billard, tout seul. Quand nous sommes entrés, il ne nous a même pas regardés. Agneta s'assoit dans un coin, près d'une fenêtre. Je m'approche d'une étagère. Plusieurs jeux de société, aux brêmes sales et malmenés. Deux jeux de cartes. Des journaux trop manipulés. Ce qui est intact, flambant neuf, ce sont les dix bibles et les dix recueils de psaumes alignés là. Je me dis que l'aumônier ne doit pas avoir la tâche facile. Je lance un coup d'œil au type et là nos regards se croisent. D'un geste du menton presque imperceptible, il m'invite à jouer avec lui. Je lui souris pour qu'il se décrispe.

« *Yes, sure !*

– *Do you speak English ?*

– *Yes.*

– *Good. Welcome.* »

Il manque des boules, le tapis a trois accrocs et il n'y a qu'une seule queue. On convient d'une méthode et on commence. Je marque au premier tir. Cela fait des années que je n'ai pas joué mais c'est une passion, le billard. Surtout les calculs pour les carambolages. C'est un jeu qui demande beaucoup de précision, beaucoup de pratique. Pendant que je me concentre sur le coup suivant, le type me demande :

« Tu es nouveau, ici ? Tu es Suédois ?

– Je suis Cubain.

– Fuuuiii...

– Je suis seulement de visite. J'ai apporté des livres, des revues.

– Tu parles suédois ?

– Non. Je suis venu avec elle. C'est ma fiancée.

– Mmm. »

On continue. En silence. Agneta est en alerte, je le sens, mais elle ne bouge pas d'un cil. C'est à mon tour de m'informer :

« Tu es ici depuis combien ?

– Six ans et demi.

– Et ils t'ont donné ?

– Trente.

– C'est beaucoup. Meurtre ?

– Oui. »

Il reste quatre boules sur le tapis. Deux et deux. C'est mon tour. Tout en cherchant ma position, je lui demande :

« Et comment ça s'est passé ?

– Quoi ?

– Comment tu t'y es pris ?

– J'étais bourré. Un coup très fort. A la tête. »

Je le regarde dans les yeux. D'un geste brusque, il enfonce son poing droit dans son autre paume. Son visage exprime la fatigue et la haine.

« Qu'est-ce qu'il t'avait fait ?

– Il tournait autour de ma femme.

– Et elle ?

– Je sais pas. Veux pas savoir.

– Trente ans pour une minute de rage.

– Mauvais plan. Si c'était à refaire, pareil.

– Tu recommencerais ?

– Positif.

– Tu as des amis ?

– J'ai personne. Ma femme a disparu. J'ai pas une visite.

– Pas une seule ? En six ans et demi ?

– Jamais. Personne. Rien. »

Je tente de me concentrer à nouveau sur la boule. Je voudrais terminer la partie mais Pernilla revient à cet instant, accompagnée d'un gros policier à l'air mal embouché, comme si on venait de le réveiller. L'élégant aumônier n'existait que dans mon imagination, donc. Agneta m'appelle. Allez savoir pourquoi. Je demande au type de m'excuser. Le policier nous salue d'un geste et entreprend de vider les sacs. Il vérifie tout, remplit un reçu, le signe, le tend à Agneta, nous tourne le dos et s'en va sans dire au revoir. Il n'a pas ouvert la bouche une seule fois. Pernilla, Agneta et moi, on range les livres, les magazines et les journaux sur les étagères. Le premier que je prends, un bouquin en anglais, a un titre un peu couillon pour être offert aux taulards de Saint-Jacques : *Free Live Free*. Au moment où nous allons repartir, je reviens rapidement au type et je lui serre la main avec un sourire :

« *Good luck, man.*

– *Thank you, man.* »

Pernilla dit quelques mots à Agneta. D'un ton très autoritaire. Je n'ai pas compris, évidemment, mais je sens sa rancœur. Nous refaisons tout le parcours en silence. A l'entrée, Pernilla nous laisse sans prendre congé. On retraverse le jardin, le poste de garde. Enfin dans la rue. Très fâchée, Agneta se tourne vers moi :

« De quoi tu parlais avec cet homme ?

– Rien. Des bêtises.

– En anglais ? Tu peux parler de bêtises en anglais ?

– Il n'y a que ça dont je puisse parler, en anglais.

– Il est interdit de communiquer avec les prisonniers. Ils m'ont dit que tu devras attendre dehors, à l'avenir. Tu n'es plus autorisé à entrer.

– Qui c'est qui t'a dit ça ? Pernilla ?

– Qui est Pernilla ?

– La fille qui nous accompagnait.

– Comment sais-tu son nom ?

– C'était sur son badge. Tu ne l'as pas vu ?

– Je n'ai rien vu, non.

– Tu ne vois jamais rien, Agneta ! Bon... Inutile d'insister. Donc, je n'ai plus le droit d'entrer et on ne peut pas parler aux prisonniers.

– Voilà.

– Pourquoi ?

– Ils sont dangereux. Ce sont presque tous des assassins.

– Comme ce type.

– Oui ?

– Eh oui. Il a tué un mec.

– Oooh, mais il est très dangereux, alors... Et toi qui joues au billard avec...

– J'aurais agi pareil que lui.

– Toi ?

– Oui. Et là, je serais enfermé à Saint-Jacques, avec une peine de trente ans. »

14

Au petit déjeuner, je me contente d'une tasse de café noir. Agneta, elle, prend des céréales et du lait caillé, du thé, une tranche de pain avec du fromage. Tout en lisant le journal. La même chose tous les matins. J'ai l'impression que cela fait des années, et c'est horriblement ennuyeux. En réalité, nous sommes ensemble depuis moins de deux mois.

On termine. Elle m'embrasse et s'en va en courant. J'allume la radio, je me lave les dents, je me rase. J'enlève le peignoir et je me regarde dans la glace. J'ai minci. Je me pèse. Soixante-quinze. C'est bien. Ça me réussit, d'avoir laissé tomber pour un temps le riz aux fayots. Ici, c'est plus nutritif. L'abus d'hydrates de carbone est une cata. Je me regarde encore et je me masse un peu la pine. Elle grossit, s'allonge. Si je n'étais pas si vieux, je pourrais gagner quelques ronds en faisant des photos pornos. J'ai encore une belle bite. « Pine d'Or », on m'appelait à La Havane il y a quelques années. Bon. Je m'habille. Une chanson en espagnol passe à la radio :

Impossible de faire
Machine arrière
Oublier, oublier.

Animal tropical

Rien ne reste derrière,
Oublier, oublier...

Ce doit être un *salsero* portoricain du Bronx. Pas mal névrosé, le gus. J'éteins. Je lis ce que j'ai sous la main. Je tombe là-dessus : « L'amour naît des gestes d'amour. » C'est un proverbe français, je crois. C'est ce qui est arrivé avec Gloria, en tout cas. Tout a commencé par un désir érotique. Un peu de libido, simplement. Au début, j'ai pris soin d'interdire à l'amour d'approcher. Mais les petits « gestes » ont commencé, tout de même : des fleurs, quelques livres pour son gosse, un dîner ensemble, des brûloirs à encens pour ses saints, une conversation sur la religion. Et surtout, la liberté. C'est le plus important, ça. Elle me laisse libre et moi de même. Laisser sa liberté à l'être aimé, c'est une preuve d'élévation spirituelle. Et puis tout a changé, peu à peu. Maintenant j'ai la solitude, la distance, le silence et tout le temps nécessaire pour réfléchir. Aucun problème autour de moi. Que va-t-il se passer à mon retour ? Au fond, je voudrais Gloria pour moi seul. Je n'ai pas envie de la partager. Et je crois qu'elle éprouve la même chose à mon égard. Je suppose. Je ne sais pas...

Est-ce que ce sera pareil avec Agneta ? Il y a trop de gestes d'amour, entre nous. Répétés. Etablis. Mais je ne pense pas que cela ira plus loin. Le cœur ne se divise pas en morceaux. La seule certitude, dans ma vie, c'est le désordre. La seule constante. Désordre, chaos, embrouilles... J'ai toujours cru que je finirais par devenir adulte un jour, que tout ça s'arrêterait et que je pourrais avoir une vie plus tranquille. Et là, justement, je lis ce que Colette disait à Truman Capote un jour, à Paris : « C'est ce que ni l'un ni l'autre d'entre nous ne pourra jamais être, adulte. Voltaire, oui, même Voltaire a gardé un enfant en lui toute sa vie, un enfant jaloux et venimeux, un petit chenapan obscène qui n'arrêtait pas de se renifler les doigts. Et il l'a emporté dans sa tombe, ainsi que nous le ferons tous à notre tour. »

La sonnerie du téléphone m'interrompt. C'est un journaliste brésilien du magazine *Bravo.* Il m'appelle de São Paulo. Un de mes livres va sortir là-bas à l'automne. Il m'interviewe, plus d'une demi-heure. Et je réponds, moi. A un moment, il me demande :

« Pour moi, votre roman est sincère, sans complaisance ni concessions politiques. Comment a-t-il été reçu ?

– Je n'ai aucune raison de me montrer complaisant, ni de faire de concessions. Fondamentalement, un écrivain est quelqu'un d'aigri, de perdu, qui n'a d'explication à rien et qui se fiche qu'on le comprenne ou non. De plaire ou non. D'inspirer de la sympathie ou de la haine. D'avoir plein d'argent ou de mourir de faim. Si tu es écrivain, tu dois savoir que telle est la règle du jeu. Autrement, tu n'es qu'un clown. Et il y aura toujours quelqu'un pas loin de toi pour essayer de te transformer en clown. »

Le ciel reste couvert. Pas un rayon de soleil, et on est le 1er juin... Tu parles d'un été. La journée s'écoule lente, lisse, accablante. Parfait pour quelqu'un qui veut être un cadavre ambulant. C'est affreux. L'angoisse m'envahit. Agneta revient à cinq heures et demie. On va se promener dans le petit bois entre les canaux. Trente minutes. On rentre. J'ai les mains, la figure gelées. Je vais vérifier le thermomètre au moins cinquante fois par jour, ici. Quinze degrés, maintenant. Génial, l'été ! J'allume la télé pour essayer encore de trouver du cul sur les chaînes câblées. Une demi-heure à chercher, sans résultat. Je feuillette à nouveau le guide qu'ils ont envoyé avec le boîtier.

« Merde ! Pas de porno !

– Ah, Pedro Juan, mais ça te plaît vraiment, ça ?

– Mais oui !

– On peut regarder CNN. »

Je suis atrocement déçu. Moi qui pensais me faire un film de cul tous les jours. Bon, c'est la vie... Illusions perdues, comme dans les boleros... Une idée, soudain :

« Agneta, mon amour, on est vendredi. Si on sortait ?

– Comme tu veux.

– On va danser.

– Je ne sais pas danser.

– Tu "dois" danser !

– Je connais une boîte de musique cubaine. La Habana.

– Non. C'est trop cher.

– Tu connais ?

– Bien sûr. C'est plein de Noirs de La Havane. Des potes à moi.

– Ooooh.

– Pff... Allons à La Salamandra Loca. Ils sont moins voleurs.

– Je ne sais pas où c'est.

– Moi si. »

En route pour La Salamandra Loca.

15

Cette nuit-là, on n'est pas rentrés à la maison. A La Salamadra Loca, on tombe sur un couple très mal assorti. Elena, une jeune Sévillane pleine de vie, aimant la rigolade, une collègue d'Agneta, et son mari, un Suédois chauve qui doit avoir trente ans de plus qu'elle et qui ne sait pas danser. Costume noir, chemise blanche et cravate grise. Il me dit qu'il s'appelle Svensson et qu'il est directeur commercial d'une chaîne de grands magasins. Moi, je vais danser la salsa avec l'Andalouse en plein milieu de la piste et on s'amuse beaucoup. Quand Agneta semble trop jalouse, je dansote avec elle. Svensso n'essaie même pas.

A trois heures du matin, la Sévillane annonce, catégorique : « Vous venez à la maison et vous restez dormir. C'est tout près. On prend le petit déjeuner ensemble demain. » D'accord. On part à pied. Le jour se lève sur Stockholm et il ne se passe rien. Si, quelques bagnoles de collection, années 50, Chevrolet, Cadillac, Ford, remplies de saoulards en train de gueuler. Et un gus qui colle des affiches pour un concert de heavy metal.

Chez Svensson et Elena, on boit encore quelques verres. Agneta préfère une tasse de lait tiède. Et on se couche dans la petite chambre qu'ils nous ont prêtée. Quatre heures du matin, ciel bleu et grand soleil. Agneta s'endort instantanément mais je n'ai pas sommeil, moi. Je m'assois devant la fenêtre. En face, il y a un club pour adultes. Quelques types en sortent, très furtifs. Si j'avais les clés d'ici, j'irais boire un dernier pot, l'avant-dernier avec les Thaïlandaises. Ils sont tous pareils, ces clubs : une petite boutique porno avec un escalier au fond, gardé par un Joe Palooka aux muscles dissuasifs ; dix marches en contrebas, c'est le bar, l'alcool le plus cher du monde, de la musique, presque pas de lumière et des filles de tous les genres, à prix fixe. Sans doute les putes les plus chères du monde, également. Même les capotes sont les plus chères du monde, ici.

Soudain, une belle voiture noire s'arrête devant le club. Deux dames thaïlandaises très minces, très professionnelles, très élégantes, qui portent bien la cinquantaine, entrent en hâte. Elles ressortent trois minutes plus tard, avec deux employés chargés de gros sacs en plastique. Draps et toilettes sales. Ils les chargent dans le coffre de l'auto sous la direction de la plus âgée des Thaïs. C'est une femme énergique, le genre de nana qui peut aussi bien régner sur un bordel que conduire le bloc d'opposition au Parlement. Elle perd de son élégance, cependant, parce qu'elle est très en colère. Elle houspille les types, les pousse, fait mine de les gifler. Ils se laissent faire sans broncher. Enragée, elle saute dans la caisse et s'en va comme une fusée. Il y a quelque chose qui cloche dans ce club, c'est clair. Cette dame aurait besoin d'un administrateur plus énergique. Je me couche, je ferme les yeux et je m'endors en une seconde.

Je me réveille avec le cou douloureux, la langue pâteuse. Crevé. En allant aux toilettes, je rencontre Elena. Elle est déjà debout, prête à continuer la rumba même s'il n'est que neuf et demie du matin. Infatigable. Elle a sommeil et pourtant elle continue à parler sans arrêt et à rire de n'importe quoi. C'est admirable. Avec un mari comme Svensson, moi, je pleurerais toute la journée.

On prend le petit déjeuner. Sur un guéridon, il y a une maquette, un squelette de dinosaure. Je le regarde, uniquement pour regarder quelque chose, parce que j'ai une gueule de bois de première. Svensson s'en mêle :

« Il vous intéresse, le dinosaure ?

– Hein ?

– Le dinosaure.

– Ah oui...

– Il y a toute une philosophie là-dedans. J'en ai un autre sur mon bureau, au travail.

– Oui ?

– Ils ont disparu voilà des millions d'années. Ils ne sont plus nécessaires. Tout est bien sans eux, peut-être mieux. En tout cas pour nous. On est mieux sans des animaux aussi gigantesques. Mais bon, nous aussi, nous pouvons disparaître. Et tout continuera comme avant. Ou en mieux. Ce qui signifie que tout peut arriver, cher ami. Tout. Et que nous ne devrions pas nous prendre tellement au sérieux.

– Très bien, Mr Svensson. Merci de nous avoir fait partager vos réflexions. »

Il est satisfait de son exposé, absolument convaincu de l'originalité de ses brillantes idées, à un point qui contredit sa conclusion. Il se prend énormément au sérieux, lui. Et si la Sévillane le plaque demain, il tombe en morceaux et il se colle une balle dans la tête. Ça se voit à la manière dont ses mains tremblent. Il a dû lire dans mes pensées, et je reconnais qu'il est fûté, parce qu'il me dit :

« *Flowers every Friday. That's the secret.* »

Depuis le début, on communique dans un mélange d'espagnol, d'anglais et de suédois.

« Comment ?

– Chaque vendredi, depuis sept ans, j'offre un bouquet de fleurs à mon épouse. »

Elena confirme d'un signe de tête, en souriant. Très contente.

« Lorsque Elena rencontre les femmes de mes amis, elle leur demande si leur mari leur offre des fleurs, aussi. Elles, elles disent non. Alors Elena leur dit : "Eh bien le mien, si. Sans exception. Quoi qu'il arrive, j'ai mon bouquet tous les vendredis." »

Je me tais, les yeux sur lui. Il est prêt à me sortir ses conclusions triomphalistes, je le sais :

« *So it's an excellent investment.* Il ne faut jamais économiser là-dessus, cher ami. J'investis un jour par semaine et je récolte les bénéfices les six autres. C'est le secret de notre bonheur. »

On reste tous silencieux. Satisfaits, amoureux, épanouis, Elena et Svensson beurrent leur toast en se couvant du regard. J'aimerais pouvoir entrer dans la tête de cette femme. Comment peut-elle supporter un type pareil et en plus feindre la félicité, la sérénité ? Un tel mari aurait de quoi rendre folle, entraîner dans la dépression ou pousser au suicide la plupart des femmes. Mais peut-être que non. Peut-être qu'il a réussi le lavage de cerveau parfait, qu'il l'a imprégnée de son pragmatisme minable.

Le silence s'éternise. Je brûle de dire au revoir et de foncer au métro. Mais l'envie de provoquer un peu m'assaille :

« Vous avez un club pour adultes, en face.

– Mmm.

– Mais c'est très calme. Il n'y a que des Thaïlandaises, quasiment. »

Svensson ignore le sujet, très absorbé par la confiture. Elena, par contre, réagit :

« Quoi, les filles du club ? Non : elles viennent de partout. Il y a même des Suédoises. »

Agneta, encore somnolente, ne manifeste aucun intérêt. Elena m'interroge :

« La prostitution, ça t'intéresse ?

– Moi ? Eh bien, formulé comme ça...

– Non, non, attends que je t'explique. Tout le monde parle des prostituées, sauf elles-mêmes. C'est un fait sociologique. Qu'il faut étudier.

– Ah, je ne sais pas...

– Moi si. J'en connais un rayon.

– Ah...

– Je te raconte. Il y a deux ans, un centre d'études sociales de Stockholm a organisé un séminaire sur la prostitution. Je n'ai pas manqué une minute de ça. Psychologues, sociologues, juristes, tous sont venus donner leur avis. Dire que c'est la pauvreté qui oblige les femmes à faire le trottoir, etc. Et qu'il n'y a pas de programme de réhabilitation vraiment sérieux. A un moment, une très belle femme se lève, habillée un peu... extravagant, et elle dit : "Vous savez quoi ? J'en suis une, de prostituée. Depuis toute jeune. Depuis plus de vingt ans, peut-être trente. Et j'aime, j'adore mon métier. Ça me plaît. Rien de ce que vous dites n'est vrai. Ces histoires de chômage, de crise... Rien du tout ! Je suis prostituée parce que j'aime mon métier. Je suis brésilienne et je me plais en Suède. Je ne chercherais pas à faire autre chose." »

On a terminé le petit déjeuner et on est sortis dans un petit jardin qu'il y avait derrière. On a causé des fleurs, et que tout est plus joli en été, et les tulipes, et les tournesols... Finalement, on se quitte. Dans le train, je commence à me sentir mieux. A la vue des champs tout verts sous un soleil bien fort, je retouve ma bonne humeur. Agneta me parle de son travail, de sa chef qui devient de plus en plus insupportable.

« Il faut lui claquer le beignet, à la vioque.

– Je ne comprends pas. Tu la connais, tu te souviens que...

– Oui, je m'en souviens. Le soir où je t'ai retrouvée au bureau et que j'ai renversé un peu de sucre sur la moquette. Hystérique, elle est devenue.

– Mmm.

– Elle a besoin d'un coup entre les deux oreilles.

– De quoi ?

– Un coup de pine. C'est le manque de mari, ça. Elle est encore bonne, en plus. Elégante.

– Aaaah, Pedro !

– Qu'elle me tombe sous la main et tu vas voir.

– Tu ferais mieux d'oublier. Parce que je vous tue, tous les deux. »

Je plaisantais, juste pour blaguer un brin, mais elle a l'air très sérieuse, Agneta.

« Je vous tue et je vous jette à l'eau de ce pont. La nuit. Et dans la foulée je tue l'Américain, aussi, et je le jette un peu plus loin. »

L'Américain en question, c'est un Californien qui travaille dans le même service qu'elle. Ils sont sortis ensemble et puis il l'a laissée tomber pour la chef. Agneta ne pardonne pas, visiblement. En cinq secondes, elle est devenue mauvaise comme la gale.

« Ah, ah, ah ! Et après, tu vas en prison.

– Ça m'est égal. J'irai.

– Hé, tu t'es levée d'humeur assassine, con !

– Oui. Et en plus, je ne dirai à personne que tu veux être

incinéré. Donc ils mettront ton cadavre en terre. Une punition de plus. Le dernier châtiment. Tu pourriras dans la terre. Et en Suède. Ou je ferai les démarches pour qu'ils t'enterrent en Laponie. Qu'elle soit encore plus gelée, la terre. Loin des Tropiques et de tes amis supermachos et de tes petites amies noires.

– Waaouh, le châtiment suprême du latin lover !

– Exactement.

– Ça fait trop de crimes à la fois. On ne croirait pas que tu es Suédoise.

– Oh, si, très suédoise. Très, très suédoise. »

Elle ne sourit pas. Elle ne plaisante pas du tout, j'ai l'impression. Je regarde par la vitre. Le train file. J'ai envie de m'enfoncer dans ces bois, de m'y perdre sans savoir où je vais. Je ferme les yeux, je reprends ma respiration et je lui dis :

« C'est comme ça, Agneta. La vie s'écoule, et on se fait du mal et on accumule tout en nous. Cette souffrance, elle peut finir par nous détruire. »

On garde le silence, les yeux fixés sur les arbres derrière la fenêtre. Je sens sa fureur. Moi, je suis très calme. Quatre minutes plus tard, on arrive à notre gare. On descend et on rentre tout doucement. Epuisés tous les deux.

16

Comme Agneta a pris quinze jours de congé, on est tout le temps ensemble, maintenant. Avec pas grand-chose à faire et une conversation plutôt limitée. On écoute Radio Match, dont les présentateurs s'expriment en anglais et en suédois. Beaucoup de rock et de country. On baise deux, trois, quatre fois par jour. J'ai les couilles à sec, évidemment, mais peu importe. Je connais des tas de petits jeux chinois, ça nous occupe. Des fois, par curiosité malsaine, je l'interroge sur son passé érotique. Rien. Elle ne veut rien lâcher. J'ai pensé que je pourrais écrire deux romans à la suite, *Un cœur gros comme ça* avec Gloria à La Havane et *L'Amante suédoise*, avec Agneta à Stockholm. Ça donnerait peut-être quelque chose d'intéressant. Gloria parle de tout facilement mais Agneta, la salope, c'est une tombe ! Pas un mot sur ses amants de jadis, pour rien au monde. Un écrivain est autorisé aux conjectures, d'accord, mais la réalité est toujours plus convaincante. Si tout est inventé, le résultat n'est pas plaisant. Bon, je ne serai peut-être jamais en mesure d'écrire *L'Amante suédoise* mais je me distrais, au moins. Je tiens à ce qu'elle apprenne à sucer correctement. Pas à muser, à sucer. Il faut prendre ce qu'on a, parce que pour l'enculade, rien à faire. Elle panique dès que j'approche un doigt, alors le reste...

« C'est la première fois que je le fais avec la bouche. Pourquoi tu ne me crois pas ?

– Je ne te crois pas.

– Pourquoi ? »

En fait je la crois mais j'aime la contredire pour la déstabiliser. Le soir de son premier jour de vacances, je prépare une vodka avec jus de tomates, tabasco, citron et sel.

« Ah, un bloody mary.

– C'est comme ça que ça s'appelle ?

– Oui. C'est la première fois que j'en bois.

– Moi, je m'en tape depuis le berceau. On me le donnait au biberon. Mais j'ignorais le nom, tu vois.

– Je ne te crois pas.

– Sérieux ! Je suis né dans un bar, hé ! Mon père avait un bar-restaurant et on habitait derrière, après la cuisine.

– Oh.

– J'ai grandi parmi les saoulards et les putes. Ils me payaient une glace ou un coca pour que je danse le cha-cha-cha ou le mambo. Je me suis habitué à l'exhibitionnisme depuis tout petit.

– Un danseur, c'est un artiste.

– Et un artiste, c'est quoi ? Un exhibitionniste. Un bon artiste se met à poil devant tout le monde. Toujours. Et il aime ça. »

Elle boit une gorgée.

« Mmmm, c'est bon. Délicieux.

– A Cuba, on le fait avec du rhum. Tu n'as jamais essayé ? Comment tu sais le nom, alors ?

– Je le sais en théorie. Je connais plein de choses en théorie. »

Parfois, on reste des heures sans parler. Je lis. J'ai découvert des livres en espagnol dans une bibliothèque du quartier. Ils ont quelques centaines d'ouvrages dans différentes langues, même en chinois, en coréen, en japonais... C'est génial. Près de trois cents en espagnol. Les classiques. Incroyable comme ils s'intéressent à tout, ces Suédois. Avec ces trois cents bouquins, on a l'essentiel de la littérature espagnole classique dans la tête.

Agneta invente de quoi s'occuper : elle lave du linge, nettoie, cuisine des petits plats, continue à tricoter mon pull, achète un sac de compost, me demande de l'accompagner sur le toit, on trouve des pots et elle soigne toutes les plantes. Elle organise une soirée salsa chez une amie à elle, hyperbandante, qui a des amants partout, de Paris à Stockholm en passant par Göteborg et Saint-Pétersbourg. Il a fallu que je danse sans arrêt avec trois nanas qui se relayaient, de six heures du soir à quatre heures du matin. J'ai eu des douleurs musculaires dans les jambes pendant plusieurs jours. Le mieux de tout, c'est que la copine supersexy, Birgitta, s'est murgée d'entrée de jeu avec plusieurs verres de whisky – j'ai l'inpression qu'elle est allée sniffer quelque chose à la cuisine, aussi –, et qu'après elle me disait « Oh, macho, macho ! » et frottait ses seins contre moi, évidemment des beaux gros nibs authentiques, *made in Sweden...* Et elle me tripotait comme si j'étais de la pâte à pain et elle la boulangère. Sublime salope, la Birgitta. Agneta riait comme une folle. Elle m'a dit en espagnol :

« Je lui ai dit que c'était une danse de macho et elle l'a pris au sérieux ! »

Elle ne m'a pas laissé souffler de toute la fiesta, Birgitta. Elle se pendait à mon cou, elle m'a presque mordu, elle me pressait les nénés contre le bras, elle me collait contre elle et me répétait dans l'oreille, tout bas : « *Oh, Peter, no problem, Agneta is my friend.* » A la fin, elle s'est mis en tête d'organiser une excursion à La Havane : « On y va tous ! Ça me plaît trop. Les machos. C'est une danse de macho. Allez, on y va. A La Havane avec les machos ! »

En général, cependant, on reste tous les deux, tranquilles, en silence ou bien avec un peu d'opéra. Je lui ai expliqué vingt mille fois que je ne supporte pas le bel canto, qu'elle mette de la musique symphonique, au moins. Mais non. Elle s'entête. Des fois, pour meubler le silence, je lui raconte des aventures qui me sont arrivées à un moment ou un autre de ma vie. Si je préfère ne pas me les attribuer, je commence : « Un ami à moi, un jour... » Pas besoin de dire sans cesse la vérité. Le fait est que j'ai eu une existence trépidante, mais en grande partie impubliable. Top secret. Je dépouille la majorité de ces histoires de leur côté sexuel. Comme ça, je m'évite ses petites crises de jalousie. Mais malgré ce camouflage elle devine que mon récit n'est pas complet et elle remarque :

« Quelquefois, tu peux dire des mensonges rapidement.

– Mooooi ? Jamais de la vie !

– Si, tooooooi. Ne fais pas l'étonné. Tu peux mentir facilement.

– Eh... Oui. On peut tous. On le fait tous, d'ailleurs.

– Non.

– Comment, non ? Tu ne mens jamais, toi ? La Suédoise parfaite !

– Je ne suis pas parfaite. Je n'aime pas, c'est tout. Je peux dire des mensonges, mais c'est difficile.

– Moi, c'est seulement des petits mensonges. Des mensonges pieux.

– Non, pas vrai. Tu mens rapidement et très bien. On croirait que c'est la vérité.

– Alors je suis dangereux ?

– Tu me fais peur, Pedro Juan.

– Ne crains rien, mon amour. Je ne mens jamais aux gens que j'aime.

– Ça, c'est un mensonge à propos de mensonges.

– Tu es très subtile, aujourd'hui.

– Je ne sais pas quoi penser. Que tu sois comme ça, ça m'inquiète, ça me fait peur.

– Je vais te donner le truc : il suffit que tu me regardes dans les yeux. Quand tu crois que je suis en train de te mentir, tu me regardes dans les yeux.

– Oui, oui. »

Ce qui signifie : « Non, non », je présume. Elle sait pertinemment que personne ne livre pour rien la clé qui ouvre son coffre-fort.

17

Un petit musée consacre une rétrospective à un peintre très connu. Un démolisseur professionnel de tabous. Le genre qui provoque pour le plaisir de provoquer, de faire chier son monde. Le tableau le plus controversé de l'exposition est une grande peinture à l'huile de la reine-mère de Suède avec la jupe relevée, son con noir et poilu à l'air. Devant elle, un type en costume-cravate a la braguette ouverte et sa pine vigoureuse bandée à fond. En arrière-plan, un couple en train de baiser, elle avec les seins bien visibles. Ils sont tous habillés avec recherche, dans un salon très chic. Il me plaît, ce tableau. Il y a peu de monde, au musée. On descend un escalier tout au fond du bâtiment. J'étais déjà stimulé mais je m'excite encore plus en voyant qu'on est seuls, tous les deux. J'embrasse Agneta, je lui lèche le cou, j'attrape ses nénés. Elle se cabre un peu :

« Oh, ici ? Nooon.

– Ouais, ici ! Si tu étais cubaine, tu tomberais à genoux ici même et tu te mettrais à téter comme le veau sa mère. »

A chaque fois que je lui dis « si tu étais cubaine », elle s'énerve un peu plus. C'est pour ça que je lui dis.

« Ah, avec tes si j'étais cubaine, si j'étais cubaine. Idiot.

– Et si tu étais cubaine, tu aurais une jupe, que je puisse te mettre un doigt dans la moule. Ce jean, ça me traumatise. »

J'ai la bite raidissime. Je la sors.

« Regarde, doudou. Passe la langue dessus.

– Non, non, non.

– Attrape-la, con, serre-la fort ! Elle est à toi.

– Non, non.

– Je vais te tirer en plein supermarché, salope. Dans la cabine d'essayage, je te la mets.

– Oh, mais...

– Quoi, tu veux ici, tout de suite ? Viens, on va aux chiottes.

– Mais... Il y a peut-être des caméras. Ils sont peut-être en train de nous voir. Oohh, s'il te plaît. »

Je rentre ma bête. J'embrasse Agneta. On plaisante. Non, moi, je plaisante pour la rassurer. Elle a vraiment eu la trouille. On continue à descendre. On regarde un moment les livres à la boutique du musée.

« Agneta ? Viens, je te paie un café dehors, au soleil.

– Non merci.

– Sois pas chiante, petite.

– “Chiante” ? Qu'est-ce que c'est ?

– Rien. Tu acceptes mon invitation et tu te détends.

– D'accord. J'accepte. Chiante, qu'est-ce que ça veut dire ?

– *Heavy.*

– Oh, moi ?

– Tu ne veux pas baiser ni sucer dans les escaliers, tu ne veux pas de café, tu tires la tronche. T'es *heavy*, doudou. *Relax, please.* »

Trois minutes plus tard, on est à une table sous un arbre, avec du café et des chocolats, et on parle des tableaux qu'on vient de voir.

« C'est un homme qui a toujours été... rebelle. Beaucoup, beaucoup d'énergie. Il a plus de soixante ans, maintenant. Soixante-six, je pense. Et il s'est marié avec une femme de quarante-quatre.

– Comme toi. C'est bien.

– Humm.

– C'est un type intéressant, un artiste. Toi, tu n'épouserais pas un homme pareil ? A quarante-quatre ans. Et lui soixante-huit, disons.

– Eh bien.

– Tu aurais un peu moins de sexe qu'avec moi. Ou pas du tout. Rien que des jeux. Je ne sais pas comment je serai, à soixante-huit balais. Aucune idée. Peut-être la langue et les doigts, c'est tout.

– Humm.

– Tu te marierais ? Pas de baise mais l'originalité.

– Hé bien... Non, je ne crois pas. Plus maintenant. Sûr que non.

– Comment ça, plus maintenant ?

– Il y a quelques mois, oui. Mais maintenant non. Maintenant, le sexe m'intéresse beaucoup.

– Beaucoup ?

– Beaucoup.

– Et avant ?

– Avant non. Je n'y pensais jamais. »

On revient à la maison chargés de bouffe, de bière, de jus de fruits, de protéines. De tout. Peinards, sans prendre de risque, sans enfreindre la loi en transportant de la bidoche dans un sac. Ici, ce n'est pas un délit, d'avoir des protéines sur soi. Pas de marché noir comme à La Havane. Ici, le frigo est rempli jusqu'à la gueule. En toute légalité, je veux dire.

On s'installe pour regarder *Les Simpson*. A sept heures

tapantes. On fait comme si c'était une blague mais elle et moi, on sait que nous ressemblons chaque jour plus à un couple marié. Qu'est-ce qu'un ménage, sinon un système de complicité ? A la base, ce n'est que ça. Tout le reste est accessoire : l'amour, les enfants, une sexualité fantastique ou atroce, les habitudes quotidiennes, la confiance ou la méfiance, la jalousie, les souvenirs, les confidences sur le passé de l'un ou de l'autre, les secrets à jamais gardés, faire la cuisine ensemble, boire une bière ou un verre de vin, contempler la lumière dorée du soir... Ce qui compte, ce sont d'infimes détails, sans importance mais qui finissent par édifier une complicité. Et alors tout, même admirer le crépuscule ensemble, s'intègre à ce système. Sans s'en rendre compte, avec l'état-civil en règle ou non, on s'est fourré dans l'engrenage du couple. Je sais de quoi je parle. Ça m'est arrivé une paire de fois.

Depuis combien de temps je suis ici ? Je suis arrivé le 14 mai. Dans quatre jours, cela fera deux mois qu'on est ensemble. Et je m'en vais dans trois semaines. Pourtant, nous avons l'impression d'avoir passé un temps fou tous les deux, et que nous en avons encore plus devant nous. C'est une illusion. On fait des plans. Tu trouveras peut-être du travail à ton ambassade à La Havane, je lui dis. Oui, c'est possible, je parle un peu espagnol, j'ai une expérience des contacts internationaux, je maîtrise l'anglais, le français, le russe, elle me répond. Je lui décris mon appartement, à quoi on pourrait occuper nos fins de semaine. On se passionne, on y croit même si tous les deux nous savons qu'il y a plus de chimère que de vrai, dans tout cela. Ce n'est pas que ce soit vraiment impossible. Improbable, disons. Comme de gagner à la roulette.

Je vais sur le balcon avec une bière et un cigare. Les infos commencent à la télé. Un sous-marin, anglais d'après ce que je comprends. Ils ont passé l'équateur et ils bizutent les bleus de l'équipage. Les images repassent plusieurs fois. Une caméra amateur, sans doute un des matelots. Trois jeunes à poil et fesses en l'air sur le pont du sous-marin. Des types déguisés avec des draps blancs et des couronnes de Neptune leur mettent des bâtons dans le cul. Ou des tubes en caoutchouc, en tout cas c'est gros et raide. Ils insistent, tapent dessus brutalement pour violer l'anus des bleus. Lesquels tortillent les fesses, de douleur ou de plaisir, je n'en sais rien. Le présentateur revient à l'écran, très grave et distant, impeccable dans son costume-cravate, et il se met à parler d'autre chose.

Je suis tranquille sur le balcon, avec ma cannette et mon cigare. C'est l'heure idéale pour boire, fumer et s'abstenir de penser.

Dès que j'arrête de penser, j'arrive au paradis. J'entends Agneta s'activer à la cuisine. Elle prépare le dîner. C'est comme ça que ça me plaît, oui. Elle ramène l'argent. Elle paie les factures. Elle conduit la bagnole. Elle s'occupe de moi. Et moi, je bois ma bière et je tire sur mon cigare. Elle a raison, je suis un brin machiste. Et un peu maque, aussi. Je me sens très bien.

18

On a dû faire un long détour pour nous rapprocher de Sodertalje par une route moins fréquentée. Il y avait un embouteillage terrible sur l'axe principal en provenance de Stockholm. C'est un beau samedi de début juin, bien ensoleillé, et l'endroit est couru. A côté du village passe un canal assez profond pour que d'énormes tankers puissent rejoindre le port de Stockholm. Je vais parfois pêcher là-bas. Assis sur la rive, la canne en main, je vois passer ces mastodontes à dix mètres de moi. Les marins sont sur le pont, à regarder les gens à terre. On se salue d'un discret signe de tête, comme si on se connaissait depuis toujours.

Agneta roule sans hâte. Sur la petite jetée où je pêche, il y a seulement quelques poivrots qui éclusent de la vinasse. On traverse le village et on continue un peu. Une vieille amie d'Agneta nous a invités à déjeuner à sa maison de campagne, près de l'embouchure du fleuve. Ils nous attendent, légèrement nerveux. On s'excuse pour le retard. Le repas est servi presque tout de suite après notre arrivée. Nous ne sommes que six. On parle de la maison, qui est vraiment ancienne, très belle, d'une grande simplicité. Tout respire la paix et la douceur de vivre, ici. Le corps de ferme a plus de deux cents ans, les étables et la cabane du métayer qui s'occupait de la propriété avec sa famille trois cents et quelque. C'est magnifique. Tout près, en face de nous, il y a plusieurs étangs artificiels où le voisin élève des langoustines et des saumons qu'il vend lui-même.

L'amie d'Agneta me parle du fantôme qui habite leur grenier. C'est un chenapan, d'après ce qu'elle dit. Il fait du vacarme pendant la nuit. Tantôt, c'est une forme blanche, à peine lumineuse, qui monte et descend l'escalier à toute allure, dans un silence total. Tantôt, il farfouille dans la cuisine ; au bruit, on dirait que toutes les casseroles sont tombées par terre mais quand on va voir, chaque chose est à sa place, tranquille. C'est le fantôme classique, le petit joueur qui répète les mêmes trucs éculés. Aucune originalité. Je leur explique qu'il n'y a rien de compliqué à le faire déguerpir : un verre d'eau, des fleurs, une bougie, du parfum, prier pour cette âme en peine et lui consacrer une messe à l'eglise. Plein de solutions pour que cet esprit remonte à la lumière et cesse d'emmerder nous autres, ceux qui sont encore de ce côté-ci de la barrière. Ce n'est pas rare, des manifestations pareilles de morts qui s'affligent parce qu'ils sont trop attachés à leur maison, à leur famille... Mais la dame proteste : « Non, non, c'est un esprit bienfaisant qui protège les lieux. Il n'y a aucune raison de l'éjecter du grenier. » « Si vous le dites, c'est que c'est vrai », je réponds avec un sourire, et je la ferme. Les esprits torturés sont pareils, de La Havane à Sodertalje, je suppose, mais puisque la maîtresse de maison croit tout savoir, je me tais. Et je change de sujet : la pêche dans le canal. Je lui apprends que je ne reviens jamais bredouille, jamais. Ce qui n'est pas exact, loin de là. D'habitude, je n'ai pas une touche. Elle me demande : « Vous aimez pêcher, alors ? Vous avez la mer, à Cuba ? » Là, elle m'a coupé le sifflet. Agneta doit intervenir : « Cuba est une île, dans les Caraïbes.

– Aaah, j'ignorais... Bien, je propose de prendre le café et les gâteaux sur le canal. Nous avons un petit yacht. »

On y va. Le « petit yacht » en question est un dix-sept mètres à deux moteurs diesel, cabines luxueuses et tout ce qu'il faut pour s'offrir un tour du monde en beauté. On monte à bord, on visite un peu, on boit du café, des liqueurs, on mange les gâteaux, on échange des banalités du style : « Ah, l'été est grandiose, en Suède, mais chaque saison a son charme. » Photos, encore du café et de la gnôle de cerise. Le vent se lève à peine et on retourne à terre. C'est l'une de ces journées transparentes, anodines, où il ne se passe rien. Comme la plupart. Les jours importants sont rares, et c'est tant mieux : si tout était passionnant, bouleversant, on finirait par devenir fous. Le poids de toute cette intensité nous écraserait.

On revient à la maison. Tout le monde s'assoit sous le porche pour boire encore. Agneta et moi, on s'esquive vers le potager et les serres, derrière l'étable. On explore un peu les bâtisses abandonnées, couvertes de poussière et de toiles d'araignées qui se sont accumulées depuis peut-être un siècle, ou plus. Vieux meubles rustiques, ustensiles de cuisine primitifs, un organum antique... On entre dans le jardin d'hiver, où règnent une chaleur et une humidité suffocantes. Il y a une plante tropicale couverte de dizaines de fleurs, d'une beauté inquiétante, surnaturelle.

« Elle vient d'Amazonie, tu crois ?

– Non, je ne pense pas. Ils ont beaucoup voyagé en Afrique et en Asie. »

Je m'approche. Serait-ce une carnivore ? Elle est incroyable, phosphorescente, magique, irisée de couleurs jamais vues. Un piège à innocents. J'ai l'impression qu'elle peut se transformer d'un instant à l'autre en une gueule gigantesque qui va m'avaler mais j'ai trop envie de la toucher. Je dérange un peu les branches basses. Sous ce bloc immense de rameaux, de feuilles et de fleurs, des serpents apparaissent brusquement. Ils rampent calmement, dans toutes les directions. Pas aussi grands que des boas mais pas petits, non plus... Purée de moi ! Je dégage de là à toute allure. Agneta me suit dehors en riant. Elle referme la porte de la serre et m'appelle pour que je les observe derrière les vitres, en sécurité.

« Viens, ils ne sont pas dangereux.

– Putain de mes deux ! Je ne savais pas qu'il y avait des serpents, en Suède.

– Ils ne sont pas venimeux.

– Qu'est-ce que tu connais aux serpents, Agneta ?

– Je le sais.

– En théorie.

– Ah, oui... Regarde, il y en a encore. »

Je jette un coup d'œil par la porte vitrée. Il en sort encore, oui. Un nid énorme sous cette plante tropicale. Je les compte. Quatorze, ils sont. Chacun d'un mètre de long, certains plus importants encore. Ils bougent lentement, paresseusement. Vont se cacher ailleurs.

« Ils sont abrutis par la chaleur.

– Il y a des serpents, à Cuba ?

– Bien sûr ! Des jubos et des majás. Surtout des majás.

– Ils piquent ?

– Non. Le majá peut s'engraisser facilement, après on le mange.

– Errrh !

– Ah, ah, ah ! J'en ai cuisiné plein. Sur les plantations, quand je coupais la canne à sucre.

– Ah, mais c'est une tradition ou...

– Tu parles de tradition ! La dalle, oui. Douze heures par jour avec la machette, parfois plus. Et le repas, une poignée de farine de maïs et deux cuillerées de fayots. Attraper un serpent, c'était la fête. C'est moi qui les préparais, toujours.

– Aaah. Et qui t'a appris ?

– La faim. C'est le meilleur instructeur. Quand tu perds dix ou douze kilos en un mois... Un jour, un majá se pointe. On le chasse à travers champs, on l'attrape, mais personne ne savait quoi en faire. Alors je me suis dit : "Merde, mais c'est de la viande !" Et j'improvise, je leur balance : "Je sais cuire ça ! Mon père m'a appris !" En réalité, il avait une trouille terrible de ces bestioles, mon père. Mais je les ai convaincus, et après je suis devenu le chef cuisinier spécialiste en serpents. Et on en sortait un tous les quatre ou cinq jours.

– Tu racontes toujours des mensonges. Comment tu as pu parler de ton père dans un moment pareil ?

– Ce n'était pas un mensonge, mais une inspiration. L'instinct de survie. Les chats, par contre, j'ai jamais pu. En manger, si. Du chat en ragoût de patates, avec une petite sauce piquante, ça va. Mais c'était d'autres qui les préparaient.

– Arrggghh... Je ne peux pas y croire.

– C'est qu'on mourait de faim, Agneta. Dans les années 60, c'était la famine. Des gamins de dix-huit, vingt ans qui coupaient la canne comme des forcenés et qu'on nourrissait à peine...

– Vous ne pouviez pas protester ?

– A l'armée, on ne discute pas.

– Et tu n'es pas tombé malade, en mangeant ces saletés ?

– Non, au contraire. J'étais plus solide qu'aujourd'hui. On bossait comme des brutes toute la journée et la nuit on allait niquer les vaches ou les juments. Et les dimanches après-midi, des heures de boxe, sans souffler. Une fois, j'en ai mis deux KO d'affilée. »

Elle me regarde avec un mélange de stupeur et de dégoût.

« Je ne crois pas que tu... Des vaches, des juments ?

– Ah, ah, ah ! A cet âge-là, ou tu baises ce que tu trouves, ou tu passes ta vie à te branler. C'est normal.

– Non. C'est anormal.

– Dans une exploitation de Morón, au nord de Camagüey, il y avait une petite vache noire près de notre campement. Je ne l'ai jamais oubliée. Géniale, elle était, avec une moulette toute rose, bien étroite. Mais on était nombreux. Quand mon tour arrivait, il y en avait dix ou vingt qui lui étaient passés dessus et c'était une mer de sperme, là-dedans. Je mettais ma pine et ca faisait "sploch, sploch", ah, ah, ah ! Et après, les autres. Chaque nuit, on devait être quarante ou plus.

– Oh, s'il te plaît, arrête. Tu n'as pas de honte.

– Quand on est jeune, on n'a pas honte. Ça s'apprend après.

– Ah, ne justifie pas ce...

– En plus, elle aimait ça, la vache. Elle restait là, bien gentille, sans bouger. Comme si elle se concentrait pour ne pas en perdre une goutte. Avec les juments, c'était différent parce qu'elles...

– Non, non, s'il te plaît. Assez !

– Bon, bon. Fais pas un drame. J'étais tout jeune, je ne me rappelle plus trop. »

J'ai l'impression d'avoir trop parlé. Son expression a changé. Elle a l'air un peu angoissée, abattue. Ce qui est normal pour moi ne l'est pas du tout pour elle. Je suis certain que les petits paysans suédois se tapent des juments, eux aussi, ou des truies, ou des brebis, s'ils en ont l'occasion. Et s'il n'y a que des moisonneuses-batteuses et des tracteurs autour d'eux, ils se font une branlette, comme tout le monde. C'est comme ça. Inutile de compliquer les choses pour rien. Heureusement que je ne lui ai rien dit des chiennes que je tringlais quand j'avais treize, quatorze ans...

On en reste là. Une minute de silence, deux, trois. Je finis par murmurer :

« Bon, on y va.

– Oui. »

On dit au revoir, on s'installe dans la voiture et on refait le long trajet pour éviter l'autoroute. C'est une route étroite, peu fréquentée. Un paysage impressionnant de forêts très épaisses, très vertes. Nous sommes à cran, la radio ne marche plus. Silence total au milieu de ces bois oppressants. Je me lance, finalement :

« Tu es fâchée contre moi ?

– Non, mais j'ai besoin de...

– De quoi ?

– Je ne sais pas comment dire. J'ai besoin...

– De temps pour encaisser. Compte de protection, comme pour les boxeurs.

– Exactement. Je ne peux pas faire semblant d'être détendue. Je ne le suis pas.

– Je te promets de ne plus jamais parler de mon passé. Tu n'en parles pas, toi. C'est mieux.

– Ce n'est pas vrai. J'en parle.

– Mais pas de ce qui est important.

– J'aime apprendre des choses sur toi. Sur ton passé, sur tout, mais... Des fois, c'est difficile. Très.

– Et toi tu es très maligne. Tu veux tout savoir de moi sans que je sache rien de toi. Allez, cause, le Cubain, cause ! Ah, c'est une sacrée Suédoise que je me suis trouvée ! Ah, ah, ah ! »

On rit ensemble, on se relaxe un peu. Bientôt, je somnole presque. Je lui demande :

« Tu as sommeil ?

– Non. Je ne dors jamais quand je conduis.

– Sûr ? Si tu as envie de dormir, je...

– Non, non, dors, toi. Repose-toi un peu. »

Je me radosse à mon siège et je ferme les yeux. Comme c'est bien, que je ne lui aie pas raconté l'histoire de la chienne... Chez ma grand-mère à la campagne. Je la tringlais sans arrêt. Dès qu'elle me voyait, elle se mettait à gémir. Merveilleux étés, là-bas. Un jour, Grand-mère m'a surpris en train de me branler sur le perron : « Ah, c'est pour ça qu'on ne t'entendait plus ! Fais-moi le plaisir de ranger ça. Tu vas devenir fou. Et viens par ici. Tu vas m'aider à charger la pâtée pour les cochons. »

Bien des années après, mon fils se masturbait aussi, mais devant la télé. N'importe quand. Même avec les infos. Il pensait que personne ne le remarquait. Sa mère l'a découvert. Elle est venue se lamenter :

« Ah, il est cinglé ! Il faut faire quelque chose. On va devoir l'amener au psychologue.

– Rien du tout. C'est normal.

– Tout est normal, pour toi !

– Eh bien oui. Une branlette de temps en temps, c'est normal. A son âge, ça l'est. »

Aujourd'hui, je pense que ça l'est aussi au mien. Parce qu'il n'y a pas d'autre solution, des fois.

19

Je travaillais dans un champ détrempé. La boue se collait à mes bottes. Cassé en deux, je plongeais les mains dans cette poisse pour en ressortir des patates. Il faisait gris, très froid, et il n'arrêtait pas de pleuvoir. Des corneilles criaient. On les entendait parfaitement. C'était un supplice, de cueillir ces pommes de terre. Il fallait enfoncer le bras jusqu'au coude dans la fange glacée. Soudain, je me suis rendu compte que de grosses limaces aussi noires que le sol remontaient lentement sur mes bras, dans mon cou, sur mes joues, en laissant une traînée visqueuse derrière elles. Je les sentais grimper dans mon dos. Certaines se collaient à ma peau et se dilataient. Elles étaient en train de me sucer le sang mais je ne pouvais pas m'en débarrasser, il en venait toujours plus, et elles s'accrochaient, et je ne pouvais pas arrêter de travailler... J'avais le bras droit noir de boue, enfoncé dans la boue, et le bras gauche noir de ces bestioles immondes. Je ne voyais plus ma peau. Je sentais que j'étais en train de devenir moi-même une énorme limace baveuse.

Je me suis réveillé en hurlant et en me débattant, en me frottant pour échapper aux limaces, mais elles n'étaient plus là. Pfff... Je me suis levé. Agneta a ronchonné dans son sommeil, m'a tourné le dos. Je suis allé boire un verre d'eau à la cuisine. J'ai pissé. Deux heures du matin. J'ai regardé par la fenêtre. Il y avait un peu de vent. Les chênes, les cyprès et les bouleaux du cimetière ondulaient. Malgré les nuages qui cachaient la lune, on voyait très bien les tombes. Je les ai comptées. Vingt-sept. Il y en avait d'autres, dissimulées par les arbres et par l'ombre de la petite chapelle luthérienne.

J'ai bu encore un peu, j'ai fermé les yeux et je me suis dit : « Je dors mal, et peu. Voyons. Couché à onze heures et demie... Ça fait à peine deux heures. » Je suis retourné à la chambre et je me suis remis au lit sans bruit. Il fallait que je dorme encore. C'est alors que je me suis rendu compte que le cauchemar des limaces avait été en couleurs, et avec les odeurs, les sensations tactiles, les sons, la température, et soudain j'avançais dans une ruelle malpropre. Avec un ami. Je ne savais pas qui, mais un ami. Une fille jeune et provocante était en train de pisser contre le mur. Etrange, pour une femme, ou en tout cas pas facile, et pourtant elle le faisait très bien, un grand jet qui explosait contre les pierres. Quand elle a terminé, elle est rentrée dans l'immeuble. A une fenêtre, elles étaient toutes là, se donnant en spectacle. C'était un bordel. Nues sur leur lit, elles se tortillaient, aguicheuses, elles ouvraient les jambes et s'exhibaient. Celle qui s'était soulagée dans la rue est entrée à ce moment. C'était Gloria. Elle ne nous voyait pas, nous. Elle avait un visage diabolique, une expression perverse. Elle s'est déshabillée, elle s'est étendue elle aussi, elle a écarté les cuisses et elle a braqué son sexe en direction de la fenêtre. Les yeux presque clos, elle ne savait pas qui était dehors à la regarder. C'était l'argent qu'elle voulait, seulement.

J'ai eu mal, tellement mal ! Je souffrais horriblement de

voir Gloria se conduire de cette façon, avec un visage qui feignait l'extase mais sur lequel je décelais haine et ressentiment. Mon cœur était détruit. Je me suis mis à pleurer. Larmes, sanglots, morve, je ne pouvais plus m'arrêter. Je comprenais qu'elle n'était plus à moi, que je ne pourrais plus jamais la toucher. Et là, au moment où je la perdais, elle prenait des poses lascives sur ce lit. J'ai jeté un regard éperdu à la ronde et j'ai découvert un tas de chutes de briques. Il y en avait dans toute la rue, et des pierres, le tout parsemé de merdes de chien, d'immondices, de vomi. J'ai commencé à jeter des briques et des pierres dans la fenêtre mais les vitres résistaient. Je les lançais avec rage, fou de douleur, mais personne ne se rendait compte de ma détresse. Affreux. Je me suis réveillé en pleurant comme un gosse. Des sanglots désordonnés. Et la gorge serrée par l'angoisse. J'étouffais, à nouveau.

Je me suis assis dans le lit. Au bout d'un moment, j'ai réussi à me convaincre que c'était seulement un rêve. « Rien qu'un cauchemar », me suis-je répété des tas de fois. Dehors, il y avait du tonnerre. Je suis allé me mettre dans un fauteuil du salon. Deux heures et demie. Les coups de tonnerre partaient sans écho, déflagrations sèches qui faisaient penser à de gros rochers dévalant une colline en s'entrechoquant. Il y a eu un éclair. Pendant une seconde, j'ai vu les nuages noirs à travers la grande fenêtre de la pièce. C'est de là que venaient les craquements du tonnerre. Il y a eu un petit intervalle de silence et d'obscurité, puis à nouveau un coup de fouet lumineux, le grondement du ciel. Il s'est mis à pleuvoir.

Voilà trois jours que je ne me rase plus, que je ne me lave plus. Je me renifle mais je ne détecte rien de nouveau. J'ai besoin de sentir mon odeur, moi. Ici, c'est difficile : l'air est sec, je ne sue presque pas. Impossible de sentir fort. C'est quand j'ai ce relent de sueur aigre dans le nez que je deviens un sauvage. Je m'amollis, dans ce pays. Au rythme où je vais, je serai de plus en plus faible, et ça ne me va pas du tout. J'aime être comme le chêne, le fouet, l'épée du diable, couilles de loup ! Je marche un peu dans les bois en pensant à tout ça. Comment les gens peuvent-ils avoir une existence aussi barbante ? J'essaie de me calmer. Je rentre. Agneta travaille comme une dératée. Elle passe l'aspirateur, descend du linge à la laverie et en remonte tous les quarts d'heure. Monte, descend. Elle sort deux tapis devant l'immeuble et les bat. A midi, je prépare le déjeuner : salade mexicaine, saumon, fromage, pain et bière. Le soleil sort, le ciel se dégage, l'air se réchauffe. Un peu humide, maintenant. On va à une petite plage toute proche. Plage, c'est beaucoup dire. C'est une vaste pelouse sur laquelle quelques dizaines de personnes prennent le soleil. La forêt commence tout de suite derrière. Une jetée en bois s'avance dans la Baltique. Les plus téméraires sautent de là et nagent quelques minutes dans l'eau glacée.

On choisit un endroit pour étendre un drap rouge et quelques serviettes. Le soleil tape fort. On se tartine d'huile solaire. Notre voisine immédiate est une dame d'une soixantaine d'années, peut-être soixante-cinq. A trois mètres de nous. Elle a son vélo et un gros sac à dos près d'elle. Elle a enlevé le haut de son bikini. La peau bronzée et ridée, couverte de milliers de taches de rousseur ou de vieillesse. Des tétons allongés, très sombres, bandés. Elle a eu de gros seins bien pleins, jadis, mais ce sont maintenant deux outres qui pendent pesamment. Ses bras levés découvrent quelques poils blonds et blancs aux aisselles. Elle reste étendue sur le dos, bouche ouverte, révélant des dents jaunes et sales. Indifférente à tout, très immobile, très exposée, très nue. On dirait un cadavre. J'observe mieux : elle respire à peine, en effet. La dépouille d'une dame vieille et laide. Un corps usé, abîmé, et sans vie. La brise de mer souffle légèrement, apportant une odeur de soufre. Silence pesant, à peine rompu par quelqu'un qui chuchote non loin de nous et par les vaguelettes qui font rouler les galets. Pas de mouettes, aucun oiseau. Le vent n'arrive pas à remuer les branches des arbres. Pas d'enfants, non plus. Ou si, quelques-uns, mais ils ne jouent pas, ils sont aussi calmes et silencieux que leurs parents. Lointain vrombissement d'un hord-bord qui passe à toute vitesse devant nous en laissant une traînée d'écume blanche. Je me sens seul. Radicalement seul au monde. C'est déprimant, cette sensation de solitude absolue. Je lis un peu, je bois du café, je me bronze. Agneta m'annonce qu'elle ne peut pas rester trop longtemps au soleil.

« Cela fait deux ans que je ne me suis pas exposée autant.

– Tant que ça ?

– Ou plus. Trois ans. Je ne sais plus.

– Bon, ne t'inquiète pas. Dans un moment, on ira à l'ombre, sous les arbres.

– Non, non.

– Ah oui, ton allergie...

– Oui, il y a beaucoup de pollen. Je ne veux pas m'en approcher.

– Mmm. Je vais aller nager une minute.

– L'eau est gelée. Ça ne va peut-être pas te plaire. »

Je reviens un quart d'heure plus tard. Le vent a forci, l'odeur de soufre est très présente. La dame cadavérique n'a pas bougé d'un poil. Elle est morte ou quoi ? C'est impressionnant, la vue de ce corps détruit, dénudé, abandonné sur l'herbe. Elle respire imperceptiblement.

« Enlève ton soutif, Agneta.

– Hein ?

– Le soutien-gorge. La pièce supérieure du bikini.

– Ah... Non, non.

– Pourquoi ?

– Non.

– Pour que tu bronzes de partout. Tu as les seins tout blancs.

– Non.

– Tu as honte ?

– Oui.

– Toi, tellement suédoise pour plein d'autres choses... On dirait une paysanne.

– Je suis une paysanne. »

De l'autre côté du canal, trois gigantesques camions déchargent de la terre sur les rochers de la rive. Ils font un potin infernal, balancent leur cargaison dans un panache de poussière et s'en vont. Il y a une usine, par là. Le silence revient.

Une heure après, on rentre à la maison. Agneta prépare le dîner, moi un *screwdriver*. Je prends mon verre et je vais m'asseoir devant la télé. Il est encore tôt pour *Les Simpson*. Un programme de la police. Des reportages de dix ou douze minutes. Un Africain a engourdi une auto miniature dans un magasin de jouets. Le patron a appelé les flics et il veut qu'ils l'embarquent. Le Noir sort un billet, prêt à payer cette babiole, mais l'autre n'accepte pas son argent. Il a la ferme intention de le baiser, de le faire mettre en taule. Je ne comprends pas tout, parce qu'ils parlent en suédois. L'Africain se défend, montre par une pantomime que le patron cherche à l'étrangler. Il voudrait payer et s'en aller, c'est tout. Les deux policiers disent quelque chose, très flegmatiques. La caméra prend du champ et on découvre que c'est Noël.

La séquence suivante, l'Africain est dehors, devant la voiture de patrouille. Il continue à parler. Les trois sont debout dans la neige. Autour d'eux, il y a plein d'arbres de Noël. Agneta m'appelle. Le diner est prêt. J'éteins le poste et je termine mon verre.

20

Les choses ont évolué, peu à peu. Maintenant, Agneta aime aller faire les courses au supermarché et remplir le frigo. On a dépassé le régime pain-saumon. Il lui arrive même d'acheter des gâteries comme du fromage de chèvre grec, de grosses olives d'Andalousie... Elle se passe de plus en plus souvent de soutien-gorge, laissant voir ses tétons sous le tee-shirt. Elle a perdu l'habitude de passer une journée à cuisiner pour tout garder au congélateur. La nièce aux beaux nibars est venue à la maison et elle a été bluffée : « Oh, tata, je n'ai jamais vu ton frigidaire aussi bien garni. Comme c'est bien ! »

Elle plaisante avec moi au sujet de la voisine pleine aux as : « Tous les ans, elle a plus et plus de millions dans le journal. L'année dernière, c'était vingt-deux. Seulement, elle a déjà un mari. *Sorry*, je ne peux rien faire pour toi, ah, ah, ah ! » Je joue le jeu : « Et si elle devient veuve, brusquement ? Toute seule, toute triste, elle aura besoin de compagnie, non ? » Et Agneta : « Dans ce cas, on s'en va tout de suite vivre à Karesuando ou en Laponie, ah, ah, ah ! »

Elle est mieux lunée, c'est évident. Tous les jours, elle vérifie l'horoscope dans les quotidiens. Sagittaire et Poissons, nos deux signes. Elle en tire des tas de conclusions. Ou bien on va à l'hippodrome et elle parie avec plein d'espoir. Elle a l'intention de partir travailler à La Havane un moment.

Hier, on a pris le petit déjeuner sur le balcon. Il y a des fleurs en pots sur plein de terrasses de l'immeuble. Elle réfléchit un instant.

« Ils ont tous beaucoup de fleurs.

– A part le voisin qui a les chiens, et toi.

– Mmm... Moi aussi, je peux en avoir. Je vais aller en acheter. »

On se tait quelques minutes, puis je lui dis :

« J'ai l'impression que quand je suis arrivé, tu t'ennuyais pas mal. Ou que tu étais triste. Je ne sais pas trop.

– Oui, un peu.

– Ce qui pouvait t'arriver, ça t'était égal.

– Mmm.

– Je crois que tu as plus la pêche, maintenant. »

Soudain, elle a les yeux rouges, elle est sur le point de pleurer. Elle disparaît dans la salle de bains. J'attends patiemment son retour. Elle s'est passée de l'eau sur la figure pour retrouver contenance. Je veux la réconforter :

« Ne t'en fais pas, doudou. On passe tous par des phases de tristesse et d'isolement. »

Elle se jette contre moi, m'enlace et me donne un baiser. C'est la première fois de sa vie qu'elle se montre aussi tendre. Je la caresse :

« Ah, c'est bon !

– Je t'aime beaucoup, Pedro. »

On se bécote en silence. Ma queue s'est dressée sur-le-champ. Je la colle à sa cuisse mais je ne veux pas baiser. C'est comme une vague de chaleur qui passe entre nous. De l'amour, du silence, de la paix.

Dans l'après-midi, je rapporte un grand sac avec des pots de fleurs et une bouteille d'engrais. On travaille un bon moment, en rafraîchissant celles qui étaient déjà plantées. Ensuite, on s'assoit ensemble. Je lui reparle de la plage de nudistes qu'il y a pas loin de chez elle.

« Ne me demande pas encore. Je ne veux pas y aller.

– Ça te fait honte ?

– Oui, bien sûr.

– Ah, doudou, fais-moi plaisir ! Il ne nous reste plus que quelques jours. Dans une semaine, on sera séparés. Et qui sait, peut-être que je ne reviendrai jamais en Suède. »

Elle se renfrogne, pleurniche. Des fois, le petit salaud de Pedro, le manipulateur, fait péter le filsdeputomètre. Je la caresse un peu par-ci, par-là. Quelques baisers et elle murmure :

« Je ne sais pas où c'est.

– Appelle ta copine lesbienne et demande-lui.

– Lesbienne ? Comment tu sais ?

– Ça se voit à dix bornes.

– Oh, les apparences...

– ... Sont parfois trompeuses, oui. Et parfois non. J'adore les lesbiennes, moi. Je me sens très bien avec elles. Dans mon jeune temps, j'ai eu deux ou trois histoires avec des gouines... Des supergouines, pratiquement de petits hommes.

– Oh, s'il te plaît, arrête. Ne me raconte pas plus. Comment tu peux apprécier une femme qui ressemble à un homme, qui se comporte comme un homme ?

– Elles en avaient l'air mais elles ne l'étaient pas du tout. Elles me demandaient de les sodomiser, toujours. Elles adoraient ça. Les lesbiennes hyper-masculines, ça continue à m'attirer. Pareil que les travestis. Je m'amuse à...

– Oh, assez, je t'en prie ! Je ne veux pas entendre plus. Tu es un... un... Je ne sais pas comment on dit.

– Un pervers sexuel.

– Oui, voilà.

– Mais elles te plaisent énormément, mes perversions. Et encore, tu ne connais que les premières pages du catalogue.

– Il y a plus ?

– Bien sûr. Il y a un acte II, et un acte III, ah, ah, ah, ah ! Cuban Sex Show ! »

Elle téléphone à la copine. Elle prend une carte, repère soigneusement l'endroit, établit un itinéraire, consulte les prévisions météo, prépare un panier. Il ne manque plus que le système de navigation par satellite. Le lendemain matin, on se met en route. Elle est un peu ronchonne. Elle se force. Mais c'était une tempête dans un verre d'eau : il ne se passe absolument rien, sur cette plage. Je suis déçu, mais déçu... Pas un seul beau corps. Rien que des vieux et des vieilles à bidoche qui peuvent à peine avancer. On reste un moment à contempler ce déplorable panorama. Agneta se navre :

« Je ne comprends pas. Il y a des gens que cela excite.

– Tandis qu'à toi, ces vioques à poil, ça te donne la nausée.

– Je... Oui.

– Pas de quoi en faire une maladie. Moi, je les ignore. A chacun sa merde.

– Je sais, je sais.

– Elle est super, cette plage. Soleil tropical, silence, personne à moins de cinquante mètres de nous... De quoi tu te plains ? Déshabille-toi et kiffe la vie !

– Quoi, j'enlève tout ?

– Tout. Il faut que tu complètes ce bronzage. Tu as les fesses et les nénés comme des cachets d'aspirine.

– Ah, ah, ah, ah. »

C'est une longue bande de sable, de plusieurs kilomètres. La plus grande partie est pour les familles en maillot. Elles s'entassent là comme des sardines, avec les gosses qui font leurs conneries. Ensuite, il y a une barrière d'énormes rochers et un minuscule écriteau en bois qui prévient : RÉSERVÉ AUX NUDISTES. Un grand espace désert s'étend entre les deux zones. No man's land avant le territoire du péché. Et c'est là que nous sommes, nous.

Elle a retrouvé sa bonne humeur. On nage, on boit quelque chose de frais, je lui pelote un peu les seins, je l'embrasse, je la caresse, je lui mets un doigt dans la moule, qui est déjà mouillée, je jette un coup d'œil à la ronde et paf, il fallait s'y attendre : un couple de vieux est en train de nous mater. Pas très discrets. Qui n'aime pas jouer les voyeurs ? Ils ont l'air d'apprécier, les vioques. Faire du bien aux autres, c'est une bonne action, non ?

Au retour, le soir, elle m'invite à dîner dans un méga complexe hôtelier qui se vante à grand concours d'affiches de sa marina capable d'accueillir cinq cents bateaux, de son parcours de golf vingt-sept trous, de ses restaurants de cuisine chinoise, japonaise, mexicaine, etc. La perfection, quoi. Moi, j'aime les femmes qui savent dépenser. On s'installe sur la terrasse, devant la mer. Une gigantesque salade César avec crevettes, une viande, une bouteille de vin rouge. L'atmosphère « chicos » et le vin agissent assez sur elle pour qu'elle se risque à des confessions qu'elle gardait jusque-là pour elle. Je lui fais remarquer que la vie est une succession d'étapes. Rien n'est immuable. Quand on a conscience de ça, on est beaucoup plus capable de goûter chaque instant.

« C'est vrai ! Je n'y avais jamais pensé. Moi, j'ai eu des

maisons immenses, trois étages, neuf chambres à coucher, chevaux de course avec entraîneurs, chiens de race, voiliers, jardins, bijoux... L'été, on recevait tous les vendredis, à cinq heures du soir. Les journaux parlaient de nous. Oooh... C'était le bon temps.

– Ton mari, il était vedette de cinéma ou quoi ?

– Non. Les affaires. Construction de yachts, un hôtel, je ne sais quoi encore... Le business. Maintenant, je vis une autre étape. C'est terminé.

– Tu es dans ta période frugale, oui. Les vieux jeans, les chaussures éculées... Je comprends pourquoi tu ne parles pas de ton passé. Oh, j'ai une veine d'enfer, moi : ceinture à Cuba, ceinture en Suède ! Le pied, con !

– Oooh...

– Tu devrais tout me raconter, que j'écrive un roman sur toi. Comment l'amante suédoise est passée du matérialisme le plus écœurant et du vide existentiel à la stoïque frugalité du pain intégral, de la carotte râpée, du thé sans sucre et du petit ami tropical. »

On nous apporte le café et l'addition. Elle paie en liquide.

« Allez, Agneta, j'offre le whisky. On se prend une bouteille et on se pinte.

– Oh, non. Je conduis. Mais tu peux boire, toi.

– Non, c'est le contraire que je veux. Que tu boives, toi, que tu sois saoule et comme ça tu me racontes tout, que je puisse écrire *L'Amante suédoise*.

– Il n'y a rien à raconter. Ma vie est très ennuyeuse.

– Gloria dit la même chose. Toutes les grandes pécheresses disent ça.

– C'est vrai ! Toujours très ennuyeuse. Ce roman, ce serait une bêtise que personne ne pourrait lire. »

Sans que je l'aie voulu, mes pensées dérivent vers Cuba et

vers Gloria. Si je lui propose d'acheter du rhum et de prendre une cuite ensemble, elle accepte en une seconde, elle. On va sur le bord de mer et dès qu'elle a deux coups dans le nez elle se met à me conter ses multiples aventures. Une après l'autre. On ne l'arrête plus.

Avec Agneta, on se promène un moment dans le petit village qui borde la marina. Trop touristique. J'ai oublié le whisky. J'évoque ma jeunesse :

« Ce coin, ça me rappelle Varadero.

– Varadero Beach ?

– Tu connais ?

– C'est très connu. Beaucoup de Suédois y vont.

– J'ai habité là-bas jusqu'à mes trente ans. Entre Matanzas et Varadero. Mes expériences avec les lesbiennes, ça s'est passé sur cette plage, dans les années 70. “Les Années grises”, comme on les appelle. Pour moi, ça a éte les Années du grand délire. L'Orgie permanente. »

On passe devant une bijouterie. Il y a un bel assortiment de chaînes en or dans la vitrine. Je lui dis :

« Viens, on regarde un peu ça.

– Tu aimes ?

– J'ai toujours eu envie d'en avoir une, mais elles sont trop chères. »

On entre. On est reçus avec une exquise courtoisie. Ce sont les grosses chaînes qui me plaisent le plus, en or brut. Les prix dépassent mes ressources, de loin. On continue à marcher.

« Trop chère. A Cuba, je peux sans doute en avoir une à moitié prix.

– Si peu ? Impossible.

– Si, mais pas dans une boutique, évidemment. Dans la rue. Avec quelqu'un de mon quartier.

– Ah, mais elles risquent d'avoir été volées !

– Elles le sont. Aux touristes, surtout.

– Oh, ce n'est pas bien. Tu ne dois pas acheter celles-là.

– Pourquoi pas ? Ce sont les moins chères.

– J'ai une collègue, on lui a volé sa chaîne en or à La Havane. Trois heures après son arrivée, quand elle se promenait dans la rue. Ils la lui ont arrachée du cou. Elle était assurée, elle s'en est rachetée une plus belle, mais... Ce n'est pas bien.

– Pourquoi ?

– Tu deviens complice des voleurs. Il ne faut pas.

– Il y a des tas de choses qu'il ne faudrait pas faire, dans ce monde. Et qu'on fait quand même. En plus, on est tous complices. Au temps où tu étais riche, tu savais d'où il sortait son argent, ton mari ?

– De ses affaires. C'était de l'argent honnêtement gagné.

– Tu connais les salaires de misère qu'il payait, le nombre de gens qu'il obligeait à travailler comme des esclaves ? C'était du vol, aussi bien.

– Je ne crois pas. Il était honnête. Un homme très bien. Et il est mort. C'était quelqu'un de très correct.

– Aucun homme d'affaires ne peut être "correct". Aucun homme politique. Personne ! C'est quoi, être correct ? Arrête tes couilleries, Agneta. Moi, j'achète la chaîne à celui qui la vend le moins cher ! Et je me fous qu'il l'ait volée à un touriste qui vient montrer son or dans un pays où les gens crèvent de faim. De faim et d'anémie ! Ça, oui, ce n'est pas correct. C'est indécent.

– Et toi aussi, tu vas l'être, indécent : à porter ta chaîne en or devant tes voisins qui n'ont pas de quoi se payer à manger.

– Moi, au moins, j'admets que je ne suis pas correct, que je suis un individualiste et que chacun sauve sa peau comme il peut ! J'assume. Je ne me mets pas à donner des cours de morale de merde. J'accepte le monde comme il est. »

On continue à marcher en silence. Fâchés.
« Tu veux un café ? Je t'invite.
– Non merci. Economise ton argent pour ta chaîne.
– Ah, tu vas recommencer ?
– Non, je t'en prie. On peut le boire à la maison. »

21

On rentre de sale humeur, braqués l'un contre l'autre, sans s'adresser la parole. Je vais m'asseoir sur le balcon mais l'anxiété me ronge les tripes. Je passe à la cuisine me servir un gin tonic, je reviens et j'allume un cigare. Agneta regarde les informations à la télé. Je pense très sérieusement aller à l'agence de voyages le lendemain pour avancer la date de mon retour.

Sur ces entrefaites arrive sa mère. On ne s'est vus que trois ou quatre fois, elle et moi, mais on s'entend bien. Une dame de soixante-seize ans, sympathique, pleine de vie. Elle attend toujours que je lui donne un baiser ou que je lui sorte une blague. Aujourd'hui, elle porte de grandes lunettes de soleil, un collier de perles, et elle est très bien coiffée. Elegante et discrète à la fois. Je la reçois avec un large sourire :

« Oh, *Liz Taylor in my house ! How are you ?* »

On rit tous. Je lui dépose un petit baiser sur la joue, ce qui est toujours un évènement, ici. Les Suédois ne s'embrassent jamais. A la télé, ils parlent de la Bourse. C'est son sujet de prédilection. On discute du cours des actions. Je lui dis :

« Scania est en train de monter très fort.

– Détrompez-vous. Volvo est sur le point de reprendre Scania.

– Il faut acheter des actions des deux, alors.

– Erreur. De Volvo seulement. C'est du solide.

– Vous avez beaucoup d'expérience. Il vaut mieux vous écouter.

– Et vous, vous êtes toujours au courant de tout, Pedro Juan. Si vous parliez suédois, ce serait formidable.

– Si je connaissais le suédois et si j'avais un million de couronnes, on formerait un *team* de championnat, vous et moi.

– Oh oui. Vous aimeriez ?

– Je ne travaille plus. Je consacre mon temps à faire marcher mes couilles et à jouer en Bourse. »

Cette dernière remarque en espagnol.

« Comment ? Je ne comprends pas. Traduisez, s'il vous plaît.

– Je dis que je porte chance. Je porte toujours chance aux autres.

– Ce n'est pas une question de chance, mais d'analyse.

– *Fifty-fifty. Analysis and good luck.*

– Vous croyez ?

– Oui. On ferait une bonne équipe. »

Agneta sert du café, des pâtes de fruits.

« Maman ? Agneta, on ne pourra pas la prendre dans notre *team*. Elle n'a pas assez l'esprit pratique.

– Non. Elle n'a jamais rien compris à l'argent.

– Elle aime bien en avoir mais elle ne sait pas comment le gagner.

– Non, mon fils, elle n'aime pas. Ni l'argent, ni la bonne vie, ni rien. Je ne sais même pas ce qu'elle aime.

– Eh bien moi, la belle vie, ça me plaît. Mais je ne veux plus travailler.

– Vous avez de la tête, vous.

– J'ai passé mon temps à bosser, Maman. Depuis tout gosse. Et qu'est-ce que j'ai, au final ? Un vieux vélo pourri par l'air marin.

– Quoi, vous n'avez pas de voiture ?

– J'en ai eu une. Pendant des années. Aujourd'hui, c'est un luxe inabordable. Non, une vieille bicyclette, c'est tout.

– Oohh, mais c'est impossible !

– Maintenant, je ne fais qu'écrire et peindre. Très facile. La belle vie.

– Il faut que vous écriviez un best-seller, Pedro Juan.

– Bonne idée.

– Et quand vous aurez touché l'argent, je pourrai vous donner quelques conseils pour l'investir. Il y a quelques titres très, très sûrs.

– Merci mille fois, Maman. Je vais en parler avec mon éditeur. Oui, je concoterai peut-être un best-seller. Tout est possible, non ? Ah, ah, ah, ah ! »

Je ne bois pas de café, moi. Après le gin-tonic, j'ai continué la vodka-coca. La maman raconte qu'elle est allée visiter la veille un paquebot de grand luxe au port, avec l'une de ses petites-filles.

« Elle va travailler sur ce bateau. Elle commence demain.

– Qu'est-ce qu'elle va faire ?

– Voyons. Vingt-deux ans, très jolie, grande. Vous ne pouvez pas deviner l'emploi qu'elle a eu ?

– Je n'imagine pas, non.

– Croupière.

– Oh, super ! Au casino du paquebot ?

– Ah, ah, ah ! Hé oui ! Elle parle très bien anglais et allemand. Elle s'est préparée. Il y avait plus de deux cents candidates et ils l'ont choisie, elle. Elle est très habile avec les cartes, elle a le regard vif, c'est incroyable. Elle doit avoir un sixième sens.

– Mais c'est génial. Un travail intéressant et les voyages, en plus.

– Et avec des passagers très riches. Milliardaires. Rien que des Allemands et des Américains. Peut-être qu'elle va se trouver un mari plein d'argent ! »

Je la regarde, elle me sourit. C'est la même histoire de toujours : la grand-mère pragmatique qui cherche un riche parti pour la plus belle de ses petites-filles. Partout, c'est pareil. Et où que j'aille, j'entends l'inévitable ritournelle : à Haïti, ils disent que nous, les Cubains, avons la belle vie ; les Cubains répètent qu'il suffit d'aller à Miami pour faire fortune ; ceux de Miami pensent que le pactole est au nord, à Chicago ou à New York ; à New York, on te dit « les Allemands, les Allemands » ; en Allemagne, on envie les Japonais, et les Japonais rêvent de la Suisse. Et ainsi de suite. C'est une boucle sans fin. Partout, les gens croient que leurs voisins sont mieux lotis qu'eux. Et le plus con, c'est que c'est souvent vrai.

La mère s'en va. On reste assis sur le canapé, Agneta et moi. On s'est dégelés. Après plusieurs vodkas coupées de coca, je suis un peu pompette. Elle me caresse, je l'embrasse. Elle a un goût de café dans la bouche, moi d'alcool et de tabac. Et là, elle ne trouve rien d'autre que d'aller à la cuisine et de revenir avec un bol de lait d'avoine tiède. Elle se remet près de moi pour avaler cette merde. J'ai du mal à ne pas lui envoyer une claque et à expédier cette bouillie dégueulasse par terre.

Impossible de comprendre cette femme. Je suis à moitié

bourré. Elle me caresse, elle me chauffe, j'ai la pine qui dresse la tête. On a presque oublié notre dispute. Je suppose qu'elle est excitée, elle aussi. Qu'elle veut bouffer de la bite en guise de réconciliation. Et soudain elle se rapplique avec de l'avoine ! Alors que je pensais qu'elle allait revenir avec quelque chose de sexy, un verre de cognac par exemple, après avoir passé une nuisette noire, transparente... Ah, bordel, je bous de rage ! Je ne peux plus la supporter ! C'est impensable ! Elle réagit toujours de travers, toujours ! Sa mère l'a accouchée par le cul, c'est pas possible !

« Agneta, purée de toi ! Non, franchement, con... Quelle abrutie complète tu fais !

– Comment ? Je ne comprends pas.

– Tu veux être gentille ? Enlève-moi cette bouillasse de sous le nez. A la poubelle ! Et mets-nous un film porno, suce-moi la pine, trouve quelque chose !

– Porno ? Nous n'en avons pas. Tu sais bien que...

– Je vais te coller cinq coups de fouet sur le cul et tu vas voir que tu descends l'escalier à quatre pattes et que tu nous en ramènes cinquante, des cassettes pornos !

– Oh, non ! Tu es saoul. Qu'est-ce que tu dis ?

– Bois. Prends de la vodka !

– Non, oh non ! »

Et elle commence à pleurer. Ces derniers temps, elle fond en larmes sous les prétextes les plus futiles. D'avoir parlé de fouet, ça m'a fait rebander. Je la déshabille et je l'installe sur moi, mais elle ne sait rien faire. Elle reste là sans bouger, comme un bloc. Si elle voyait la rumba que Gloria danse sur moi quand elle me chevauche et que je la farcis mieux que le cochon de lait de Noël !

« Viens sur le lit, Agneta. C'est toi qui vas me baiser, aujourd'hui. »

Je m'étends sur le dos, je la remets à califourchon :

« Allez, baise-moi ! Fais la gouine avec mon trou de balle, allez ! – Bourré comme je suis, je me rappelle qu'elle ne comprend pas l'argot. – Frotte-moi ton clito là-dessus, ici ! Fais-le ou je te tatane !

– Non, non ! »

Elle a une voix effondrée mais ça m'est égal. Qu'est-ce qu'elle a du mal à apprendre à baiser, la salope ! Et je ne suis pas un bon maître, non plus : je m'énerve trop vite.

« Je vais te montrer, connasse ! Je vais t'emmener à La Havane pour que tu te tapes tous les Noirs qui te plaisent. Vingt, trente, cinquante. Tu apprends à jouir ou tu crèves.

– Oh, mais qu'est-ce qui t'arrive ? Qu'est ce que tu dis ?

– Que je vais te chercher deux ou trois nègres qui vont te rendre folle. On prend une chambre au Palermo un soir et tu te mets à chanter le bolero, attends ! »

Aucun résultat. Je dois me relever et l'enfiler à la pépère. Comme d'habitude. Classique. Ah, Gloria, ma vie, toi tu es une artiste ! Comme j'ai besoin de toi, bout de pute ! A un moment, je ne sais pas quand, je m'endors. Pinté. Sommeil de plomb. La vodka m'anesthésie, à chaque fois. Je me réveille tard, cassé, le crâne en feu. Allongée à côté de moi, Agneta m'observe d'un air à la fois craintif et tendre. Elle se demande ce qui peut lui arriver, maintenant. Aussi paumée que moi. Je l'embrasse un peu pour la rassurer et je lui demande une aspirine, un verre d'eau, du café.

Tout a été précipité, impalpable. En apparence, il y a le temps, le silence, la solitude, mais en réalité il s'est produit la même chose que d'habitude : la vie, les gens, les évènements se jettent sur moi et m'écrasent. A cet instant, je suis aussi perdu que le jour où j'ai atterri à Stockholm, il y a trois mois. Tous mes efforts pour m'éclaircir les idées restent vains.

A des moments pareils, en pleine gueule de bois et confusion, je comprends que je suis incapable d'opposer la moindre résistance. Ma vie s'en va dans un chaos. Il faut l'accepter et ne pas prétendre à beaucoup plus.

Agneta me sert au lit. Elle me donne un baiser, amoureusement, et me demande avec la plus grande douceur :

« Pourquoi tu deviens sauvage comme ça ?

– L'alcool.

– En partie. Mais il y a autre chose.

– *Mixed cultures.*

– Non. C'est plus... personnel. C'est toi. Tu voulais me frapper avec un fouet.

– Mooooi ? Je ne me rappelle pas.

– Si. Avec le fouet.

– Mais non. Je n'ai jamais frappé personne.

– Tu as été boxeur.

– Ça fait des années que je ne boxe plus.

– Justement. Tu as beaucoup de désirs qui se sont accumulés pendant ce temps.

– Ah, s'il te plaît...

– Il faut que tu te souviennes. Tu voulais me battre, cette nuit.

– Bon, d'accord ! Je suis un sadique, et alors ? J'ai envie de te fouetter le cul et tu vas adorer, toi. Et ensuite je te mets la langue. Ça va te plaire encore plus. Tu vas ramper derrière moi pour en redemander. Purée de zob ! Toutes ces histoires et tout cette morale à la con pour que dalle ! »

Elle se met à pleurer comme une madeleine. Elle souffre vraiment, ou c'est du cinéma ? Des larmes de crocodile ? Les femmes pleurent pour un rien et en fin de compte on ne sait jamais. Je la laisse chialer un bon moment.

« C'est ça, vas-y, pleure. Vingt coups de lanière, je vais te donner, comme ça tu pleures à fond et tu te défoules. »

Je vais au sac que je garde dans le placard. Je prends le fouet et je le brandis en la menaçant.

« Non, non... »

Je le lui assène deux fois sur le dos, doucement. Et elle aime ça, la grande salope. Elle se laisse aller et elle soupire comme une chienne... Enfin, je ne crois pas que les chiennes soupirent, non, mais c'est exactement ce qu'elle fait, Agneta : elle soupire comme une chienne et elle s'étire comme une chatte. Elle se jette sur le ventre :

« Oh, tu es fou. Oh, tu me déchires, aaahh... Tu es un pervers sexuel.

– Non. Je suis un torturé sexuel. Une tornade. Un ouragan sexuel, ah, ah, ah ! »

Je continue, sans forcer, et elle continue à gémir. J'ai l'impression qu'elle a un orgasme. Rien qu'avec le fouet. En fait, elle est tout aussi pute que Gloria. Je la grimpe par-derrière et... Oui ! Quand je la pénètre, son con fait « tchoucoutchoucou ». Elle est trempée, elle est fondante. Délicieux.

On achève, on reste un moment comme ça, l'un contre l'autre. Je crois que je somnole un peu. Je l'entends qui me demande :

« Pour le déjeuner, tu veux de la soupe de légumes ou une crème de champignons ?

– Ça m'est égal. »

On pionce un moment, entremêlés comme deux serpents. Finalement, on se lève, on se douche. Agneta prépare le repas en vingt minutes. Je sors de la salle de bains dans mon peignoir en velours beige. Albinoni à la stéréo. La table est impeccable : crème de champignons, rosbif, salade, toasts, vin rouge et fruits. Silence du quartier, lumière et soleil de l'été.

Avant de m'asseoir, je me sers un verre et j'écoute la musique en regardant par la fenêtre. Ce cimetière, c'est mon recours. Ma source de paix. Je sens son influence apaisante d'ici.

« Il est très beau, ce cimetière.

– Tu aimes, vraiment ? Je croyais que tu détestais la mort.

– Elle m'attire et elle m'effraie à la fois. Paix, repos. Sérénité, vide. Le néant. Au début, n'importe qui panique, face au néant.

– Ça me plaît de l'avoir si près, en face de la maison. En hiver, couvert de neige, c'est magnifique. Tout en blanc et gris. Neige et pierres.

– Je crois que c'est parfait, oui. Les tombes, le gazon, les arbres et le vent. L'équilibre éternel : terre, air, eau, feu. Tu comprends, Agneta ? Tu mesures la douleur que la mort efface et qui renaît encore ? La souffrance fait partie de notre esprit. Elle crée l'équilibre. »

Je l'embrasse sur les cheveux, je la caresse tendrement.

« Tu sais ce qui se passe, Agneta ?

– Non.

– C'est la loi de la survie. Je suis émerveillé par l'équilibre que représente ce cimetière. J'aime savoir qu'il existe, là où il est, mais nous ne vivons pas dans les cimetières, n'est-ce pas ? Ni dans l'éternité. Ce morceau de temps ou d'éternité qu'on appelle la vie est quelque chose de brutal, de sauvage, de douloureux. Et il faut survivre. Comme on peut. Toutes griffes dehors, toutes dents dehors. Il faut se défendre et lutter.

– Tu es un peu... agressif.

– Juste ce qu'il faut.

– Des fois, c'est l'endroit où l'on vit qui...

– Toujours. C'est fondamental. Tu n'imagines pas ce que c'est de vivre autrement. Dans un pays très pauvre. Sans travail, presque pas d'argent. Rien à manger, aucune solution.

Tous les jours, il faut se chercher quelques dollars tant bien que mal. C'est un cercle vicieux, la pauvreté. Un piège. La morale et les principes sont des poids morts, alors on les met de côté, pour avoir les mains libres. Et hop, à la bagarre ! Toutes griffes dehors.

– Je ferais pareil.

– Bien sûr. N'importe qui. A moins d'avoir du sang de poulet dans les veines.

– Bon. Mettons-nous à table. La soupe va refroidir. »

Elle me sert. Je goûte.

« Mmmm, excellent. Tu es une super cuisinière, quand tu veux.

– Merci. Tu es un gentleman, quand tu veux. »

22

Une galerie de Göteborg organise un vernissage pour quatre peintres. Ils ont pris dix de mes tableaux. Je compte bien être présent en personne, faire mon show et vendre toutes mes croûtes. Je ne peux pas revenir à Cuba les poches vides, moi. Par le train direct Stockholm-Göteborg, c'est facile et rapide. Mais c'était sans compter un détail : ma petite femme adorée n'est pas prête à lâcher sa proie.

« On peut y aller en voiture, Pedro Juan. Je conduirai.

– C'est loin ! Tu vas te crever. Et en été, avec toute cette circulation, tous ces accidents... Non.

– Ce n'est pas loin et ça ne me fatiguera pas. Bon, mais si tu veux, tu y vas seul. Comme tu voudras. »

Elle tire une tronche entre furax et désolée. Elle se tait. Ah, purée, elle me colle comme un morpion d'Amazonie, cette femme ! Je lui donne un baiser.

« Allez, doudou, allez. Ne te mets pas comme ça. Okay, on y va tous les deux. »

Aussitôt, elle m'expose son plan. Elle avait déjà tout manigancé, alors ? C'est une tête, la salope !

« Si tu veux, alors, on peut partir demain matin, tôt. A mi-route, on peut passer la nuit à la ferme d'amies à moi. Elles vivent dans une forêt très belle. Ça va te plaire. »

Elle les appelle pour les prévenir de notre arrivée, elle prépare un sac de voyage. L'efficacité personnifiée. Je n'ai même plus besoin de penser, moi, donc de quoi je me plains ?

On s'en va le lendemain, en milieu de matinée. Le soir, après avoir erré sur de petites routes de campagne et des chemins forestiers, on arrive à la ferme, jolie comme un jouet en blanc et rouge. Agneta m'a briefé, auparavant :

« Margaretha a été photographe de presse pendant des années. Elle était mariée à un gros bonhomme plein de tatouages. On disait qu'il avait fait de la prison. Ils ont eu deux enfants mais personne ne comprenait ce mariage. En fin de compte, ils ont divorcé et elle a changé de vie. Complètement. Elle a abandonné le journalisme, elle s'est acheté cette propriété et elle s'est installée avec ses enfants. Elle est devenue photographe indépendante et elle a commencé à avoir des relations homosexuelles.

– Oui ? Et toi aussi, tu te la tapes ?

– Quoi ?

– Tu fricotes avec elle ?

– Je ne comprends pas ?

– Vous jouez à touche-minou ensemble ?

– Moi ? Oh, ah, ah, ah ! Non ! Ça fait des années qu'on ne s'est pas vues. On se parle au téléphone, seulement. »

Je me mets à gamberger aussi sec. J'imagine la ferme en bordel bucolique, la partouze générale... Erreur. Margaretha est un fermier costaud, très sérieux. On croirait un homme, vraiment. Elle a laissé tomber la photo et elle vit en couple. Elles fabriquent des céramiques et elles vendent du lait. Naturistes militantes, chiantes comme la pluie. On a l'impression qu'elles ne font jamais l'amour, même le vendredi soir. On a une veillée avec tisanes et musique symphonique. Elles parlent toutes les trois en suédois, me demandent pardon et moi, tout gentil : « Oh, ce n'est pas grave ! » En réalité, l'envie me démange de sortir ma pine, de me branler, de tringler Agneta devant elles, n'importe quoi pour secouer tout ça, mettre un peu de vie. Si j'avais de la vodka et un cigare, au moins... Je fais semblant d'écouter Mozart mais je surveille mon angoisse, surtout. A ce moment, Agneta m'annonce :

« Margaretha voudrait te montrer une série de photos très spéciales, Pedro Juan. Elle a travaillé sur un institut médico-légal pendant six ans. Elle a l'intention d'en tirer un livre.

– Ah, oui, d'accord.

– Pas ici ! Je ne veux pas les voir, moi. Et toi, tu es sûr ?

– Qu'est-ce qu'elles ont de si terrible ?

– Ce sont des photos de... morts.

– Et pourquoi tu ne veux pas les regarder ?

– Oh, non, non ! »

Margaretha me fait monter dans son studio. Elle me montre ses archives.

« Quelque quarante mille clichés, ici.

– Un travail de six années.

– Exactement. Dans ce dossier, j'ai une sélection de deux cents photos. Le livre s'appelera *La Mort*, simplement. Rien que des photos, pas de texte.

– Je comprends. »

Je prends la chemise et je m'installe dans un fauteuil très confortable. Après m'avoir installé une lampe pour que j'aie la lumière adéquate, Margaretha va s'asseoir dans un coin. Horribles, ces tirages. En couleur, tous. Je n'ai jamais rien vu de pareil. Cadavres à moitié putréfiés dans les taillis, vieillards pendus aux yeux exorbités, enfants assassinés à coups de hache avec leurs parents suicidés à côté d'eux, un couple de pédés enlacés, chacun avec un couteau planté dans le dos, restes humains grignotés par les poissons, un flic qui a tué sa femme avec son arme de service puis s'est donné la mort en se frappant la tête contre le mur...

Margaretha m'interroge.

« Ça t'inspire quoi, de la peur ?

– Du dégoût.

– C'est ce que je recherche. Si tu veux, tu peux en rester là.

– Je veux aller jusqu'au bout.

– C'est hypnotisant, oui. »

En effet. Je suis totalement fasciné. Parvenu à la fin, je reviens sur certaines images. Une série de quatre photos d'un meurtre collectif exerce un envoûtement particulier sur moi. Une orgie qui a mal fini. Huit cadavres. Il y a des fouets, des accessoires en cuir, des godes, des vibromasseurs, un énorme lit en désordre. Le type qui filmait l'action a soudain dégainé un revolver et il a flingué tout le monde avant de se suicider. C'est affreux, l'horreur, la terreur qu'inspirent ces corps déjà pourrissants, jetés les uns sur les autres, comme en enfer. La police n'a découvert le crime qu'un mois après. C'est irréel, répugnant, fascinant. J'aimerais les avoir à moi, ces photos. J'aurais eu envie d'être sur les lieux et de les avoir prises moi-même. Et regarder la vidéo, plein de fois.

« Tu vas le publier, ce livre ?

– Trois éditeurs l'ont vu. Ils l'ont refusé. Mais moi je m'accroche. Je pense que c'est un bon travail.

– Extraordinaire, oui. Trop puissant pour notre époque tellement politiquement correcte. Tu n'en trouveras pas, d'éditeur. »

On redescend et on rejoint les deux autres. Maintenant, j'aurais vraiment besoin d'un whisky et d'un cigare de chez moi. Vraiment. Mais nous n'avons que de la tisane, du silence, et l'obscurité absolue qui enserre la maison.

23

A Göteborg, tout se passe comme prévu. Je mets un pantalon blanc, une chemise de carnaval tropical, et je me promène dans l'exposition en fumant un cigare odorant. J'avais pensé à apporter des cassettes de salsa mais les organisateurs ne veulent pas de musique. C'est très guindé, vu que les trois autres peintres sont des figuratifs. Figuratifs à l'excès, je veux dire. En costume-cravate et chaussures de ville, en plus. Résultat, je provoque un scandale digne d'un artiste de premier rang. Aussitôt, une excellente sono est installée. Je mets mes cassettes. Il n'y a que du vin. J'exige quelques bouteilles de rhum mais les types de la galerie rejettent ce second ultimatum avec une énergie farouche. Pas question de dépenser de l'argent pour ça. D'accord. Faites péter le pinard, alors. Je me lance dans mon show Caraïbes. J'adore jouer le roi du mambo. Je danse la salsa avec les dames les moins timides. Je m'amuse beaucoup, ce qui est plutôt difficile, à Göteborg. Pratiquement impossible. Mais moi si, je rigole. Je crois que je force un peu sur la picole. Apparaît soudain une femme aux traits lascifs, couverte de perles et de bijoux jusqu'aux tétons. Elle est intéressée par trois de mes tableaux. On danse, on parle. Dans sa collection privée, elle a déjà un Warhol, un Rauschenberg, un je ne sais qui encore. Bourrée aux as, quoi. Et moi qui fais le beau pour lui caser mes humbles croûtes. Elle veut qu'on aille dîner ensemble mais c'est exclu : ma chérie Agnes boit des litres d'eau minérale sans me quitter d'un pas. Je la présente comme mon agente pour l'Europe. Je suis un peu pété mais elle pas du tout, et aussi sec elle ajoute :

« Nous avons une relation exceptionnelle. Je suis sa fiancée et en même temps son agente. »

C'est dingue ! Elle fait comme si elle avait un coup dans le nez, elle aussi, et elle débite sa répartie d'abord en anglais, puis en français, et enfin en suédois ! La dame lascive s'esquive en une minute. Le fin mot de l'histoire, c'est que je vends seulement un tableau sans importance. Ah, trop génial ! Je ne peux pas continuer comme ça, avec cette sangsue qui me colle à travers toute la Suède ! Quand je vais revenir à Cuba, tout le monde sera persuadé que je suis plein de thune, et si je ne monte pas une méga fiesta d'auto-bienvenue on dira que je suis un mesquin, un grippe-sou. Ah, monde cruel, comme tu es injuste !

On rentre à Stockholm. L'autre jour, je l'ai emmenée à un studio de tatouage. Dans un sous-sol, près de la maison. Cadre classique, avec les murs couverts de milliers de dessins. Ils font du piercing, aussi. Il y a un aquarium avec une grosse tarentule ténébreuse qui couve du regard quelques sauterelles, un vieux jackpot, une stéréo qui diffuse du heavy metal à fond les manettes, et les trophées que le type a gagnés dans des concours de tatouage européens, et des revues spécialisées... Bronstein, le patron et dessinateur en chef du studio, est un mastodonte viking tatoué jusqu'aux paupières. On traîne un peu, on demande les prix et on s'en va. Je veux qu'Agneta se fasse un cœur tout rouge avec un ruban dessus :

PEDRO JUAN. Sur le sein, à deux millimètres du téton. Grandiose ! En fait, j'ai en tête un texte plus long : PEDRO JUAN ES MI MACHO, mais inutile d'effrayer la pauvre biquette, pour l'instant. Chaque chose en son temps. Pour moi, j'aimerais un grand aigle aux ailes ouvertes, ou une panthère rugissante. En noir. Sur le bras gauche, tout en haut à l'épaule. On repart en discutant de ça :

« L'aigle noir pour toi, ça me plaît. Mais pas si grand.

– Plus petit, ça va bien sur une femme.

– Mais aussi énorme, c'est très vulgaire.

– Pourquoi, je suis distingué, moi ? Avec cette tête de mec descendu de son perchoir à La Havane ?

– Ah, Pedro Juan, je ne sais pas...

– Tu voudrais que je fasse partie du Rotary Club, peut-être ? Ou du Lion's Club, comme ton père ?

– Non, non, je t'en prie, non. Mais pas que tu sois vulgaire, non plus.

– On est comme on est, tous. Et ne me casse pas les roustons plus longtemps, parce que je vais finir par aller m'acheter l'encre et me le faire moi-même, ce tatouage.

– Toi ? Tu n'as pas la machine qu'il faut.

– Comme en taule, petite. Avec un rasoir.

– Aïe, comme ça doit faire mal. Ma grand-mère en avait un comme ça. Elle m'a dit que ça faisait très mal.

– Hé, couillue, la vioque !

– Quand elle l'a eu, elle n'était pas vieille.

– Mmouais.

– Elle avait cinq ans et son frère dix. Il lui a attrapé le bras et il lui a tracé une ancre desus.

– Quel enfoiré ! Fils de pute dès le berceau, celui-là.

– Avec un ami à lui. Ils sont tombés sur ma grand-mère...

Bon, ce n'était pas encore ma grand-mère ! Ils l'ont attachée avec une corde et... Un rasoir.

– Sadique, le mec. Il est toujours en vie ?

– Je ne sais pas. Il a disparu à l'âge de quatorze ans. Il disait qu'il allait partir sur un bateau, matelot, pour aller faire fortune en Amérique. Ils étaient pauvres, des paysans. Personne ne le croyait mais un jour il n'a plus été là et on n'a jamais eu de nouvelles de lui. Peut-être que j'ai de la famille en Amérique...

– C'était quand ?

– En 1900 et quelques. C'était la misère, ici. Beaucoup émigraient.

– Fais gaffe, Agneta. Je suis aussi sadique que ton grand-oncle, moi.

– Oh non, s'il te plaît, ne commence pas ça ! Une fois, ça suffit.

– Tu vas aimer. Tu vas découvrir ton côté maso.

– Pedro Juan, des fois tu es un gorille sauvage.

– Tous les gorilles sont sauvages, moi y compris. Certains d'entre nous font semblant d'être apprivoisés mais c'est juste un truc pour pouvoir vivre en ville.

– Ah, ah, ah, quel fou !

– Tu me plais beaucoup, Agnès.

– Tu ne m'aimes pas ?

– Aimer, c'est très difficile. En anglais, je crois qu'il n'y a pas de nuances. On dit "*I love you*" et terminé. Mais dans notre langue il y en a plein.

– Comme quoi ?

– "Tu me plais", "je te veux", c'est un peu moins que "je t'aime", "je t'adore".

– Tout ça ? Comme un... classement ?

– Dans "ma" langue à moi, en tout cas, c'est comme ça.

– Donc, tu m'expliques ça pour me dire que tu ne m'aimes pas ?

– Ah, la sémantique de l'amour... Tu me plais et je te veux. On en est là. Ne me presse pas trop, parce que je suis lent, comme type.

– Eh bien moi oui, je t'aime. Complètement. Je t'aime.

– Tant mieux. Alors souffre, à partir de maintenant. Je te rejoindrai plus tard. »

On va souvent à la plage de nudistes. Derrière mes lunettes de soleil, je suis tel un radar. Agneta finit par se mettre entièrement nue. Je l'interroge :

« Ça t'excite ou ça continue à te répugner ?

– Ah, ah, ah ! »

Elle est machiavélique. Lorsqu'elle se tait, c'est parce qu'elle est en train de manigancer des trucs qu'elle ne veut pas révéler.

« Ça me plaît, de te voir à poil devant les autres. On est bien, tous les deux. On est un couple très baisable.

– Oh, Pedro Juan, ne parle pas comme ça.

– Pourquoi tu crois qu'on nique deux ou trois fois par jour ? Parce que tu me plais, tu m'excites. Chaque jour, tu es plus tendre. Tout ça, quoi. Et tes nibars. Ce qui me fait le plus craquer, chez toi, c'est tes nénés et tes silences.

– Silences ?

– Oui. Une femme silencieuse, c'est le rêve de tout homme. Silencieuse et avec de beaux nibs, en plus : le luxe !

– Dans la *Trilogie*, il y a une femme avec de gros seins et brusquement elle ne te plaît plus.

– Un coup de tête. C'est vrai.

– Vraiment vrai ?

– Totalement. Ses nénés qui pendaient, ça m'a coupé la chique. Incapable de bander. Elle s'est beaucoup fâchée. Elle m'en a voulu pendant plus de deux ans, et pourtant on devait se voir et se parler tous les jours, pour le travail. Et on est restés amis.

– Ah, quelle vie tu as eue ! La mienne est très grise. »

Je me tais. Je ne lui ai pas dit toute la vérité, non. Ça m'attriste. En réalité, après cette débâcle, j'ai absolument voulu avoir ma revanche. Le macho tropical immature, quoi. Aujourd'hui, j'aurais oublié l'incident en deux minutes. Mais j'ai insisté, insisté jusqu'à gagner son amitié. Je l'ai attendrie avec des roses, des glaïeuls, elle a accepté de sortir avec moi deux ou trois soirs. Un ami m'a prêté sa voiture et c'est là que je l'ai embrochée. Dans le noir, sur le bord de la route, je ne voyais pas ses nénés. Je pense que c'est grâce à l'obscurité, oui. Le fait est qu'on baisait souvent. Sympa, rien de transcendant. Et dans ma nouvelle la fin est toute gentille, toute tranquille, alors que dans la vie réelle ça s'est très mal terminé. Comment ? Au début des années 90, la crise et la disette sont venues. Ils ont fermé les fabriques d'extincteurs et elle a perdu son travail. Elle s'est mise à faire du marché noir. Des fois, je lui achetais de la viande de bœuf ou de cheval, mais elle me trompait sans cesse sur le poids. Il manquait une livre, à chaque fois. Moi, je faisais comme si de rien n'était. Puisqu'on couchait ensemble, je n'allais pas me ridiculiser en faisant des histoires pour un morceau de bidoche. Un jour, cependant, c'est quatre kilos qu'elle m'a volés. Elle avait passé les bornes, là. J'ai perdu patience, on a eu une engueulade terrible. On s'est blessé mutuellement, en paroles, et ça a été terminé. Plus amants, plus amis, plus rien. Cette affaire avait mal commencé, elle s'est terminée encore pire.

C'est comme ça. La vie est bien plus compliquée que la littérature. Mais moins intense, aussi. Dans un roman, il faut aller vite, très vite pour maintenir la tension. Autrement, on s'endormirait sur le livre. Un auteur choisit des bouts de vie et il écrit en essayant de ne pas être ennuyeux. Enfin, mon seul guide, à moi, c'est l'intuition. Un peu d'intuition. Et c'est très, très peu.

24

J'ai passé la matinée à lire. Agneta est allée voir un appartement à louer dans le coin, pareil que le sien mais moins cher. A onze heures, je me sens courbaturé, j'ai besoin de faire marcher un peu mes muscles. Je vais courir au bois. Quand je reviens, Agneta est là, en train de préparer le déjeuner. Je me douche, j'ouvre une cannette de bière, je mets le *Stabat Mater* de Pergolèse et je vais aider en cuisine. Pas grand-chose à faire. Au menu, salade, fromage, pain et saumon fumé.

« Tu ne m'as rien dit sur l'appartement. Tu l'as vu ?

– Mmm...

– Quoi, c'est moche ? Sale ?

– Non. Ce serait l'idéal. Le loyer est plus bas, c'est plus grand, mais... C'est impossible.

– Pourquoi ?

– La femme qui y vivait s'est suicidée il y a trois jours. Et sa sœur m'a fait visiter très tranquillement.

– C'est logique. Si elle commence à effrayer les locataires potentiels...

– Non, ce n'est pas ça. Tout est exactement comme elle l'a laissé : les assiettes et les verres sur l'égouttoir, les factures bien en ordre sur la table, le lit fait, le savon et le dentifrice entamés dans la salle de bains... Chaque chose à sa place. On croirait qu'elle va revenir d'un moment à l'autre. On est vendredi, aujourd'hui. Mardi matin, cette femme s'est levée, elle a pris son petit déjeuner, elle a tout mis en ordre. Elle est sortie, elle a suivi la voie de chemin de fer et au deuxième pont elle s'est jetée dans le vide.

– Il m'a toujours impressionné, ce pont. La hauteur.

– Visiblement, elle a tout fait très calmement. En pensant à chaque détail, comme si elle allait acheter un frigidaire. Et la sœur. Toute tranquille. Ils l'ont enterrée le mercredi. Une heure après, elle a accroché le panneau : A LOUER sur le balcon.

– Très rationnel. Bon, si tu préfères, je peux t'accompagner et t'aider à te décider.

– Pour rien au monde ! Même si on me l'offrait, cet appartement, je ne pourrais pas y vivre.

– A Cuba, personne ne pourrait. Mais c'est qu'on est très fantasques, nous autres, très superstitieux. On aurait pu croire que les Suédois...

– Ah, ne simplifie pas les choses comme ça, Pedro Juan.

– Je pense que c'est partout pareil, au fond. Ces gens qui se donnent la mort, ils continuent à errer. Ce sont des âmes privées de lumière, assez de lumière pour monter.

– Ils continuent à... errer ?

– C'est ce que les santeras et les voyantes disent, oui.

– Mais c'est ce que j'ai ressenti. Exactement ça.

– Vraiment ?

– Quand je suis entrée dans cet appartement, j'ai senti quelque chose de... bizarre, de désagréable. J'étais mal. Dépressive, mélancolique, comment dire ? On commence à visiter et cette dame se met à me raconter ce qui s'est passé mardi comme si c'était la chose la plus normale du monde. Et là, j'ai senti ce poids sur moi, plus fort que jamais.

– Et tu es partie en courant.

– Dès que j'ai été dehors, j'ai retrouvé ma respiration. Ça a été terminé. »

Le *Stabat Mater* a continué en musique de fond. On en est au dernier mouvement, *Quando corpus morietur*. Je m'empresse d'enlever ça pour le remplacer par la salsa érotique de Pablito F.G.

Le déjeuner se poursuit. Agneta boit du soda. On parle de la quinine, des stimulants, du gingembre.

« Il paraît que c'est un aphrodisiaque. A La Havane, il y a un bar mal famé de Cuatro Caminos qui vend de l'infusion de gingembre avec des œufs de perdrix.

– Je ne crois pas aux aphrodisiaques.

– Moi si.

– Ça me semble absurde.

– Tout peut sembler absurde. Ou non. Il y a certaines limites qu'on doit passer soi-même, des distinctions qu'on fixe personnellement. Quand on les partage avec d'autres, elles n'existent plus.

– Pourquoi tu me dis ça ?

– Ce que tu viens de me raconter à propos de cet esprit aussi errant que déprimant.

– Ah, mais c'est entièrement vrai ! Tu sais que je ne dis jamais de mensonges. Et je ne suis pas folle.

– Et si je te dis que la première fois que je suis allé au Mexique, je ne connaissais rien à leur piment ? Je mangeais de leur sauce piquante et j'avais une érection permanente. C'était incroyable. J'ai paniqué. J'ai cru que j'étais en train de devenir fou. Je ne trouvais pas d'explication à cet état, à cette énorme énergie sexuelle que je ressentais... Au bout du quatrième ou du cinquième jour, finalement, un Mexicain m'a expliqué que les piments ont un effet aphrodisiaque sur certaines personnes. J'ai arrêté d'en manger sur-le-champ.

– Et puis ?

– Ça s'est calmé. Je n'en pouvais plus, moi. Je me réveillais la nuit avec la bite comme un mât. Je me branlais trois ou quatre fois par jour. J'étais sur le point de crever.

– Oh, je te crois.

– Bien sûr que tu me crois ! Il faut. Et moi, je crois à ton histoire de fantôme. J'ai eu plein d'expériences de ce genre, ou pires. Mais je n'aime pas parler des morts... Dans ce bar de Cuatro Caminos, il y a toujours des vieux qui s'envoient de l'infusion de gingembre avec des œufs de perdrix.

– Mais s'ils sont vieux, le sexe, ça ne devrait plus les intéresser.

– Ces vieux-là, si. Ce sont des durs, des mecs de la rue. Ils veulent rester en forme jusqu'à la tombe. Très souvent, ils calanchent pendant qu'ils sont en train de tirer une petite pute qui a le quart de leur âge. Ils disent que c'est la mort idéale : une crise cardiaque avec la pine bien raide dans le con d'une putasse à deux ronds.

– Oh, quelle horreur !

– Quoi, quelle horreur ? C'est la fin rêvée, oui ! A quatre-vingt-dix ans, ou cent. En plein plaisir. Le dernier vagin de ta vie et tu ne le sais même pas, que c'est le dernier. La bite en l'air et bang, le palpitant qui lâche ! Une grimace et c'est terminé. Dans ces cas-là, les putes, qui encaissent toujours l'argent avant de se mettre à poil, se signent trois cents fois de la main droite, et un Notre Père, et un Ave Maria pleine de grâce, et de la gauche elles ressortent le braquemard et elles s'en vont en courant, sans prévenir personne, et le macchabée reste là jusqu'à ce qu'on le découvre. J'aimerais bien mourir comme ça, moi.

– Et après, incinération.

– Exactement. Pourrir dans la terre, c'est pas mon truc. Le feu purificateur.

– C'est ce que je n'ai jamais compris, chez les hommes. Comment vous pouvez séparer le sexe de tout le reste. Moi, je suis incapable de coucher avec quelqu'un que je n'aime pas.

– Ce n'est pas une question d'homme ou de femme, mais de point de vue. Moi, j'ai toujours adoré le sexe. L'amour, c'est autre chose. Ça m'est arrivé de l'éprouver avec des femmes qui me plaisaient beaucoup sexuellement, mais dans cet ordre-là. Si en plus du sexe il se mêle de l'amour, de la tendresse, des bons sentiments, ça devient une complication inutile. Toi, ça ne t'est pas arrivé pareil ?

– Non. Le contraire.

– Comment ça ?

– Certains hommes, j'aurais préféré qu'ils soient moins cultivés et plus portés sur...

– Le sexe ?

– Uuhh.

– Le sexe ?

– Uuuh.

– Oui ou non ?

– Oui.

– Tu as peur de le dire ? Il n'y a pas de quoi.

– Ah.

– Parle, ne sois pas effrayée par les mots. Ils étaient cultivés et bien élevés, ces types, mais ils ne te bourraient pas bien et tu n'avais jamais d'orgasme. C'est ça ? Et le pire, c'est qu'ils ne s'en rendaient pas compte, qu'ils étaient très contents d'eux.

– Oui, mais... »

Elle est devenue rouge comme une tomate.

« Et avec moi, c'est l'inverse. Bonne bite mais à moitié sauvage, le mec.

– Tu n'es pas à moitié sauvage.

– Tu dis que je suis comme un gorille.

– Des fois. »

Avec cette conversation et la salsa érotique qui continue sur la sono, j'ai les hormones qui s'affolent. Je soulève son tee-shirt. Elle ne porte pas de soutien-gorge. Elle n'en a pas besoin, avec les seins qu'elle a, fermes, pleins, très beaux... Enfin, je ne vais pas me répéter. Certains pourraient penser que je suis un obsédé sexuel. Mon seul problème, c'est que je dois me contrôler. Lorsque je vois qu'elle ne me laisse pas la sodomiser et qu'elle ne suce pas, je m'énerve. Un de ces jours, je vais perdre patience et les claques vont lui tomber dessus. Mais c'est impossible. Il faut que je me maîtrise. Toutes les femmes ne sont pas pareilles. Gloria, elle a ses orgasmes les plus dingues quand je lui colle des beignes, que je lui crache dessus, que je la jette par terre, que je la piétine, que je lui pisse dans la figure ou que je lui cingle les fesses avec la ceinture. Elle jouit comme une chienne et elle crie : « Comme ça, papito, comme ça, plus fort, bats-moi encore, esquinte ta salope, vas-y ! » Mais c'est une métisse sans pudeur, une folle complète. Si je lui fais la même chose, à la Suédoise... Bah, on ne sait jamais. Peut-être qu'elle me surprendrait, qu'elle se mettrait à mouiller encore plus, et même à ovuler. On ne peut pas savoir. Elle a aimé le fouet, en tout cas.

25

On termine épuisés tous les deux, on somnole un peu, une demi-heure peut-être, et on remet ça. Pourtant, elle ne me stimule pas. Elle est trop passive, elle se laisse faire, mais malgré tout ça me plaît. On sue comme des bêtes et... Ainsi de suite. Sérieusement, j'ai pris le ferme engagement envers moi-même de ne pas raconter des choses aussi intimes. Et c'est un effort, pour moi, parce que j'aime ça, tout décrire en détail... Mais il ne faut pas. On dirait que les vibrations suédoises ont fini par agir sur moi : silence et modération.

Après, on prend une douche brûlante et on va sur le balcon avec du café et de la glace. Elle veut absolument qu'on aille se promener, moi non. J'attrape un livre, j'essaie de me plonger dedans, mais en réalité je me sens crevé. Même si je ne veux pas le reconnaître, ces exploits en chambre, deux coups consécutifs, ce n'est plus pour moi...

« Il y a des tableaux que je voudrais voir, dans une galerie. C'est tout près.

– Non, Agnes. Vas-y toute seule.

– Toute seule, non.

– Tu es énervée ?

– Un peu.

– Va te balader. Moi, je reste là, tranquille.

– Je vais chercher du lait au supermarché. Tu as besoin de quelque chose ?

– Non. Il y a tout ce qu'il faut. »

Elle s'en va. En fait, je suis tendu, moi aussi. Un peu inquiet. Mais je ne veux pas qu'elle le sache. La fin est proche. Il ne me reste que quelques jours ici. Et puis la fatigue. Trop de sexe. On est exténués, tous les deux. Des fois, je pense à la retenue, à la prudence. Je vais jusqu'à me fixer un programme pour contrôler mon alimentation, la boisson, le tabac, le sexe, l'activité physique. Mais ensuite, je le bafoue tout le temps. Et je continue avec les excès. C'est peut-être de là qu'elle vient, cette inquiétude.

Je me couche. Impossible de faire la sieste. Trop à cran. Les nerfs en pelote. Je me branche sur Radio Match. Après une tirade vertigineuse sur les soldes d'été dans un grand magasin du coin, le présentateur continue avec « *a new CD by Orlando Contreras, famous Cuban singer of boleros* ». Ça frise l'absurde, là : un bolero d'un Cubain de Miami sur une chaîne locale de la banlieue de Stockholm... Je me jette sur le magnéto pour l'enregistrer :

Où que je me trouve,
Mon seul désir, c'est le retour.
Un jour je reviendrai
Au pays où je suis né
Et qu'on m'a fait quitter.

Je reviendrai
Sur les lieux de mes amours
Là où j'ai laissé se faner
Les fleurs de mon passé.

Oh, Seigneur, pourquoi m'infliger ces pleurs ?
Vois comme j'aspire au retour
Ici je ne veux pas rester
Ici je ne veux pas mourir. »

Ensuite, ils passent *So long, Marianne*. Aujourd'hui ce doit être un grand nostalgique qui est à la programmation de Radio Match. Je réécoute le bolero que j'ai enregistré. Plusieurs fois. On essaie sans cesse de changer sa vie, de l'avoir mieux en main, de prévoir, de calculer les conséquences de nos décisions. Mais ça ne marche jamais. Nous sommes pareils que ces fourmis affolées qui courent dans le jardin, se bousculent et perdent à chaque fois le cap.

Le soir, on est allés en boîte à la campagne. Danser la salsa. C'est une sorte de clairière dans la forêt où ils ont monté une piste de danse en bois usé. Il y a à boire, à manger, et la musique est assurée par les *Stockholm Soneros*. Des musiciens suédois et une chanteuse uruguayenne qui font de la salsa cubaine. Ils ne s'en tirent pas trop mal. On danse un peu, on salue des connaissances, on se paie quelques bières. C'est un beau soir paisible, qui s'écoule lentement. Quand le froid tombe, on retourne prendre nos vestes dans la voiture. Entre Agneta et moi, il flotte un relent de mélancolie, quelque chose d'impalpable, de gris, d'accablé. C'est inévitable. On tente de le dissiper en dansant, en plaisantant avec des amis, en riant, mais l'ange de la tristesse plane en silence au-dessus de nous. On se couvre, on referme la voiture et on revient par un sentier désert. Tout est calme autour de nous. Soudain, Agneta me prend la main, la serre très fort et m'oblige à m'arrêter. Elle me regarde dans les yeux.

« Ne t'en va pas.

– Quoi ?

– Ne retourne pas à Cuba.

– Tu ne sais pas ce que tu dis, Agneta.

– On pourrait se marier. Demain.

– Non, non et non. Même pas dans tes rêves.

– Aaah... Tu serais en règle, comme ça. Ils te donnent la citoyenneté tout de suite.

– Je t'ai dit que non.

– Pourquoi ?

– Ce n'est pas dans mes plans.

– Tu n'en as pas, de plans. Tu n'aimes pas planifier, ni attendre quoi que ce soit de l'avenir.

– Ne complique pas les choses. Je ne veux pas vivre ici.

– A cause de la langue ?

– A cause de tout.

– De moi aussi ? »

Ça y est, les premières larmes coulent.

« Hé, une minute ! Pas de pleurnicheries ni de mélo, hein ! On a les pendules à l'heure, entre nous, alors tu laisses tomber les caprices, d'accord ?

– Parle plus lentement, s'il te plaît. Je ne comprends pas.

– Pleure pas, je dis. Je ne veux pas de larmes.

– Tu es une brute et un... !

– Un quoi ?

– Un... idiot ! Tu es un idiot ! »

On a haussé le ton, tous les deux. Elle me lâche la main et elle part toute seule vers la piste. Je la suis à pas lents, l'esprit vide. Depuis le début, c'est clair, pour moi : rester en Suède ? Mes couilles, oui ! Brusquement, une petite ampoule s'allume dans mon cerveau. Je la rejoins :

« Partons à Cuba ensemble.

– J'y ai pensé. C'est impossible.

– Pourquoi ?

– Je ne trouverais pas de travail. Ici, ce serait bien pour nous deux.

– Ici, je ne peux pas rester parce que je crèverai comme un oiseau en cage. »

On se tait un moment, l'un près de l'autre. L'orchestre a attaqué un *son* de chez nous.

« Mieux vaut ne plus parler de ça, Agnès. Ça n'en vaut pas la peine.

– D'accord. »

On rentre à la maison assez tôt. On reste sur le balcon à regarder les étoiles quelques minutes. On occupe la salle de bains à tour de rôle et on se couche. Je suis fatigué mais je voyage dans des autobus bondés, avec plein de sacs en plastique et de cabas très lourds. Les gens me bousculent, il faut que je surveille sans cesse tous ces bagages. Comme je suis debout dans le couloir, je ne peux pas voir par la fenêtre. Autour de moi, c'est la cohue. Claustrophobie. Impression d'étouffer, d'être pris au piège, de manquer d'oxygène. En traînant tout mon chargement comme je peux, je finis par descendre et je me retrouve dans une ville inconnue, étrange. J'entends les gens parler mais ce n'est pas une langue. Je ne sais pas où je suis, où je vais. Je ne comprends rien. Je me hisse péniblement dans un autre bus tout aussi plein. Je ne vais nulle part mais je ne peux pas m'arrêter, non plus. Toujours continuer avec mon barda, sans jamais de repos, sans repère. C'est un supplice. C'est un châtiment. Voyage à perpétuité dans ces autobus étouffants dont je change tout le temps, épuisé par mes sacs, les poumons en feu...

Je me réveille noyé d'angoisse. Qu'est-ce qui m'est arrivé ? Je résiste à une envie terrible de quitter ce lit, d'aller prendre l'air sur le balcon. La chambre n'est pas complètement obscure. Je reste à regarder le plafond en essayant de me détendre, de retrouver mon souffle. Agneta dort à côté, toute tiède. Je sens ses gros seins fermes contre moi. Une photo me revient en mémoire : Dracula avec sa cape noire, ses incisives et ses yeux diaboliques. Il tient une femme superbe dans ses bras et s'apprête à plonger ses dents dans la gorge tendre. C'est Gloria qui l'a, cette photo. Elle la cache sous un bout de tissu noir sur son autel, à côté des autres images de saints et d'un crucifix. Une fois, je suis resté seul dans sa chambre et j'ai fouiné un peu. Un mélange de saints catholiques et d'orishas africains, et puis j'ai soulevé le tissu et il y avait Dracula, aussi. J'ai tout remis en place et je ne lui ai rien dit. Quelques semaines plus tard, je parlais avec elle de la chaîne en or que je veux toujours m'acheter.

« Ça fait des années que j'en ai envie mais je n'ai jamais la somme qu'il faut.

– Prends-en une moins chère.

– Je ne veux pas de camelote, Gloria. Il faut qu'elle soit bien grosse, et pur or. Une chaîne de macho. Avec une croix en or, aussi.

– Non, papi, pas de croix, non.

– Pourquoi ?

– Pas de crucifix sur toi, autrement tu seras trop excellent. Moitié zinzin.

– Oui ?

– Mais oui. Il faut se garder le diable en soi. Si tu es trop excellent, les autres t'écrasent. »

Le souvenir m'est revenu pendant que je contemplais le plafond. « Si tu es trop excellent, les autres t'écrasent. » Exact. Je dois redevenir moi-même, aussi diabolique qu'avant. « Dans ce pays, le fils de pute qui est en moi s'est endormi », je me dis : « Il faut que je me tire d'ici vite fait. Ou bien je vais finir idiot. »

J'attire Agneta contre moi. Elle se serre encore plus. Elle est entièrement nue, chaude. Elle me procure une agréable sensation de bien-être. Je ferme les yeux pour me rendormir. A nouveau, je pense au Dracula de Gloria. Je ne dois jamais l'oublier, jamais. Ni laisser le fils de pute en moi s'assoupir.

Des fois, j'aurais envie de me retirer dans un monastère, de m'éloigner de tout, mais je sais qu'une telle solitude serait trop pour moi. Le passé, le présent et l'avenir pèsent sur moi. J'essaie de contrôler un peu ma vie mais c'est inutile, je n'y arrive pas. Je continue avec mes excès et mes angoisses. Surtout la nuit. Je coupe sans cesse les têtes de l'hydre et sans cesse elles repoussent. Il n'y a pas de solution, visiblement. Pareil que n'importe qui, en fin de compte : j'ai toute une liste de contradictions, de problèmes, de haines, de traumatismes, de conneries diverses et variées. Je voudrais les oublier et vivre comme un pur esprit mais je ne peux pas. Je ne « veux » pas, au fond. Le bonheur, c'est de la naïveté. Des fois, je reconnais que je vais traîner tout ça jusqu'au bout. Comme des tatouages incrustés très profondément : on ne peut plus les effacer, ils sont là pour toujours.

Le jour suivant, on va pêcher dans le canal. Au bout d'une heure, pas une touche, et comme un petit vent glacé s'est levé on rentre à la maison. Sans se presser. On fait un détour par une route secondaire pour visiter les restes d'une ferme qui date de l'âge de fer. Site archéologique protégé. Sept siècles avant J.-C., peut-être plus. Il ne reste que les murs de quatre bâtiments, en pierres gigantesques. Les archéologues, qui pensent que la ferme a été détruite par un incendie, l'ont reconstituée en maquette. Quatre vastes édifices d'environ cinquante mètres de long sur six ou sept de large, des parois basses, simplement faites de roches empilées les unes sur les autres, et puis un toit en bois et en paille. Ils vivaient tous ensemble, hommes, femmes, enfants, vaches, moutons, porcs... Ils avaient quelques ustensiles en fer, brassaient de la bière de blé, se nourrissaient de soupe d'herbes et d'oignons. Trois ou quatre hommes et une ou deux femmes dans chaque maison. J'imagine qu'ils devaient tous coucher ensemble, avoir des enfants sans savoir qui était le père de qui. Et ils appréciaient infiniment chaque chose : un bol de bière, un peu de chaleur, la fonte des neiges et l'arrivée du printemps, pouvoir satisfaire leurs besoins sexuels. Ils mouraient jeunes : une simple grippe ou une molaire infectée les entraînaient dans la fugace mémoire de l'oubli. Ils avaient conscience de ne pas être plus importants que les cochons avec lesquels ils partageaient un toit, un peu de chaleur et de nourriture.

Elle se trouve au milieu d'une épaisse et très belle forêt, cette ferme. Je m'y suis promené un peu, en silence, sous le coup d'une révélation. Deux mille sept cents ans se sont écoulés, depuis. Rien. Un souffle dans la galaxie, un millième de seconde dans l'univers. Mais ce court instant a suffi pour nous remplir de souhaits, de besoins, de désirs, pour nous croire indispensables, incontournables, essentiels, infinis. J'ai beaucoup aimé la ferme de l'âge de fer.

III

Fureur et bolero

1

De retour à La Havane, il m'a fallu quelques semaines pour me réhabituer à la crasse. Je préfère passer sur mes derniers jours en Suède, les lamentations incessantes d'Agneta, ma propre nervosité. Quelquefois, ça devenait contagieux : je versais une petite larme. De crocodile, d'accord, mais une larme quand même. Ensuite, j'ai traîné un peu en Allemagne, toujours dans l'espoir de caser mes tableaux, mais que dalle. Je n'en ai pas vendu un seul. Au total, je suis resté près de six mois en Europe et je suis rentré avec deux cents dollars merdiques en poche.

Mon petit chez moi m'a réservé un accueil typiquement tropical, c'est-à-dire une humidité atroce après tout ce temps avec les fenêtres et les portes fermées, le plâtre qui tombait par plaques des murs et les canalisations bouchées. Quand j'ai utilisé la cuvette, les eaux sales sont ressorties du plafond de l'appartement du dessous et par le mur de pignon, qui a tourné au vert putride et menaçait de s'écrouler. Pour éviter d'autres dégâts, j'ai dû revenir à une technique primitive : chier dans un sac en papier et le balancer sur la terrasse des voisins.

Trois jours d'affilée, j'ai appelé Gloria pour tomber sur sa mère qui se défilait en disant : « Elle est allée faire une course. Elle va revenir. » Je savais qu'elle faisait la vie quelque part, avec un mâle quelconque. Le quatrième, elle est apparue, l'air un peu effrayé. Elle m'a sauté au cou pour m'embrasser mais je sentais qu'elle tremblait :

« Ah, papi, tu es enfin revenu !

– Pas de papi ni rien ! Ça fait quatre jours que je suis là et toi, introuvable. Où tu étais ?

– Aïe, papi, voilà six mois qu'on s'était pas vus et c'est ainsi que tu me salues ? Ne sois pas si braqué. »

Je l'ai attrapée, je l'ai couverte de baisers, j'ai reniflé sous ses bras et la colère m'a passé sur-le-champ. On est tombés sur le lit et on a tiré le coup le plus délicieux, le plus beau du monde. Je l'ai enfilée à fond et elle :

« Oh, tu vas me déchirer les ovaires, salopard, mets-la, mets-la plus ! Mais qu'est-ce qu'elle est dure ! Ça c'est de la bite ! Voilà, oui ! Fais-moi jouir, salaud ! Ah, tu es mon homme pour toute la vie ! »

Pour arriver à ce qu'elle jouisse, il faut être à la fois un taureau et un artiste. Elle maîtrise parfaitement toutes les techniques des putes pour tourner la tête au client et lui faire cracher son argent puis son sperme au plus vite, histoire qu'il laisse la piste libre à l'atterrissage suivant. Et elle est fraîche comme une rose, évidemment. Mais en trois ans j'ai compris ses manigances, moi. Je sais comment m'y prendre. Là, on a terminé deux heures après. J'ai ouvert une bouteille de vieux rhum et j'ai rempli deux verres. Sec. Elle me plaît énormément, comme ça : toute nue, la peau cannelle, mince comme un spaghetti, à boire du rhum et à fumer. Les mains et les pieds pas trop soignés, pas mal esquintés à force de traîner dans la rue, de frotter les sols et les casseroles. C'est une vaurienne, une garce vulgaire et grossière. Je l'adore.

Je pense à tout ça en sirotant mon verre et en tirant sur un bon cigare. Je mets une cassette de boleros. On écoute en silence, vannés. Quelqu'un chante :

> *Je sais que tes baisers sont trompeurs,*
> *Que tes « Je t'aime » ne sont qu'un leurre.*
> *Mens-moi et mens encore,*
> *Ta cruauté fait mon bonheur.*
> *Et pourquoi s'indigner, d'ailleurs ?*
> *Puisque la vie est un mensonge,*
> *Mens plus, et même si elle me ronge*
> *Ta cruauté fait mon bonheur.*

– J'ai toujours aimé ça, moi.

– Quoi, mentir et tromper toutes tes femmes ?

– Non. Chanter le bolero.

– Et moi, c'est danser. Ma cousine, elle veut que je recommence à danser au Palermo. Tu me laisserais, papi ?

– Oh, quand tu joues les sucrées... "Tu me laisserais, papi ?" Alors qu'au bout du compte tu n'écoutes que ton cul.

– Ah non, mon beau, dis pas ça ! Sois pas blessant.

– Ecoute, écoute cette chanson. C'est ce que tu fais avec moi : "Je sais que tes baisers sont trompeurs, que tes *Je t'aime* ne sont qu'un leurre."

– Quelle voix magnifique tu as ! Continue, continue. Cette voix de mâle que tu as, ça me donne le frisson.

– Hé, je suis là depuis quatre jours. Où tu étais passée ?

– Aïe, papito, tu veux toujours tout savoir. C'est pas possible, ça.

– Si, ça l'est. Parce que je suis ton mari, pute perdue que tu es, alors je dois tout savoir.

– Toi, mon mari ? Tu en es loin encore.

– Où tu étais fourrée ?

– Pourquoi tu n'as pas prévenu de ton retour ? Tu m'aurais dit, je t'attendais à la maison, là.

– Je n'ai pas pu.

– Tu n'as pas confiance en moi. Tu voulais me prendre par surprise.

– Bien sûr que je n'ai pas confiance, puisque tu es une fille des rues. Je t'ai pincée la main dans le sac.

– Me traite pas comme ça, mon amour.

– Où tu étais ?

– Voilà, il recommence.

– Parle.

– Aaah.

– Pas de "aaah". Parle ! »

Le fouet apparaît comme par magie. Je l'avais dans mon sac, tout prêt.

« Aïe, qu'est-ce que c'est, ça ?

– Ça, c'est pour toi.

– Dans une lettre, tu me l'as dit... Aïe, vas-y pas trop fort, au moins !

– Mets-toi sur le ventre.

– Aïe, non, non. Pas trop fort... »

Mais elle obéit. Elle me tend les fesses. Je donne quelques coups, doucement. Elle perd la boule :

« Ah, que c'est bon ! Ah, fils de pute, salaud, tu es mon bougre, tu es mon mâle, encule-moi, salopard ! Pine-moi par où tu veux ! »

Je lui fourre la langue dans l'œillet, je lui suce la moule et je continue le fouet, pas méchant.

« Ah, mets-la, je veux de la bite ! Zinzin que tu es ! Encore, bats-moi encore ! Je vais jouir...

– Parle d'abord, ensuite tu pourras avoir ma queue. Parle !

– Parle quoi, papi ? Qu'est-ce que tu veux ? Qu'est-ce que tu veux, hein ? »

Elle se tourne sur le dos, ouvre les jambes et se l'introduit elle-même.

« J'étais avec un Mexicain à Guanabo. Radin et minable, pareil que le con de sa mère.

– Combien il t'a donné ?

– Cent dollars, c'est tout. Et j'ai été avec lui quatre jours !

– Ça m'étonne qu'une filoute comme toi se soit laissée emplafonner.

– Oui, comme ça, enfonce-la jusqu'au bout ! Non, je lui ai piqué tout un tas de choses dans la valise. Je l'ai fait boire, il a fumé du pollen et il est tombé comme une pierre. Je lui ai tout pris, à ce sacré fils de pute, fringues, serviettes, parfum... Ah, il voulait m'avoir mais je l'ai dépouillé, le gros enflé, ah, ah, ah ! En caleçon, je l'ai laissé. »

On continue un peu et on souffle cinq minutes.

« Au Mexicain, je lui ai engourdi un jean rouge, papi. Et une montre bien de bien.

– Il m'irait ?

– Un peu ! Ah, il croyait qu'il allait me niquer ! Le fils de pute et le crève-la-faim total ! Ça veut baiser gratis, non mais... »

Elle descend chez elle, au septième, et me rapporte le tout. Une montre en or automatique et un jean rouge feu. Je le passe à cru. Il y a un autre bolero qu'on entend :

> *Quand on aime pour de vrai*
> *Comme je t'aime, ma poupée,*
> *On ne peut pas, non, on ne peut pas*
> *Vivre aussi loin de toi.*

Je commence à danser tout doucement en descendant le fute peu à peu, centimètre par centimètre. Les poils de pubis apparaissent, puis mon gros animal tout excité, et bientôt je suis entièrement exposé, et le jean tombe à terre.

« C'était Los Cuban Boys ! Rien que pour toi ! Une exclusivité en provenance des Tropiques ! Un secret bien gardé, *Los Cuban Boys, ladies and ladies, only for you from La Habana, Cuba !*

– Ah, ah, ah, ah ! Où tu as appris ça, dévergondé que tu es ?

– Au D.F.

– C'est où, ça ?

– A Mexico.

– C'est vrai ?

– Un cabaret pour dames et demoiselles uniquement. Et vieilles shnoques pleines de fric ! On était quatre, nous autres.

– Tu m'avais jamais raconté.

– Les galipettes du destin, Gloria ! On a fait trois spectacles à cent dollars chacun, par tête. Pour Mexico, c'était bien payé. Avec mes trois cents à moi, je suis parti à Tijuana... Mais c'est une autre histoire, ça. J'avais quarante ans.

– Tu étais plus dur que maintenant.

– Plus musclé. Mais la grande attraction des Cuban Boys, c'était un petit Noir maigrichon avec une pine immense. Elles criaient, les Mexicaines, et elles avaient les yeux hors de la tête, et elles jouissaient sur leur chaise, toutes seules ! Rien que de regarder ça, ça sentait la mouille dans toute la salle.

– Qu'est-ce que t'as pas fait dans ta vie, mon joli. Tu es une pochette-surprise à toi tout seul.

– Pour gagner ma croûte. Pareil que toi, cavaleuse de merde !

– Moi, cavaleuse ?

– Nooon, peut-être ?

– Non. Ce Mexicain, il passait par là et je me le suis farci mais autrement c'est pas mon rayon, papito. Je suis rien que pour toi, rien que. Non, celui qui est le cavaleur, c'est toi.

– Moooi ?

– Oui, toi. Maque comme tu es, à cinquante ans ! Ça te fait pas peine ?

– Quoi ?

– Que tu as cavalé la Suédoise.

– Surveille ta langue.

– C'est vrai. Un cavaleur et un maque. Quand est-ce qu'on a vu ça ? Et comme tu fais ton sérieux et ton cultivé et ton gentil, comme tu parles joliment. Celle qui te croise comme ça, elle croit que tu es un vrai monsieur.

– Qu'est-ce que c'est, ces couilleries que tu racontes, Gloria ?

– Qu'elle t'a tout payé, la Suédoise, que tu as mené la bonne vie à ses crochets, et que tu es un cavaleur, présentement.

– Mais j'ai été heureux avec ma pine d'or.

– Oui, et les hommes qui me paient, ils sont heureux avec ma chatte et avec mon art.

– Hhmm.

– Ça fait mal, d'entendre la vérité ?

– Pfff... Je ne suis pas un cavaleur, moi. C'est la vie qui...

– Alors moi je suis pas pute, non plus. C'est la vie qui nous oblige, alors cesse tes tragédies et reviens sur terre. Qu'est-ce que tu voudrais, que je meure de faim ?

– Je t'adore, ma doudou. Ça m'est égal que tu te tapes les touristes ou qui.

– Moi aussi je t'adore, papito. Continue à cavaler ta Suédoise mais reste pas là-bas.

– Si je reste, je meurs.

– La vérité ? Ça doit être fort, là-bas.

– Tout dépend ce que tu entends par fort. Tu m'as beaucoup manqué, beaucoup.

– Et toi alors, papi ! Tous les jours, je pensais à toi vingt fois.

– Tu as beau être une pute, je t'aime.

– Une artiste, une artiste ! Qu'est-ce que c'est, une pute ? Une actrice, une artiste. Au boxon de Milagros, j'étais la perfection, moi. Ils se rendaient pas compte que mon truc à moi, c'est le théâtre. Pour chaque client, je montais une pièce complète. Et ils restaient pour voir la fin. Comme ça trois ou quatre fois par jour. Ils restaient, donc ils payaient plus, ah, ah, ah !

– On est dans la même branche, alors.

– Oui qu'on est deux artistes, toi et moi. Quand j'étais danseuse, pareil même. Mes danses érotiques. La vedette du Palermo, j'étais. Personne savait si c'était pour de vrai ou pour de faux. Même moi, je savais plus si je dansais ou si je mimais.

– Comme moi avec mes romans. Même moi, je ne sais plus ce qu'il y a de vrai et ce qui est du mensonge, dedans.

– Au final, tout est vrai.

– Hmm.

– Tu es une pute, Pedro. Aussi pute que moi. Tu vends du mensonge en faisant comme si c'était la vérité, ah, ah, ah !

– Rien du tout, con ! Je suis pas une pute, je suis un maque.

– La Suédoise, elle fait pas le trottoir. C'est toi qui l'a cavalée.

– Oublie la Suédoise ! Je suis ton maque à toi.

– Puteau de la Suédoise et maquereau à moi. Oh, tu es

unique, comme tu me plais, mon beau macho ! Donne-moi encore du rhum. »

On boit quelques verres de plus. Elle voit juste, Gloria. La Suédoise me passait son portefeuille sous la table, en loucedé, pour que je paie l'addition avec son argent. Ça me bottait, ça m'excitait et j'avais l'impression qu'elle mouillait sa culotte, elle aussi. Elle ne m'a jamais laissé débourser un dollar.

Je suis allé chercher les robots que j'avais rapportés pour offrir à son fils.

« Oh, mon doudou, que c'est mignon ! Attends un peu qu'il les voie... C'est ce qu'il aime, les automates et les petites voitures.

– Comme tous les gosses.

– Moi, c'est les petits soldats que je préfère.

– Tu es une traînée, Gloria.

– Non, je suis ta fifille. Toi, tu veux être mon papa ? Sois gentil, doudou, achète-moi des petits soldats !

– Je t'ai rapporté des chaussures et un peignoir chinois. »

Je les lui montre. Un négligé en soie rouge avec un gros bouquet de fleurs dans le dos, et des talons hauts. Elle met le tout en une seconde, sans rien d'autre. Belle de jour. La putain idéale. Elle prend le fouet et l'enroule autour de son cou. Avec sa chevelure de négresse, toute emmêlée après l'amour. Irrésistible, la métisse. Elle a un talent fou et je l'adore, con, je l'adore !

« Je vais faire un livre de photos sur toi.

– Déshabillée ?

– Rien que toi, nue et habillée. Des photos tous les jours ou presque. La femme que j'aime. Ce sera le titre.

– Ah, papito, tout le monde va me voir. Toute nue, tu te rends compte ?

– Ils t'ont déjà vue. Toi dans toutes les positions, toutes

les situations. Avec un texte très court, très poétique. Tu es une muse.

– Une quoi ?

– He... Je ne sais pas. Une inspiration.

– Aaahh ! Je suis une artiste, moi.

– Une artiste en chambre.

– Sois pas vulgaire, mon petit. Danseuse, j'étais. Mais mon père m'a empêché de continuer. Il disait que j'allais devenir gouine.

– Ou pute, en tout cas.

– Ah, je sais pas. Ces idées qu'il a, lui... Mais moi, mon truc, c'est la danse. Et toi, c'est de chanter des boleros ?

– Je chante faux.

– Si seulement je peux continuer à danser... C'est vrai, tu vas le faire, ce livre de photos ?

– Mais oui. Maintenant j'ai un appareil et je t'ai, toi.

– Ma cousine, elle veut que je danse au Palermo avec sa troupe. Tu vas me laisser ?

– On verra. Je viens d'arriver. Ne commence pas à me houspiller. »

2

Carmita m'appelle un soir, vers huit heures. Elle vit à Lawton. Elle se sent seule. Son dernier mari lui a duré sept mois. Elle n'a pas pu tenir plus. Il y a des années, on s'est connus un peu, elle et moi. C'est elle qui m'a surnommé « Pine d'Or ». La première nuit où elle est venue sur mon toit, elle a bu du rhum, on s'est embrassés, je lui ai mis la main, elle aussi, et quand elle l'a sentie bien dure elle m'a ouvert la braguette pour lui faire prendre l'air.

« Oh, quelle merveille ! C'est une Pine d'Or, ça. »

Après, elle l'a répété à toute sa famille de Lawton : « Je suis avec un type de La Havane-Centre qui a une queue de toute beauté, une Pine d'Or ! » Je n'aimais pas aller à Lawton, moi. C'est une tribu qu'elle a là-bas, trois cents personnes ou plus, Blancs, métis, Noirs, Indiens, mélanges divers... A chaque fois qu'ils me voient, ils me saluent avec un sourire en coin. Mais de toute façon ça n'a pas duré longtemps, parce que Carmen s'était mis en tête de transformer ma terrasse en élevage de volaille et de cochons. Elle a vérifié les prix du grain au marché noir, elle a cherché du grillage pour les cages et hop, elle a acheté vingt poussins. J'ai eu un mal fou à la vider de chez moi et à m'épargner les cacas de porc et de poule.

On est restés amis, pourtant, et à chaque fois que l'un de ses mariages casse, elle a le bourdon et elle me téléphone. Là, c'est encore la même ritournelle :

« Ah, Pedro Juan, tout allait bien bien et puis il a commencé à faire l'impertinent et à poser ses conditions.

– Quelles conditions ?

– Que je reste à la maison. Il voulait savoir où j'allais, me contrôler tout le temps. Jaloux comme un pou. Mais moi je suis une vieille, maintenant, et je ne veux personne sur mon dos.

– Tu n'as aucune patience, avec les hommes.

– Et toi, tu en as avec les femmes, peut-être ? Regarde ce qui est arrivé avec moi.

– Là, on parlait de toi, Carmita.

– Ah, c'est toujours la même histoire, tu comprends ? Ils commencent tout amoureux, on baise quatre fois par jour, et que je t'aime, ma Carmita, et c'est pour la vie... Ensuite, ils faiblissent peu à peu, ils tombent dans la routine...

– Et toi, tu ne supportes pas ça.

– Non. J'ai besoin de passion, d'émotion ! Pas mal de baise, les mots doux, les saouleries, la musique à fond, les boleros, la vie comme une aventure... Aïe, Pedro Juan, c'est pas fait pour moi, de vieillir !

– Tu vas être une vieille dame indigne. Comme tant d'autres. Il y en a plein, partout.

– Tu crois ? A ce que je vois, je ne pourrai jamais avoir de plomb dans la cervelle, moi.

– Eh bien, essaie de réfléchir un peu plus et de te passionner un peu moins. Autrement, tu vas te retrouver seule et vieille, et...

– Ah, me fais pas peur ! »

Je l'entends sangloter dans le combiné. Je reste en silence un moment. Qu'elle se défoule. Mais elle n'arrête plus, alors finalement j'interviens :

« Pourquoi tu pleures, Carmita ? »

Elle renifle deux ou trois fois.

« Je vais mal, Pedro. Je me sens très vieille et très seule. J'ai des rides qui me viennent. Au moins j'ai les seins tout petits, donc ils ne tombent pas.

– Immature, voilà ce que tu es. Tu croyais que tu resterais une adolescente toute ta vie ? Il faut que tu t'habitues. C'est les années qui passent. »

Elle recommence à chialer de plus belle. Ravale sa morve.

« Je t'appelle pour que tu m'aides et tu me mascagnes ! Je ne sais pas quel genre d'ami c'est, ça.

– Je suis ton ami et je t'aime mais tu exagères tout. Tu n'es ni vieille, ni seule. Et tes enfants, alors ?

– Ah, laisse-les tranquilles, tu veux ? La ménopause m'est tombée dessus, voilà ! Ça fait trois mois que je n'ai plus mes règles. »

Sanglots, reniflements.

« Pleure pas, Carmita. Peut-être que tu es enceinte ?

– Non, fils, non. Je suis allée au docteur. C'est la ménopause. J'ai des chaleurs, je sue tout le temps, je suis nerveuse au point que je dors plus la nuit, et...

– Tous les symptômes tu t'es pris, con ! Tu es un dictionnaire médical ambulant, Carmita.

– Ah, ah, ah !

– Pas tant de cinéma.

– Oh, me dis pas ça ! »

Et hop, c'est reparti, les larmes dans le téléphone.

« Merde, tu es trop sensible, on ne peut pas te parler !

– Traite-moi plus gentiment. Ne sois pas grossier.

– D'accord, d'accord. Ce que je veux te dire, c'est que quand tu rencontres un autre homme, tu ne dois pas tomber amoureuse comme une lycéenne. Vas-y plus en finesse, sers-toi de ta tête ! Tiens, ton marin, tu te rappelles ?

– Luis. Qu'est-ce qu'il a à voir, lui ?

– Celui des élephants en similiporcelaine.

– Luisito, oui. Va savoir où il est passé, celui-là. Jamais eu de nouvelles.

– Si tu avais eu plus de patience, il serait encore ton mari. Il te rendait folle, sexuellement, et c'était un brave type.

– Ils sont tous des braves types. Et ils me rendent tous folle, sexuellement.

– Tu es un volcan, toi.

– Au moins une chose que j'ai dans la vie.

– J'ai écrit une nouvelle sur toi et le marin.

– Non, je peux pas y croire ! Mais que vont dire les gens, fils de pute ? Avec nos noms et tout ?

– Bien sûr. Carmita et Luis.

– Et c'est publié ?

– *Le retour du marin*, ça s'appelle.

– Je peux pas croire que tu sois un tel fils de pute. Une hyène, tu es, un cannibale ! Tu te nourris de tes amis, dégénéré ! Dracula !

– Ah, ah, ah !

– Et il rigole, en plus ! Laisse-moi le lire, au moins. Où il est, ce livre ? Ils l'ont publié ici ?

– Non, ailleurs. Dans d'autres pays.

– Prête-m'en un.

– Je n'en ai plus. L'éditeur me donne dix exemplaires, pas plus.

– Radin de merde. Bon, je passe chez toi un de ces jours et je me le lis. Et qu'est-ce que tu as écrit, là-dedans ?

– La vérité. Tu verras quand tu viendras le lire. Et tu en profiteras pour me raconter tes dernières aventures.

– Pour que tu continues à écrire sur mon dos ?

– Peut-être que tu deviendras immortelle, comme la Dulcinée du Toboso.

– Qui c'est, celle-là ?

– La femme de Don Quichotte.

– Ah, fais pas ton précieux. Dulcinée rien du tout ! Ce qu'il me faut, à moi, c'est un mari avec des pesos, qui m'entretient et me donne bien de la pine. Pour que je vive un peu, quoi !

– Et ton grand fils ? Toujours à la fabrique de cigares ?

– Oui, et il m'aide beaucoup. Mais bon, avec un seul salaire il lui faut faire vivre la femme, le petit, la belle-mère... Plus moi et Adriancito.

– Quel âge il doit avoir maintenant, Adriancito ?

– Quinze ans.

– Ah oui. Avant que tu te rendes compte, ils vont te l'appeler au service militaire et tu seras débarrassée, ah, ah, ah.

– Pourquoi tu es tellement cynique, toi, et tellement...

– Bon, je te laisse. Passe quand tu veux.

– Entendu, Pedro. Porte-toi bien. »

Après, c'est tranquille. Je me couche tôt et je fais plein de rêves. Toute la nuit. A un moment, je pêchais dans le canal de Sodertalje et mon fil s'emmêlait tout le temps. Des fois, je rêve que je tombe dans des escaliers sans fin, ou que je joue avec un tout petit chien qui grandit d'un coup, se transforme en tigre, me renverse sur le dos et il a une gueule énorme, il me mord sauvagement, il m'arrache des morceaux entiers... Heureusement, ça fait longtemps que je ne les ai pas eus, ces cauchemars.

Le matin, je me réveille tout courbaturé. Peut-être que j'ai lutté avec le tigre et que j'ai roulé dans les escaliers, finalement, mais je ne m'en souviens pas. J'ai mal à tous les muscles. Je fais du café et je sors sur le toit avec une tasse. Le jour se lève. Dans la cuisine au septième, les bracelets d'argent de Gloria tintent et sonnent. Il doit être sept heures à peine mais elle a déjà mis une cassette de Marco Antonio Solís à plein régime :

Rien n'est plus dur que de vivre sans toi,
Guettant ton retour, sans autre choix,
J'ai froid et mon corps crie pour toi,
Mais tu as disparu, sans foi ni loi.

Elle crie par-dessus la musique. Une engueulade terrible, dont seules des bribes me parviennent : « Idiote que tu es... Ah, je vais aller à la police... Une demeurée, voilà ce que tu es... Ce voleur, cette crapule ! »

Je m'éloigne à l'autre bout de la terrasse. Devant moi, la masse d'El Morro, la mer d'un bleu infini. Au réveil, mieux vaut le silence et le calme. Si on vivait ensemble, Gloria et moi, ce ne serait pas facile. Elle est trop bruyante.

Peu après, elle sort. J'entends la porte claquer. Elle emmène le petit à l'école, à deux blocs d'ici. Elle revient vite, se met à balayer, à frotter. Moi, je suis en train de peindre tranquillement. Ses claquettes en caoutchouc résonnent dans l'escalier. C'est un bruit que j'aime, comme celui de ses bracelets. Des fois, rien que de les surprendre, j'ai une érection. C'est incroyable comme elle me botte, cette métisse. Sur les neuf heures, elle monte me voir. Avec un bout de pain et un grand bol de sauce tomate. On dirait que l'orage est passé. Elle est comme ça, changeante, imprévisible. Là, elle rit, elle est toute contente.

« Les cris de ce matin, c'était pourquoi ?

– Quels cris ?

– Tu te disputais avec quelqu'un, dans ta cuisine.

– Tu m'as entendue ?

– Tout l'immeuble t'a entendue. Toi et Marco Antonio Solís, en duo. On se serait cru à l'opéra comique.

– Oh, rien. Juste que ma mère, c'est une dinde.

– Pourquoi ?

– Hier soir, un type que j'ai jeté il y a des siècles est passé et il s'est emporté une lampe en bronze, d'antiquité. Et elle, elle lui a donné. L'abrutie !

– Tu as des antiquités chez toi ?

– Oui, dans tout ce foutoir... Elle était dans la salle à manger.

– Je ne l'ai jamais vue.

– Parce qu'elle marche plus. Je la gardais dans un placard. Je savais qu'elle valait plein de thune et ce salaud-là, il lui a mis la main dessus !

– Je ne comprends rien à ton histoire.

– Je dormais déjà, moi. Il était minuit. Gilberto, il arrive et il dit à ma mère qu'il a preneur à cent dollars pour la lampe. Et elle, elle gobe tout et elle lui donne.

– Et maintenant ?

– Maintenant rien. On l'a perdue, voilà ! Et pourtant elle sait que c'est une crapule, un bandit, un fils de pute. Je le connais bien, j'ai dû le sortir de chez moi à cause de ça.

– C'est de ta faute. Ça t'apprendra à te tirer des délinquants.

– Ah, mon beau, c'est que je l'ai connu en prison et après il m'a collée, il m'a fallu ramer et ramer pour arriver à l'éjecter.

– En prison ? Tu as fait de la taule quand, toi ?

– J'en ai pas fait.

– Alors comment ?

– Pourquoi tu questionnes tant ?

– Je questionne pas ! Tu commences une histoire et tu veux arrêter en plein milieu.

– C'est du passé, mon sucre. Bien avant de te connaître.

– Arrête le cinéma. Je ne suis pas jaloux, moi. Etre avec toi et jaloux, c'est la crise cardiaque garantie.

– Pourquoi ?

– Parce que tous les jours, il y a quelque chose d'autre.

– Vis pas dans le passé, mon beau. Il faut être dans le présent, comme moi. Et les pieds sur terre.

– Quand tu auras mon âge, tu diras pareil que Yolanda, une amie à moi.

– C'est quoi ?

– Elle a cinquante-cinq ans. Elle dit qu'elle s'est envoyé la moitié de La Havane et que l'autre moitié rêve de l'avoir fait.

– Ah, ah, ah !

– Tu seras pareille.

– Moooi ? Pas du tout ! Je dirai que j'ai eu deux maris, deux : le père de mon fils, qui est un homme très bien, chauffeur sur la 195, à Guanabacoa, et toi, qui vas être le papa de tous les suivants.

– Et le reste, les autres ?

– Ils auront disparu dans la nuit.

– Pas mal longue, la nuit !

– N'empêche. Peut-être que c'est dix mille nuits. Mais les deux qui resteront en vie, ce sera vous deux. Les pères de mes enfants, des gens honnêtes et bien.

– Et celui de la prison ?

– Atteeeeends, mais il oublie jamais rien, celui-là ! Tu es un morpion qui lâche jamais !

– Parle.

– Non, mon petit. Ça fait trop longtemps, c'était bien avant de...

– Ouais, ouais. "Bien avant que je sois avec toi, papito".

– Qu'est-ce que tu es lourd... Un ami m'avait dit que ce nègre-là, il donnait vingt dollars et un sac plein d'habits et de chaussures et de trucs à celle qui viendrait le visiter pour être sa femme.

– Et tu as sauté sur l'occase.

– Oui.

– Et les papiers ?

– Pas besoin. Il était en prison pour faux et usage de faux, ce Noir. C'est une tronche, il avait tout prévu. A la porte, je devais retrouver un gardien qui me conduirait direct à une chambre.

– Pour longtemps ?

– Ils ouvraient à neuf heures du matin. Jusqu'à cinq ou six heures du soir. Et c'était sans s'arrêter, bien sûr. Ils sont très gourmands, les Noirs.

– Ça faisait beaucoup de baise, pour vingt dollars.

– Trop. Il me demandait que je prie Changó pour qu'il le fasse sortir de là. Ils sont tous pareils, les vauriens. Ils se prennent pour des fils de Changó alors qu'en réalité ils appartiennent presque tous à Ochún et à Yemayá. Et ils veulent de tout, des femmes et des hommes. Ils te bourrent une fifille aussi bien qu'ils donnent leur cul, mais ça joue quand même les petits machos.

– Et dans ce sac, il y avait quoi ?

– Ah, ça c'était plus intéressant. Des jeans, des chemisiers, des parfums, des tennis... Et des fois trente ou quarante dollars en plus.

– Ah, super.

– C'était le caïd de la prison, lui. Habillé comme un prince, avec des Adidas et tout. Et les molaires plaquées or.

– Il avait tout ça au trou ?

– Et plus encore, beaucoup plus ! Tu imagines même pas. De sa cellule, il continuait à mener ses affaires de dehors.

– Qui consistaient en quoi ?

– Allez, allez. Tu es bien curieux.

– Parle, fais pas ta timide.

– Un petit bordel, papito, mais il l'a perdu. Moi, j'ai été avec lui... Oh, je me rappelle plus. Six, sept mois. Après, il s'est échappé ou ils l'ont relâché, je sais plus. Et il a débarqué chez moi. Fauché fauché. Pas un rond en poche.

– Et ça s'est compliqué.

– J'ai fini par réussir à me sauver. Je suis partie de la maison quelques jours et je l'ai appelé au téléphone. Dégage ou je préviens la police, j'ai dit. Il a bien fallu qu'il parte.

– Et maintenant il ressurgit, et il te cherche des noises avec cette lampe.

– Je me souvenais même pas de lui. Mais il est tellement salaud qu'il vient juste pour voler.

– Tu vas le dire aux flics ?

– Noooon ! Après, ils me demandent comment je le connais, ils cherchent des antécédents et je me retrouve emberlificotée, moi aussi. Donne-moi du café, doudou, qu'il est en train de refroidir.

– Avec plein de sucre ?

– Le mien, oui. Et puis quoi ? Fais pas ton Yankee, tu es à Cuba ! »

On boit deux ou trois tasses, elle allume une Popular.

« C'est encore tôt, Gloria. Ce tabac brun, il va te...

– Ah, faut bien mourir de quelque chose ! »

On se tait un instant. Je sais qu'elle ne supporte pas le silence, le calme. Elle vit dans le bruit et l'agitation permanente. J'ai même compté : le silence le plus long qu'elle puisse tenir, c'est trente secondes.

« Ah, je t'ai pas dit que j'ai un petit travail, maintenant.

– Danseuse, ou bien salon de coiffure ?

– Si seulement.

– Vendeuse de casse-croûtes à Galiano ?

– Non plus. Tu devineras jamais.

– C'est quoi ?

– La morgue de l'hôpital des urgences.

– Oh, manquait plus que ça !

– J'ai rien à voir avec les morts. Je tiens des registres, c'est tout.

– Rien d'autre ?

– Hé non.

– Tu dois pas découper les macchabées ?

– Non !

– Registres de quoi ?

– De... Je me rappelle plus le mot. Comme des analyses. Ils m'ont dit de venir ce matin pour faire un essai.

– Mais il est près de dix heures, déjà ! Pourquoi tu n'y es pas allée tôt ?

– Ah, tout doux, Pedro, tout doux ! Pas de panique. Si c'est pour moi, les saints me le donnent. Sinon, ils me le font perdre.

– Puisque tu le dis. »

Elle est partie. Je suis retourné à la peinture et au silence.

La matinée s'écoule sans histoire. Vers midi, deux Noirs apparaissent. Un jeune, un plus vieux. Ils disent qu'ils sont plombiers et que c'est une voisine du troisième qui me les recommande. Je les emmène à la salle de bains.

« C'est l'évacuation des toilettes qui est bouchée ?

– Oui.

– Il faut démonter.

– Et autrement, on...

– Non. Il faut démonter. »

Je perds mon après-midi, avec ça. A les regarder bosser. Ils cassent le sol, trouvent la canalisation, la cassent aussi. Le bouchon n'est pas là. La salle de bains et un coin de la chambre sont pleins de gravats et de merde mais ils ne savent plus quoi faire. Brusquement, j'ai une idée :

« Et si c'était le siphon ?

– Non, réplique le jeune.

– Pourquoi non ?

– Ça se bouche toujours dans les tubes. »

Le plus vieux réfléchit, lui.

« On va quand même vérifier le siphon. »

Et en effet. C'est lui qui était bouché. Je suis fou de rage :

« Dis voir un peu, petit. Vous autres, vous avez tout démoli juste pour le plaisir ?

– Pas pour le plaisir, non. Si on casse pas, on peut pas voir.

– Et vous êtes plombiers, vous ? Allez, laissez ça et déguerpissez. Je vais finir moi-même.

– Non, non, on va arranger tout ça.

– Non, partez. Il fait déjà nuit.

– Ecoutez, señor, on bouge pas, nous. Faut d'abord nous payer. »

Je sors cinquante pesos et je leur tends :

« Prenez ça et filez.

– Vous êtes pas bien ? C'est trois cents, pour ce travail.

– Oui, et avec les autres trois cents que je vous donne pas, ça fera six cents.

– Hé, on parle sérieusement, là !

– Moi aussi. Vous avez bossé pour le plaisir. Pour tout casser et tout laisser merdique et même pas savoir ni quoi ni qu'est-ce. »

Le plus jeune a attrapé une massette et il montre les dents :

« Dis donc, 'ti Blanc, qu'est-ce qui t'arrive ? A moi tu peux pas causer comme ça, présentement.

– Mon cul. C'est toi qui causes dans ton ventre. Trois cents pesos, con ! »

Le vieux s'interpose entre nous :

« Hé, hé, calmos, qu'on résoudra rien comme ça. Ecoutez, señor, on...

– Señor mon cul ! On me dit “camarade”, à moi ! Camarade ! Je suis officier de police et on me dit camarade ! Et j'ai bien l'impression que je vais appeler le poste à l'instant, et qu'on va résoudre cette petite affaire d'une autre façon. »

Le petit a lâché la massette. Il se tait, maintenant. Le vieux se creuse le ciboulot :

« Non, non, attendez... Il y a comme qui dirait erreur, là. Vous êtes pas le journaliste du dernier étage ? Parce que Marisol, elle nous a dit...

– Non, c'est le voisin, lui. Et il est en Suède, actuellement. C'est fermé, ici, mais moi je suis policier et... Mais bon, laissez tomber, on va régler ça en...

– D'accord, señor, d'accord... Je veux dire camarade. Tout va bien, camarade. Donnez-moi les cinquante pesos et on revient demain.

– Prends. Et ne revenez pas demain. »

Je réussis à ne pas éclater de rire jusqu'à ce qu'ils soient partis, mais ensuite je me tiens les côtes pendant trente minutes. Il est neuf heures du soir, déjà. Une odeur de merde pas possible, tout est démoli et s'ils vérifient mon histoire ils vont revenir me chercher des poux... Je me barre en courant. Par les ruelles les plus sombres, avec les poubelles qui débordent de saletés en décomposition. Je vais à El Mundo, le bar à l'angle d'Águila et Virtudes. Je m'envoie quelques rhums bien tassés. Il a un nom plein de philosophie, ce bar. Il me plaît. Il me plaît tellement que je finis toujours par y échouer, sans même y penser. C'est comme un aimant. Ensuite, je continue jusqu'à San Miguel et Amistad. Le Palermo. Sur le panneau, deux grandes photos du corps de ballet et de l'orchestre. Des métisses à croquer. Le show commence à dix heures. Okay ! Je suis arrivé juste à temps. Soixante pesos d'entrée et envoyez la musique.

3

Je me suis installé au bar et j'y suis resté deux ou trois heures, tranquille, en buvant du rhum sérieux. Je matais les danseuses qui à leur tour mataient les rares touristes dans la salle, lesquels se montraient aussi indifférents qu'elles. Rien pour moi, enfin. Quand j'ai eu mon compte, je suis sorti respirer mieux. Sur San Miguel vers Prado, il y a l'auberge Rex, dont il ne reste plus que le nom peint sur la façade. Ça me rappelle Mignon et les baises d'enfer qu'on a eues ici dans les années 70. Je venais de terminer quatre ans et demi d'armée et j'en suis sorti crazy. Mignón et ces grandioses parties de cul de vingt-quatre heures d'affilée ont agi sur moi comme un électrochoc. Elle n'existe plus, cette auberge, et Mignón est peut-être morte, ou bien c'est une vieille grabataire cradingue de plus. Elle a cinquante ans comme moi, si elle est toujours vivante, mais je suis sûr qu'elle en fait vingt de plus. Un jour, il faut que je prenne mon courage à deux mains et que j'aille la voir, quand même.

Un peu plus loin, il y a le bar Okinawa. La chaussée est défoncée, envahie par un lac d'eau verdâtre et puante. Dans la devanture, ils ont mis un maousse écriteau : « 3e CATÉGORIE. » Très fiers d'eux. Dans la journée, je l'aime beaucoup, ce rade. Là, tout est éteint. Sur le trottoir, deux cageots et dessus trois très jeunes Noirs et une petite Black. Cette partie de San Miguel, derrière l'hôtel Telégrafo, est trop sombre pour des gens comme moi. J'ai l'impression qu'ils ont remarqué que j'étais un peu pinté. L'un d'eux me lance :

« Viens par ici, l'ami.

– Viens toi.

– Allez, mon compère. Cette fifille là, elle a jamais mangé personne. Viens la bader de plus près. »

Avec une totale impudeur, la jeunette écarte les jambes en éclatant de rire. Je reste sur le qui-vive. Le type s'est rapproché mais je ne quitte pas le trottoir d'en face, il faut qu'il traverse cette mare de merde liquide. Je palpe du bout des doigts le couteau suisse que j'ai dans ma poche de pantalon. Il essaie de réduire encore la distance pour me parler bas. Je fais un pas en arrière.

« Reste où tu es et dis ce que tu veux.

– Prends pas peur, grand, on est dans le bizness, nous autres. Tout ce qui te chante, tu demandes, tu l'as.

– Comme quoi ?

– Du rhum et de l'herbe ici même. Si c'est de la poudre que tu cherches, je t'en ramène aussi sec. Et cette petite nana ici présente, elle te travaille à ton goût. »

Je me tais, les yeux fixés sur lui.

« Ça va te coûter des nèfles, réfléchis pas tant ! »

Je ne réponds pas. Il croit que j'hésite.

« Si c'est pas de la poulette que tu veux mais du poulet, parle. Celui qui te dit, entre nous trois, il te donne du pilon.

– Hé, quel poulet, quel pilon tu causes ? T'es ouf ou quoi ?

– Ah, ah, ah ? Non, c'est que je te vois indécis, comme si que tu savais pas trop...

– Je sais très bien. Montre voir cette herbe.

– Viens, c'est par là.

– Apporte-la ici. »

Personne d'autre en vue. Pendant que le type traverse devant moi, j'ai le temps de me tourner vers le mur, de sortir la plus grande lame du couteau et de le remettre dans ma poche. Ils arrivent à deux. Je les maintiens à distance. Ils me montrent la came.

« Bien. Donne-m'en deux.

– Deux dollars.

– Tu me prends pour un touristos ou quoi ? Un pour les deux.

– Hé grand, tu es tout cabré ce soir, con ! Laisse-moi gagner ma vie, l'ami, me bousille pas.

– Un pour les deux.

– Entendu, aboule. »

Je lui donne un billet. Ils insistent :

« Viens, viens voir la petite. Une gâterie de quinze ans. Et on en a une autre, de douze, mais ça, c'est la crème de la crème.

– Non. Faut que j'y aille.

– Tout ce que tu veux, elles te font. L'une ou l'autre. »

Ils essaient d'approcher, en souriant, amis amis. Ils font un pas de plus. Je sors mon schlass et je le brandis :

« Reculez et dégagez la voie. Je me tire !

– Hé, regarde cet ingrat ! Pour nous c'est une a'me blanche tout ce qu'il a trouvé !

– Allez, bougez, j'ai pas envie de compliquer cette nuit. »

Devant le bar, le troisième s'est mis debout. Il les hèle :

« Qu'est-ce qui se trame, là-bas ? Il a quoi, le gonze ? Il fait du drame ?

– Non, non. Juste un tant soit peu nerveux.

– Nerveux mes couilles ! Dégagez de là, j'ai dit ! »

Ils reculent. Au milieu de la rue, ils s'arrêtent, furieux. L'un des deux me lance d'un ton menaçant :

« Hé, toubab, te repointe pas par ici parce que je te chercherai la cogne sûrement. Moi aussi, ça me plaît, les a'mes blanches. J'suis un malade du surin, pour que tu saches.

– Je reviens ici à chaque fois que ça me sortira des couilles, pigé ? Je suis du quartier, moi.

– Bouge-toi. Disparais. Je vais te chercher et je vais te piquer. Te saucissonner, je vais !

– Tu causes trop.

– A moi on me provoque pas comme ça. Je suis Rolandito de La Havane ! Un dur de dur. Là tu m'as eu gentil, bon bougre sans rien sur lui. Mais tu montres l'a'me blanche à Rolandito ? Tu t'es condamné, mec ! »

Je remonte jusqu'à Prado. Ils ne me suivent pas. Au carrefour avec Neptuno, il y a trois filles. Toutes jeunes. Elles me regardent et moi aussi. Elles sont à tomber. J'adorerais les déshabiller chez moi toutes les trois. Je m'approche. L'une des petites, une Blanche très mince, me dit :

« Viens avec moi, papi. Tout ce que tu voudras.

– Les trois ensemble, vous me prenez combien ? »

La plus sombre des trois proteste :

« Ah non, fai' les gouines ? Non, pas ça ! Je fais pas gouine, moi ! »

Je la dévisage et je continue, indifférent. Je suis trop bourré. Mais les deux autres s'empressent de m'emboîter le pas.

« Hé, avec nous, ça te va ?

– Vous êtes mineures.

– Et qu'est-ce que ça change ? Toi, t'as pas les moyens !

– Exactement. J'ai rien.

– Je te branle pour deux dollars.

– J'ai une tête de pignoleur, peut-être ?

– Pas besoin d'avoir une tête pour ça.

– Ce que j'aime, c'est donner de la queue.

– Eh bien donne, mais décide-toi ! Tu me donnes toute la queue que tu veux pour cinq billets.

– Eloigne-toi, petite, que tu as pas l'âge pour. Regarde le flic, là-bas.

– C'est un ami à nous, lui. Allez, trois, disons ! Donne, je la sens déjà. C'est un prix spécial spécial pour toi.

– Mais oui, mais oui. »

Je continue mon chemin. Quand j'ai fait quelques pas, l'autre dit bien fort :

« Laisse-le, ma belle. C'est un pédé, celui-là. »

Je me retourne d'un coup :

« Le pédé, c'est ton père, ton grand-père et chacun de tes frères. Qu'est-ce qui te prend, merde ?

– Minable, enfoiré, spéculateur ! Va te pignoler le cul, tapette ! Pourquoi tu sors si t'as pas le rond, fouille-merde ? »

Elles n'aiment pas perdre leur temps, c'est clair. Je repars lentement. J'observe la faune des putes, des saoulards, des travelos, des policiers, des vieux mendiants, et je pense à *Un cœur comme gros ça*. Ces derniers temps, il m'obsède, ce roman. Je m'assois sur un banc. Je sais très bien qu'il ne suffit pas d'y penser, que ça n'apportera rien. Il faut que je me calme, que je mette un peu d'ordre dans les milliers de notes que j'ai prises, et puis que je me lance. A ce moment, je me rappelle que j'ai mes deux doses d'herbe dans la poche. Avec tous ces flics autour... Je repars en direction de San Lázaro. Le quartier est en ébullition. Mieux vaut que je retrouve mon petit chez moi.

Je monte les escaliers en me traînant. Ça m'a tué, tout ce rhum. Et je me rappelle maintenant que je n'ai rien bouffé de la journée, con ! Au septième, je m'arrête devant la porte de Gloria. Je frappe une fois, deux, plein. J'entends des pas derrière, finalement : « Qui c'est ? » – « Pedro Juan. » La porte s'ouvre. C'est la mère de Gloria. Je lui demande : « Et elle ? » Elle s'accroche au battant, hésite et répond d'une voix un peu tendue :

« Elle savait pas que tu viendrais... Il est trois heures, là.

– Et alors ?

– Eh bien, c'est que...

– Laisse-moi entrer.

– Non, tu ne...

– Laisse ! Elle est avec quelqu'un dans sa chambre.

– Plus bas ou tu vas la réveiller ! Tu sais le caractère qu'elle a, Gloria.

– Je parle comme je veux, purée ! Laisse-moi entrer.

– Il est trois heures, Pedro Juan. Attends que je t'explique !

– Je voudrais pas te pousser. Sors de là et laisse ! »

On est là à se prendre le bec lorsque Gloria surgit de la chambre, à moitié endormie :

« C'est quoi, ce foutoir ?

– Zéro foutoir. Ta mère, là, elle veut pas que j'entre. »

Un type se montre derrière Gloria. En slip. Quand je le vois, mon sang se glace. Blanc, bas du cul et poilu comme un ours. Mon âge, peut-être un peu plus. J'en reste la bouche ouverte. Tétanisé. C'est comme si je prenais tout l'immeuble sur les épaules. Je tourne les talons et je repars dans les escaliers jusqu'à chez moi. La porte se ferme dans mon dos. Je me sens un chien battu, le plus humilié qui puisse être. Mes yeux se brouillent de larmes. Mais merde, qui aurait l'idée de s'amouracher d'une putain ? Là où j'en suis dans la vie, il faudrait plus de jugeote ! Réfléchir. Apprendre à ne pas tomber amoureux, déjà ! Je me jette sur mon lit sans enlever mes chaussures. Je me répète : « Il faut garder tes distances, Pedro Juan, garder tes distances, garder... »

Le moment d'après, je suis dans un super bar des années 50, genre le *Sloppy Joe* mais en plus fermé, en plus élégant. La serveuse, c'est Gloria. Mais elle ne me connaît pas. Gloria en à peine plus âgée, très sérieuse et discrète. Sur une banquette pas loin, il y a le sosie d'Humphrey Bogart en train de boire un whisky. Il regarde dans le vide, ne s'intéresse à rien. C'est peut-être Bogart lui-même, qui sait ? On se croirait dans un film, d'ailleurs. La lumière avive les couleurs, accentue les ombres. Gloria est un brin plus grande, plus distinguée et encore plus désirable. Elle m'apporte un sandwich qui sent merveilleusement bon, toasts, jambon, fromage et cornichons. J'ai une faim terrible. Je le dévore. Je bois de la bière à la bouteille et je me sens bien, à manger et à picoler en silence dans ce film qui n'en est pas vraiment un. Rien que Gloria, Bogart et moi. Je reconnais la musique à ce moment. Le *Prélude à l'après-midi d'un faune* de Debussy. Ensuite, je ne sais plus. Je ne me souviens pas.

4

Il est onze heures quand je me réveille. Le soleil cogne sur les plaques en fibrociment du toit. C'est un four, cette piaule. Je me lève pour tout ouvrir. On est en février mais il fait aussi chaud qu'un mois d'août. La mer est lisse comme une assiette et il n'y a pas un souffle de vin. Goûteux, ce calme. Si la Suédoise était blindée, à cette heure je serais en train de sillonner les Caraïbes sur un chouette voilier au lieu de me prendre la courge avec des Noirs devant l'Okinawa... Ah, purée, heureusement que je me suis rapporté deux cents aspirines d'Allemagne ! J'en prends deux avec un verre d'eau. C'est mieux que rien, non ? Je n'ai pas de yacht suédois, d'accord, mais je suis le propriétaire de deux cents cachets d'aspirine germanique. Cent quatre-vingt-dix-huit, exactement. Grave, cette gueule de bois. C'est de l'acide pur, le rhum que j'ai bu, et il m'attaque encore les tripes. Quand est-ce qu'on fabriquera de la gnôle correcte pour les damnés de la terre, con, ceux à qui je veux lier mon sort ? J'ai mal à la tête, j'ai soif, j'ai faim... Je prépare du café et je sors sur la terrasse. J'aime la mer quand il fait calme plat. L'une des plus belles périodes de ma vie, c'est les années que j'ai consacrées au kayak et au dériveur à Matanzas. J'étais un sportif ignare et fier de l'être. Tranquillité d'esprit assurée.

Donc je suis là avec mon café face à la mer d'huile quand des papillons surgissent. Des milliers, peut-être des centaines de milliers. Ils arrivent du nord-est, en provenance de l'océan. Est-ce qu'ils ont franchi les quatre-vingt-dix miles qui nous séparent de la Floride ? Apparemment oui. Ils passent en trombe au-dessus de l'immeuble, cap au sud. Ils cherchent les champs qui sont par là-bas, après la ville. Leurs couleurs resplendissent dans le soleil. Je n'en crois pas mes yeux. Quelle beauté ! Le café bien amer me requinque.

J'entends tinter les bracelets de Gloria. On croirait des clochettes. Penché par le balcon intérieur, je la vois derrière ses fenêtres. Plus bas, au sixième, un chien m'a repéré et il se met à aboyer, la tête levée. L'étage d'en dessous, une voisine étend du linge. C'est une nouvelle. Une métisse de vingt ans mariée à un Italien de soixante-cinq. Ils forment un couple uni. Le type lui a rénové tout l'appartement, elle vit comme une reine. L'abruti de clebs continue à japper comme si on était en train de le tuer. Gloria balaie tranquillement. Elle joue les petites saintes. Il y a quelques jours, un jeune lui a dit dans la rue : « Sur ton visage, c'est un film porno qu'on voit, fifille. Tu peux pas le cacher. » A son retour, elle s'est empressée de me rapporter ce compliment en faisant l'innocente : « Pourquoi il m'a dit ça, papi ? »

Je l'appelle : « Gloria ! » Elle me regarde en souriant, m'envoie un baiser. Elle a le don pervers de blesser avec une main et de guérir avec l'autre. Je lui fais signe de monter. Elle est là deux minutes après. Elle est encore plus cynique

que moi. Une cigarette entre ses lèvres souriantes, elle me demande du café.

« Rien du tout, Gloria. Y a pas de café.

– Ah, s'il te plaît, pas de scène et pas de rogne, parce que ça t'est bien égal, ce qui m'arrive.

– Oui ? Et à qui ce n'est pas égal, alors ?

– A moi.

– On peut savoir qui c'était, ce mec ? Non, pas "était", con. Il est toujours vivant.

– Tu vas le buter ?

– S'il continue à se risquer, il pourrait finir avec une lame quelque part, oui. N'importe où.

– Tu parles sérieusement ?

– Moi, j'aime bien aller à la gorge. Qu'il se vide de son sang en une minute. Pas de temps perdu, comme ça.

– Ah, Jésus Marie Joseph, dis pas ça ! »

Elle embrasse ses phalanges, touche du bois.

« J'ai été en taule deux fois, Gloria. Pour des broutilles. Alors je m'en fiche.

– Tu peux pas être sérieux, là ! Je peux pas croire que...

– Ah, ah, ah ! Je déconne, hé ! Bon, s'il me cherche, d'accord, un bon coup à la carotide, pour ne pas laisser de traces. La gorge tranchée, il a pas le temps de dire : "C'est Pedro Juan !" Ah, ah, ah ! Mais comme ça, froidement ? Tu me prends pour un assassin ? Un fou ?

– Avec tous ces livres que tu écris tu deviendras fou, oui. Mais pas avec moi. Avec moi, papi, tu as une âme de maquereau.

– Mais non.

– Mais si ! Qui c'est qui me les a trouvés, tous ces touristos ? Les deux Italiens, l'Allemand, le Mexicain, les deux Espagnols, cet Autrichien mongol...

– Allez, ça suffit.

– Ah, maintenant tu veux oublier, et tu veux que personne sache ! Mais c'est toi qui me les amenais, papi. En disant : "Essore-le, ce type, sors-lui les biftons !" Vrai ou faux ?

– C'était pour t'aider. Ça fait longtemps que je n'en t'ai pas ramenés.

– Pour m'aider, d'accord, mais j'ai quand même dû tous me les taper. Ici même, dans ma petite chambre de célibataire. Et avec mise en scène complète, et que je te mets la capote, et que je te l'enlève, et que je te la mets, et que je te l'enlève, ah, ah, ah !

– Oui. Ceux que je te trouvais plus ceux que tu cavalais. Et ceux que te rabattait ta cousine, celle du Palermo.

– Ça, c'est mon problème. Et laisse ma cousine en paix. Je te parlais de ceux que tu m'as collés, toi. Pour te prouver que tu es un maque et que tu ne te soucies pas de moi sérieusement. Que je couche rien qu'avec toi ou avec deux cents, c'est pareil, pour toi.

– Je t'ai pris de l'argent, rien qu'une fois ?

– Non.

– Je t'ai demandé quoi que ce soit ?

– Non.

– Alors je n'ai pas fait le maque avec toi.

– Parce que tu avais pas besoin.

– Ah, tu crois ? Si je vois que je suis mal, tu seras sur le Malecón tous les soirs, ma vieille ! J'ai vécu sur Luisita pendant pas mal de temps, moi. Alors ne crie pas victoire aussi vite.

– Ah ! Tu vois que tu l'es, mon petit maque à moi ? Pas la peine de tortiller comme ça.

– Tu le ferais, oui ou non ?

– Pour toi, oui. Tout ce que tu me demandes, papi, je le

ferai pour toi. Avec les hommes, c'est comme ça qu'il faut être.

– Pas avec les hommes, Gloria. Avec moi.

– Vous êtes tous pareils. Tu sais ce qu'il m'a dit hier, mon fils ?

– Non.

– Je lui explique que je vais recommencer à danser. Dans un bar, pas loin d'ici. Et lui : “Quoi, toute nue devant des hommes ?” “Mais non, pas toute nue, en bikini.” Alors il tire une tête pas possible et il me dit entre ses dents : “N'essaie même pas, parce que je vais là-bas et je te ramène à la maison par les cheveux. Et je te parle plus.”

– Ça, c'est un macho !

– Un peu trop, oui. A sept ans, me parler comme ça ! Ah, je ne sais pas quoi faire de ma vie... Mon père m'a fait arrêter la danse, toi tu me laisses pas et même mon fils, il me menace !

– Tu n'as qu'à lire Simone de Beauvoir et lancer une révolution.

– Quoi ? Qu'est-ce que tu dis ?

– Rien, rien. »

Bref silence.

« Je croyais que tu devais travailler à l'hôpital.

– Ah, m'en parle pas ! Quelle horreur, quel dégoût, quelle honte !

– Pourquoi ?

– Sur ta mère, Pedro Juan ! Enfin ! Des bouts de morts dans des bocaux à conserve ! Aaarrggh !

– A la morgue, tu veux dire ?

– C'est le musée des horreurs. Comme dans un film de Frankenstein, misère de moi ! Des pots avec des yeux, des langues, des morceaux de cœur, des mains complètes, des cerveaux, des oreilles. Ils t'apportent tout ça sur un chariot.

Moi, je dois les prendre, les noter dans le registre et les ranger dans les armoires. Sauf que ce poste, il est sans titulaire depuis longtemps, vu la merde qu'ils paient. Deux cents pesos mensuels ! Qui est le con qui va faire le Dracula là-bas pour dix dollars par mois ?

– Bon, c'est juste que tu es très impressionnable.

– Non, non ! Toi, tu entres même pas. Toi, tu restes sur le seuil et tu t'en vas en courant. Il y en avait cinq cents de pourris, de ces bocaux. Ils voulaient que je sorte tous ces bouts de morts puants, les brûler, laver les pots et les stériliser pour qu'ils puissent resservir... Non, non et non !

– C'est mal payé, c'est sûr.

– Même pour mille pesos le mois, je le fais pas. Au bout de deux heures, je suis partie. Je t'ai eu une gerbe que maintenant, il va me falloir neuf jours pour me l'enlever !

– Ce n'est pas un boulot pour toi, donc.

– Les morts qui vaquaient là-bas... Ils entraient, ils sortaient. Toujours les mêmes. Quatre, ils étaient.

– Gloria ? Qu'est-ce que tu racontes ?

– Ah, papi, mais je te l'ai déjà dit d'autres fois ! Je vois des morts. De temps en temps. Pas que ça me plaise, mais c'est comme ça. Des esprits privés de lumière, qui ne peuvent pas monter. En deux heures que j'étais là-bas, j'en ai vu quatre. Ils allaient et venaient comme si qu'ils étaient perdus, perdus...

– C'est ton cinéma, ça. Tu as une imagination débordante.

– Je me fiche que tu me croies ou pas. Il fallait que je te dise. En tout cas, je sais que tu te moques pas. »

Je lui sers un café. Elle le boit, allume une cigarette et reste les yeux au sol, pensive.

« Laisse-moi danser au Palermo.

– Non.

– D'accord. Mais il faut que je me gagne ma vie, parce que toi, c'est beaucoup de caresses et de tendresse et la plus belle pine du monde et ses prouesses, mais mon fils et moi, on doit...

– Je sais, je sais. L'argent.

– Et Tony le Velu, il est super bien. Bon, il me donne la nausée comme pas possible. Chaque fois que je le vois sur moi à m'enfiler à la sauvage, j'ai des envies de le faire descendre à coups de pied. Et en plus il me demande : "Pourquoi qu'elle est tout sèche, ta foune ?" Mais je dois bien continuer, n'est-ce pas, parce que lui, très correctement, il est venu me trouver et il m'a dit qu'il pouvait me donner de quatre-vingts à cent pesos par semaine. C'est quelqu'un de très honnête.

– Oh, hé, ça va ! Ne me parle plus de ce crétin, d'accord ?

– Ah, tu fais ton macho présentement mais cette nuit tu es parti en pleurant !

– En pleurant, moi ? Mooooi ?

– Oui, tooooi ! En pleurant comme une fifille ! Tu crois que j'ai pas vu ? Tu as fait demi-tour et tu es parti te cacher.

– Ça te plaît, ça. Ça te plaît que les hommes pleurent à cause de toi.

– Me parle pas comme ça, papi.

– Et comment tu veux, alors ?

– Correctement.

– Quand tu le mériteras. Tant que tu seras un paillasson, une traînée, une... »

Le téléphone sonne. C'est Agneta. Elle m'appelle une ou deux fois par semaine. Elle veut que je revienne à Stockholm pendant l'été. Ou bien elle viendra à Cuba, elle. Ni l'une ni l'autre de ces options ne m'emballent. Là, elle est toute joyeuse :

« J'ai une surprise pour toi !

– Quoi ?

– J'ai réservé une place d'avion. Pour Cuba. Dans vingt jours.

– T'es allée un peu vite en besogne, con !

– Comment ? Pas si vite, s'il te plaît.

– Je dis que je suis ravi.

– Deux semaines seulement. Ce n'est pas beaucoup mais...

– Ça suffira, va.

– Je ne suis pas encore sûre. Je n'ai pas payé.

– Pourquoi ?

– J'ai peur.

– De quoi ?

– D'aller à Cuba. Avec toi. Je ne sais pas bien. »

On parle un moment et on se dit au revoir.

« Comme tu es tout mielleux, avec la Suédoise. Et d'après toi tu as seulement profité d'elle. Pour un peu tu te faisais une branlette au téléphone.

– Arrête tes sornettes, Gloria.

– Alors, qu'est-ce qu'elle raconte, ta demoiselle suédoise si cultivée, si bien élevée ?

– Ah, bordel !

– Qu'est-ce que tu crains ? Qu'elle se suicide par amour ?

– Pire.

– Quoi ?

– Elle raconte qu'elle va peut-être arriver dans vingt jours.

– Ah ouiiii ? Me dis pas que la petite aventure va reprendre ?

– Joue pas les épouses, toi avec Tony le Velu que tu te tapes dans ta propre maison ! Et ta salope de mère qui fait l'idiote et qui baratine.

– Laisse ma mère en paix. C'est une sainte.

– Oui, ta mère et ta sœur, ce sont des créatures célestes. Donc j'ai eu la seule brebis galeuse de la famille ?

– Si j'étais pas comme je suis, on serait toutes dans la rue à demander l'aumône. Tu imagines pas dans quelle famille de demeurés je suis née.

– Oui, et tu ramènes tous tes hommes chez toi, pour bien te donner en spectacle.

– Je suis pas une fille des rues, moi. Mes hommes, je me les fais à la maison. Mais mon mari, c'est toi. Tony, c'est pour l'argent. C'est très clair pour lui. Il paie et des fois je le laisse tirer sa crampe. Et c'est pas quand il veut, à l'inspiration ! C'est rationné, décompté.

– Oui, fais ta maligne.

– Et toi, fais ton innocent ! Tu sais bien que toutes les femmes agissent pareil.

– Pas toutes, non.

– Si, toutes. Il y en a qui ont de la chance. Avec un seul mari, elles ont et l'amour et l'argent. Mais la plupart, elles en ont deux : un mari pour le plaisir et un pour la thune.

– Qu'est-ce que tu es intelligente, aujourd'hui ! Et c'est comme ça depuis quand, exactement ?

– Depuis toujours. Personne vit d'amour et d'eau fraîche. Tu connais, non ? "Le cœur en joie, les pieds au sec et le ventre plein."

– Gloria, Gloria ! Quand tu veux être philosophe, c'est la cata !

– Le type qui a tout lu et il sait pas ça, con ! C'est dans la Bible !

– Quoi ? Qu'est-ce qui est dans la Bible ?

– Ça. "Le cœur en joie, les pieds au sec et le ventre plein."

– Arrête de bobarder, Gloria. Où ce serait, dans la Bible ?

– Je me rappelle pas, là. T'as qu'à chercher. Et détourne pas la conversation, hein ? La Suédoise, j'en veux pas ici.

– Tu es jalouse ?

– Que oui. Toi, tu es mon mari ! Mon mâle, c'est toi ! Qu'elle rapplique ici, la Suédoise, et je vais te lui envoyer quatre nègres à grosse pine, ils vont te la rendre zinzin, ils vont lui piquer jusqu'aux chaussures, et son dernier dollar, et elle va repartir dans son pays toute nue, morte de froid, ah, ah, ah ! Qu'elle vienne, seulement. Tu lui as pas dit que tu as une femme, que tu vas fonder une famille avec moi ?

– Gloria, sur la tête de ta mère, calme-toi un peu.

– Je sais déjà lesquels je vais lui envoyer dessus, de nègres. Elle va plus jamais vouloir revenir à Cuba, je te le dis.

– Gloria, Gloria ! J'ai une gueule de bois que j'y voie plus clair ! J'ai mal à la tronche, j'ai soif, j'ai faim.

– C'est vrai, papi, tu as soif ? Eh bien je t'ai gardé deux petites bières de cette nuit, moi.

– De cette nuit ?

– De celles qu'il a apportées, Tony le Velu.

– Ah oui ?

– Hé, c'est qu'il travaille dans un minimarket, lui. Qu'est-ce que tu crois, que c'est un bon à rien ? Ah non ! Il a de quoi voir venir, il vit comme un nabab. En plus de l'argent, il vient toujours avec des savons, du shampoing, de la bière, des boissons et des gâteaux pour le petit, des...

– Tout ce qui peut se voler, quoi.

– Hé oui. Si seulement j'avais un boulot comme ça, moi ! Il te manquerait rien de rien. La boutique entière, je me l'emporte pour toi !

– Suffit, Gloria. Tu me saoules, avec ton bavardage.

– Ah, mon beau, me traite pas ! Viens, viens chez moi. Tu te prends les bières bien fraîches et tu vas te sentir mieux.

– Non. Ça m'embête pour ta mère.

– Pourquoi ?

– Elle va dire que je suis un cocu.

– Ah, doudou, viens chez moi et tu verras. Le cocu, c'est Tony, et il le sait. Toi, tu es mon-ti-mari-mon-pa-pi-mon-fi-fils-mon-ti-ti, ah, ah, ah ! Viens, je vais te montrer quelque chose qui va te plaire. »

On descend. C'est tranquille, chez elle. Un de ses cousins élève des pigeons voyageurs sur le balcon. On se salue et on discute un moment. Dans le quartier, tout le monde élève des pigeons, pose des pièges et vole ceux des autres. Il y en a plein qui vivent de ça, de chourrer des pigeons et de les vendre. Pour la santeria, surtout. Il y a des cages sur toutes les terrasses ou presque. Comme il vend aussi des billets de loterie, le cousin, j'en profite pour jouer les numéros de mon rêve de la nuit précédente. Deux pesos sur le 44, qui représente la bière. Cinq sur le 65, bonne bouffe. Gloria me conseille :

« Joue en cinq sur le 49.

– C'est quoi, 49 ?

– Saoulard.

– Et c'est qui, le saoulard ?

– Humphrey Bogart. Ces trois numéros t'ont été donnés, papi. Tu vas voir que tu les sors ce soir. »

Elle a un grand lit, Gloria. Elles sont passées directement de la piaule de quatre mètres sur quatre qu'elles avaient en haut à cet appartement. Pendant des années, la mère de Gloria s'est occupée d'une petite vieille qui vivait seule ici. Une nuit, il y a eu une coupure d'électricité qui a duré des heures. Cette femme, qui avait déjà quatre-vingt-deux ans, a paniqué à cause de l'obscurité et de son mari, mort depuis plus de vingt ans. Elle disait qu'il revenait la chercher plusieurs fois par jour, qu'il frappait à la porte, qu'il criait son nom... Elle est morte de peur. Hémorragie cérébrale foudroyante. Dans un testament apparu comme par magie trois jours après son décès, mais légalisé, elle laissait son appartement à la mère de Gloria. Depuis, celle-ci a une chambre rien que pour elle et son loupiot. Avec balcons et grandes fenêtres donnant sur le Malecón, en plus.

L'immeuble date de 1927. Il n'a pas été entretenu ni même repeint depuis quarante ans. Chez Gloria, il y a des cartons et des planches à la place des vitres cassées, les plafonds sont couverts de toiles d'araignée, le mobilier années 30 est en ruines. Des tas de linge sale, des matelas qui montrent leurs ressorts. La chienne dort sur des chiffons dans l'armoire. Un coin de la chambre est réservé à ses orishas. Ses vierges et ses saints favoris règnent en images sur les murs. Dans une boîte en bois, il y a Elegguá, Ochún, Changó, les guerriers, les offrandes à Orula. Ça, la Gitane lui donne une place privilégiée. Face à la porte, pour surveiller l'entrée de la maison.

Je suis sur le balcon, avec le cousin, à parler pigeons. Moi aussi, pendant un temps, j'en ai élevés pour les vendre aux santeros. Des pigeons et des escargots. Gloria m'apporte une bière froide et me fait entrer dans sa chambre.

« Viens voir, papi, viens voir que tu es mon mâle spécial, mon supermâle. »

Dans l'angle aux images saintes, elle a accroché plusieurs photos de moi, en couleurs, découpées dans des journaux ou des revues. Elle me les avait demandées, ces interviews, et je pensais qu'elle voulait les garder en souvenir. Mais non, elle a pris les photos et les a collées sur des cartons. C'est très bizarre. Inimaginable, de se voir au milieu de Jésus, de Santa Bárbara, de San Lázaro, San Judas Tadeo...

« Mais Gloria, tu es cinglée ?

– Non, pourquoi ?

– Qu'est-ce que je fais là, moi ?

– Ah, mon tout beau, c'est que tu es un saint et un démon à la fois. Et je t'ai mis la Vierge de La Havane au-dessus, pour qu'elle te protège toujours, toujours.

– Euh... Bon. »

Quand on ne sait pas quoi dire, mieux vaut se taire. On ferme la porte, on se déshabille et on joue un peu sur le lit. Beaucoup de tendresse dans ce plaisir. Elle s'abandonne. Le petit nous interrompt trois ou quatre fois. Sous n'importe quel prétexte, il vient frapper. Pour demander une serviette, un short... A la fin, il crie à Gloria à travers le battant :

« Maman, tu lui as dit ?

– Non, Armandito. Fous nous la paix maintenant, con ! »

Il s'éloigne, on dirait. J'interroge Gloria :

« Il ne va pas à l'école ?

– C'est samedi.

– Qu'est-ce qu'il voulait ?

– Un petit frère.

– Ah oui ? Et toi ?

– Moi, je veux trois, quatre...

– Déconne pas, Gloria.

– Je te l'ai dit et redit. Je veux un fils de toi.

– Un peut-être, mais pas plus.

– On commence par un et après on voit. »

Et voilà Armandito de retour. Il a préparé des meringues, qu'il nous apporte sur une assiette. Gloria en offre deux aux orishas, les consacre, et on mange les autres. Je la regarde sucer les miettes sur ses doigts. J'adore ses mains rugueuses, abîmées par les détergents. Je le lui dis.

« Non, elles sont vilaines comme tout.

– Je n'aime pas ce qui est joli, parfait, propre. Tu le sais.

– C'est ce que tu dis toujours, oui, mais je comprends pas.

– Elles sont plus vivantes comme ça, tes mains.

– C'est que j'ai beaucoup travaillé.

– A part comme pute, tu veux dire ?

– Ah, Pedro, sois pas niais ! Travailler pour de vrai. Dans des cafés, ou chez des riches. Au Vedado, à Miramar. La vaisselle, la lessive, les sols...

– Tout sauf la cuisine.

– Oui ! Comment tu le sais ?

– Parce que tu cuisines à chier.

– Personne m'a appris.

– Tu n'aurais pas pu. Quand la crise a commencé ici, tu avais vingt ans, alors c'était riz aux fayots et point final.

– Je suis déjà contente quand il y en a, du riz aux fayots.

– C'est pour ça que tu n'as pas pu apprendre.

– Toi oui, que tu fais bien à manger.

– Je suis plus vieux. J'ai eu plus de temps. Quand on pourra à nouveau s'alimenter pour de vrai, dans ce pays, tu apprendras aussi. Le problème, c'est d'avoir quelque chose à mettre dans la marmite.

– Tu me montreras ?

– Bien sûr. Hé, trouve-toi un boulot dans une cafétéria. Comme ça tu l'envoies au diable, Tony le Velu.

– Ah, toujours la même chose !

– Comment ça ?

– Ecoute, Pedro, des cafétérias, j'ai dû en faire dix. Ou douze. Et tous les gérants, ils sont pareils. Ce qu'ils veulent, c'est te sauter. Ils te donnent le travail pour pouvoir te tirer tous les jours. Jusqu'à ce que ça les amuse plus. Alors ils inventent un prétexte, ils te virent et ils en prennent une autre pour faire la même chose. Et c'est égal dans un club, dans un cabaret, égal si tu vas travailler chez les richards du Vedado ou de Miramar. Fourrer leur pine, il y a que ça qui les intéresse,

– Pas tous, quand même. Je suppose que...

– Tu as déjà été serveuse dans un bar ? Femme de ménage chez les nababs de Miramar ? Danseuse ?

– Mais non.

– Alors parle pas de ce que tu sais pas.

– Pfff.

– Les hommes sont des enfoirés et des profiteurs. C'est pour ça que j'aime les tourner en bourrique et leur prendre leur argent.

– Moi aussi ?

– Toi non. Toi, je t'aime beaucoup mais je ne sais pas quoi penser.

– Tout ce temps et tu ne sais pas ?

– Non. Des fois je te crois, des fois non.

– Je t'aime à la folie.

– Moi aussi, mais je sais pas.

– Bon...

– Je me suis brûlée, Pedro Juan. Tous, ils promettent et ils promettent mais en fin de compte, ce qu'ils veulent, c'est tirer leur coup, lâcher la purée et continuer leur chemin. Bonjour, bonsoir. Et si tu te retrouves enceinte, ils disent que c'est pas eux. Tu sais combien d'avortements que j'ai eus, moi ?

– Non.

– Deux avant d'être grosse du petit. Trois après. Parce que

vous, vous balancez votre jus sans y penser et celle qui doit... Aaaah, à quoi ça sert de parler ?

– Tu as un cœur de pierre.

– Peut-être que oui.

– On t'a piétinée et tu en as piétiné beaucoup.

– Et toi tu es bien gentil, papi, mais tu as une âme de maque et de fils de pute. Tu aimes les garces, les traînées. Je te comprends pas.

– Moi non plus, je ne me comprends pas.

– Tu sais même pas ce que tu veux, Pedro Juan.

– Personne ne sait ça. On vit dans le chaos et dans la confusion.

– C'est vrai. Des fois je me sens toute perdue, je sais pas ce que je fais, ni pourquoi je le fais.

– Tu n'as jamais eu un homme comme moi. Un assassin, un dépeceur de femmes, un sadique, un pervers. C'est pour ça que j'écris des romans. J'écris ce que j'aimerais faire dans la vie réelle. Gloria en ragoût pour le déjeuner, miam.

– Dieu du ciel, quelle horreur ! Ah, il faut que je te laisse, mon salaud, mais chaque jour je t'aime plus fort. »

5

J'ai gagné quatre-vingts pesos avec le 49. Humphrey Bogart m'a porté chance. Les autres numéros ne sont pas sortis, eux. J'ai dû aller chercher mon dû chez l'organisateur de la loterie, une ruelle perdue derrière l'université. Il m'a fait attendre un bon moment, à la porte, debout. Personne ne lâche le fric rapidement. Au bout, il y a deux gigantesques panneaux publicitaires. L'un n'est que du texte : IL NOUS FAUT CONSTRUIRE UN PARTI EN ACIER ! Sur l'autre, il y a des danseuses métisses et la mention : HAVANA NIGHT, WORLD TOUR 1999-2000. Au-dessus des filles, en lettres rouges : MADE IN CUBA/MADE IN CUBA/MADE IN CUBA/MADE IN CUBA/MADE IN... Lorsque j'ai enfin récupéré mon argent, je suis rentré chez moi. Je n'avais rien de spécial à faire, comme d'habitude. La nuit tombait. Le carrefour de San Lázaro et Perseverencia calme comme tout. Il devait être huit heures. Des flics partout. Silence et paix.

Soudain apparaît une Noire qui fait du scandale. Elle est flanquée d'un métis de Chinois tout maigre, mal nourri et pinté à mort. Bras croisés, lèvres pincées, il s'adosse contre le mur pour ne pas s'affaler. Et la négresse continue son raffût :

« Allez, bouge, bouge de là, reste pas comme ça ! Allez, faut continuer, faut continuer, là ! »

Le type la regarde mais il doit voir quatre Noires devant lui, en fait. Il est tellement imbibé qu'il ne comprend plus rien. Trois policiers observent la scène de loin. La femme leur jette un coup d'œil avant de recommencer à beugler comme si on l'écorchait vive :

« Alleeeeez, marche, marche, t'arrête pas ! »

Elle lui agite les mains sous le nez, le pousse. Le métis laisse ses bras tomber de chaque côté et lui dit d'une voix d'agonisant :

« Va-t'en. Laisse moi tranquille. »

C'est comme s'il avait mis le feu aux poudres. La Noire hurle de plus belle, le secoue, cherche à le jeter par terre. Complètement hystérique. Un policier s'approche.

« Que se passe-t-il, citoyen ? »

Le type ouvre des yeux comme des soucoupes, effaré par tout ce qui lui arrive. Il fait un effort surhumain pour articuler une autre phrase :

« Qu'elle me laisse tranquille. »

Le femme continue à le pousser, à le houspiller.

« Allez, tu peux pas rester là, tu peux pas ! »

Le policier insiste :

« Je vous ai demandé, citoyen. Qu'est-ce qui se passe ici ? »

Le métis, anesthésié, hébété, garde le silence et c'est la femme qui répond d'une voix encore plus perçante :

« Vous voyez, vous voyez ? Il cause des problèmes, toujours ! Ah, je sais pas pourquoi je me l'suis pris comme mari ! J'apprendrai jamais, jamais ! »

Toujours très calme, le flic ne lâche pas :

« Pour la troisième fois, citoyen, expliquez-vous ! Et donnez-moi vos papiers. »

Ses yeux vitreux sur lui, le type tâte lentement la pochette de sa chemise, en sort sa carte d'identité, la lui tend et croise à nouveau les bras. Le policier s'écarte un peu pour joindre le central sur sa radio. A quatre mètres de distance, ses deux collègues le contemplent. Et la femme qui continue :

« Vous voyez ? Vous voyez le problématique qu'il est ?

– C'est votre mari ?

– Il crée des problèmes, toujours ! Vous voyez ? Ah, il est trop problématique ! »

Le métis se tait, affalé contre le mur. Une voiture de patrouille arrive, se gare devant eux. Le flic installe le poivrot dans l'auto, qui repart. Quant à la Noire, elle reprend tranquillement sa route en disant au représentant de l'ordre :

« C'est ce qui convient, oui. Bien fait. Qu'il passe la nuit au poste ! Problématique comme il est ! »

Le flic rejoint ses collègues pour commenter l'incident avec eux, à voix basse. Les quelques badauds qui s'étaient arrêtés comme moi repartent. Moi aussi. J'entre dans mon immeuble. Chaque fois que j'attaque ces escaliers interminables, je me dis la même chose : « Allez, Pedrito, soyons positifs ! C'est bon pour le cœur. Monte-moi ça comme un vrai petit homme ! » Huit étages, hé... J'arrive chez moi, sous les toits. Et maintenant, quoi ? Je mets le Requiem de Mozart. *Introitus, Requiem æternam.* J'écoute encore. Le *Kyrie eleison.* Le *Dies iræ.* Putain, non ! C'est trop balèze. Ça me flingue. J'arrête le disque et je mets Céline Dion. J'écoute un peu. Là, c'est le contraire. J'éteins. Je vais sur la terrasse. La mer est noire, il y a un vent froid du nord-est. Je suis angoissé. Rien à faire, rien à penser. La solitude, l'inquiétude, et cette sensation de ne pas savoir, de ne pas comprendre... Je remets Mozart. *Rex tremendae. Confutatis maledictis.*

On frappe à la porte. J'ouvre. Un drôle de mec, très mince,

barbe et cheveux longs, de petites lunettes rondes et fumées à la John Lennon. Tout en noir. D'une voix grave, travaillée, il me dit :

« Pedro Juan ?

– Oui.

– Je suis Baltasar Fontana, le réalisateur.

– Ah... Entrez. »

A l'accent, il doit être espagnol. Baltasar Fuentes, sans doute. Pourquoi il a un nom italien, mystère. Sans perdre une minute, il s'assoit et me débite à toute allure :

« J'ai lu ton livre, il m'a plu énormément. J'ai vu le film qu'il y a, tout de suite. Je crois qu'on va pouvoir travailler ensemble. Je suis en train de terminer un court-métrage ici. »

Moi, je le regarde et je pense : « C'est vraiment une connerie, d'habiter au centre-ville. Qu'est-ce qu'il veut, ce chieur ? » Baltasar continue avec Mozart en fond.

« Ce que je veux, c'est un *road movie*. Un jeune mec, dix-sept ans. Il s'achète une caisse et il fait tout Cuba. De La Havane à Santiago. C'est un révolté. Conflit avec les parents. Et il revient à la capitale en vainqueur. La voiture doit être un modèle de collection. Une Chevrolet années 50, par exemple. Et il s'en sort, au bout du compte. Il faut un *happy end.*

– Et quoi d'autre ?

– Mais ça. Un *road movie.*

– Non, je ne pense pas, non.

– Réfléchis. Ton livre m'a plu.

– Tu veux un café ?

– Hein ?

– Tu veux un café ?

– De l'eau, s'il te plaît. »

Je lui apporte un verre et je me tais. Je n'ai rien à dire. J'attends qu'il boive et qu'il s'en aille. Non. L'eau lui a redonné des forces, on croirait. Il est plus bavard que jamais. Il me raconte tout le scénario du film qu'il vient de tourner à Cuba et qui est au montage, maintenant. L'histoire d'une très jolie métisse qui est santera de profession et qui vit dans une ravissante maison sur une plage tropicale. Comme dans ses rêves elle voit toujours des châteaux du Moyen Age et des Croisades, elle se transporte à cette époque et elle vit une passion avec un chevalier errant. A la fin, elle revient à sa vie avec le galant médiéval transformé en homme moderne. Le plan final, ils marchent tous les deux sur la plage au crépuscule.

« C'est une très, très belle chose, commente Baltasar.

– Tu aurais pu le faire à Hawaï.

– Ici, c'est moins cher. C'est donné.

– Ah... Et tu en as souvent, des idées de film comme ça ?

– C'est très difficile. Trouver une bonne histoire, c'est compliqué.

– Tu voudrais adapter certaines de mes nouvelles ?

– Non, non ! Il y a trop de sexe.

– Les gens sont pareils partout. C'est normal, le sexe.

– Oui, c'est vrai. Je vais te faire un aveu. Je vis à Madrid, moi. Quand j'ai lu ton livre, j'ai voulu tenter une expérience. J'ai passé une annonce dans un des plus grands journaux nationaux. Trois parutions de suite, j'ai payé. Ça disait : "Vieille de 62 ans. Pourrait être ta grand-mère. Te fera jouir comme tu n'imagines pas. 10 mille pour la totale. Rosa María." Et un numéro de téléphone, où j'ai mis un répondeur avec une voix de... Rosa María. Eh bien en une semaine la petite mamie a reçu quarante-trois propositions. Plus dix-huit appels de types qui ont raccroché en voyant que c'était un répondeur !

– Ça pourrait te faire un film, ça. *Vieille de jour*, ou un truc comme ça.

– Non. Ce serait de la pornographie et moi, je suis un artiste. Ce que je veux, c'est un *road movie* à Cuba. Et j'aimerais que cet ado, il écoute du Lou Reed.

– Personne ne connaît Lou Reed, ici. Et aucun gosse de dix-sept ans ne pourrait s'acheter une voiture. Dans le film que je dis, il n'y aurait pas de vieille ni de sexe. Rien que toi et ton désarroi. Toi et ton expérience à Madrid. Les titres, c'est seulement pour tromper le public. »

Après avoir achevé l'*Agnus dei*, Mozart attaque *Lux æterna* avec beaucoup d'allant. Je me tais. Je voudrais lui faire comprendre que ça suffit, maintenant. Il reçoit le message. Il me laisse son téléphone, son e-mail, et il prend congé. Il referme la porte derrière lui. Je déchire le papier où il avait marqué ses coordonnées et j'écoute *Lux æterna*.

Après, je descends m'asseoir sur le parapet du Malecón. Le vent de noroît persiste, quelques vagues se brisent contre le mur. Seul face à la mer, un type joue du saxo. Il fait ses gammes et puis il se lance dans un morceau de jazz, très lent, très mélancolique. Une improvisation. Dans la lumière rosée du Malecón, dans le silence et la solitude de la nuit et de la brise. C'est irréel, ce type soufflant dans son saxo une musique qui va se perdre dans l'infini obscur... C'est ça qui est bien, avec la réalité : elle se permet des luxes qui sont refusés aux écrivains. Parce qu'elle n'est pas obligée d'être crédible, elle. Je refoule l'envie de prendre des notes sur cette ambiance et cette scène pour *Un cœur gros comme ça*. Trop compliqué de les sortir du réel et de les rendre convaincantes sur le papier. Je ne peux pas encore me compliquer la vie avec cette saleté de roman. Je résiste au désir que j'ai d'aller à El Mundo écluser ce rhum qui est du distillat de pétrole. Je ne peux pas me permettre ces cuites atroces toutes les nuits. Et je me force à ne pas partir chercher Gloria. A cette heure-là, elle doit être en train de cavaler le gogo quelque part.

Quand je me couche, je suis donc un combiné de refoulements. Je me réveille à cinq heures et demie du matin avec une trique d'enfer. Je n'ai pas sommeil, alors je me tripote un peu la pine sans aller jusqu'à lâcher mon jus. A cinquante ans, on est de plus en plus économe et prévoyant. Je me lève, décidé à mettre de l'ordre dans mes notes pour *Un cœur...* Je sais comment ça commence mais je n'ai aucune idée de la fin. Et pour moi, il est impossible d'écrire, dans ces conditions. Je dois savoir où elle va terminer, Gloria. Je mets mes papelards de côté et je me mets à peindre. A sept heures, j'entends ses bracelets. Elle fricote dans sa cuisine. Je me penche. Par une vitre cassée de la fenêtre, je ne peux voir que ses mains. Je les adore, je répète. De la regarder travailler, préparer du café, ça m'excite. Je l'appelle.

« J'accompagne le petit à l'école et je monte après. »

Elle arrive à neuf heures, enfin. Elle a un petit bouquin, *Horoscope 2000*. Elle veut me lire mon signe.

« Ecoute, papi, écoute ce qu'ils disent sur les Poissons : "S'il choisit le mal, ce sera un utopiste incorrigible ou un être perverti, dangereux, sans scrupule ni sensibilité, d'une méchanceté glacée."

– Gloria, déconne pas, con ! Je ne suis pas comme ça, moi !

– Ah bon ? Non, tu es pire !

– Viens, on va à Mantilla. Je veux que tu te fasses le tatouage.

– Non, non. Et s'ils me refilent le sida ?

– Puisque tu ne l'as pas encore attrapé avec tes activités vaginales, orales et autres...

– Hé, comment que tu me parles, mon petit.

– ... c'est que tu es immunisée. Allez, on file. En plus, c'est un pro, ce type, et il a du bon matos. Il reçoit tout de chez les Yankees. Les aiguilles, les encres, tout.

– Ça va me faire très mal ?

– Non.

– Bon, mais il nous faut prendre du rhum et de l'herbe. Pétée uniquement, je le fais.

– Allons-y et arrête de me les briser. »

On frappe à la porte. Deux architectes-restaurateurs. On doit attendre pendant qu'ils prennent des photos, mesurent, s'extasient sur l'immeuble, que c'est le pur style classique et je ne sais quoi encore. Il y a un Italien et une petite Cubaine qui soi-disant vient d'obtenir son diplôme mais que je soupçonne de putasser avec le Rital. Peut-être qu'elle finira par avoir une bourse à Rome ? Emballage intellectuel, du moins. C'est évident qu'elle le séduit, qu'elle le manipule. Et lui, il est désavantagé. C'est un gars du Nord, de Milan. S'il était Napolitain, c'est lui qui emberlificoterait la Cubaine pour venir s'installer sous les Tropiques. Au cours des dernières années, on en a vu passer par ici, des architectes allemands, espagnols, italiens, français... Ils photographient, tournent des vidéos. J'ai comme l'idée qu'habiter sur le front de mer de La Havane est en train de devenir très couru. Contempler tranquillement les Caraïbes de ma terrasse, c'est un privilège menacé. Jusqu'à quand ça durera ? Ils finissent par s'en aller. Nous, on prend le chemin de Mantilla. On descend les escaliers. Sur un palier entre le sixième et le cinquième, il y a un gros tas de merde fraîche, puante à souhait.

« Purée, la folle a encore chié ! »

C'est Elena, la mongolita qui habite l'immeuble. Elle monte dans les étages pour se soulager. Elle fait ça depuis toujours. Gloria s'énerve, d'un coup :

« Tu vas voir qu'elle recommencera pas ! Attends-moi ici. »
Elle regrimpe chez elle. Elle revient avec un bout de carton, prend l'étron dessus, descend là où vit la folle et balance la merde contre sa porte. Ça coule et ça pue plus que jamais.
« Je ferai pareil à chaque fois, maintenant. Tu vas voir qu'elle va apprendre à respecter. »

On prend Galiano en direction du Parc de la Fraternité. Il y a toujours plus de mendiants dans la rue. Des fois, ils trouvent des trucs vraiment ingénieux pour extorquer l'aumône. Ce jour-là, la médaille d'or revient à un débile profond qui n'arrête pas de baver. Il doit avoir dans les vingt ans, peut-être. Son père l'assoit par terre, le cale contre le mur, mais il est comme une poupée en chiffon toute mollassonne et il s'effondre sur le sol en un tas informe. Avec beaucoup de patience, le papa le remet en place et ça recommence. Ensuite, il lui enlève ses chaussures, histoire de montrer les pieds informes du fiston. Là, le type allume quatre bougies autour de lui, avec des images de saints et de vierges par en dessous. Il passe un écriteau au cou du débile : JE SUI UN FIRME. EDER-MOI POUR MANJÉ. JE SUI NÉ KOMSA CÉPA MA FOTE. JE SUI UN FIS DE SAN LASARO. MERSI. Il lui enroule des colliers d'Obatalá et d'Elegguá sur le poignet droit et il recule de quelques pas pour admirer son œuvre. Satisfait, il revient coincer une assiette entre les jambes du mongolien, égrène quelques pièces de monnaie dedans et s'éloigne un peu. Evidemment, les gens s'arrêtent pour mater et d'autres piécettes tombent dans l'escarcelle. Le père veille au grain, se dépêche de rallumer les chandelles dès que l'une d'elles s'éteint. L'infirme a pourtant l'air seul au monde, abandonné de tous. L'effet est très impressionnant.

Je reste songeur devant ce montage et ces passants qui commencent à donner un peu d'argent. Gloria me ramène à la réalité :

« Tu comptes rester là toute la journée ?

– Pauvre bougre.

– Des voyous, le père comme le fils.

– Il est débile, ce gosse. Que l'autre se serve de lui, il n'y est pour rien.

– Ah, ah, ah ! Le débile, c'est toi !

– Quoi, il ne l'est pas ?

– Bien sûr que non. Ce mulâtre, c'est un pignoleur-né. Quand je travaillais au jardin d'enfants de Trocadero, il était tout le temps là-bas avec trois ou quatre autres branleurs de son espèce.

– Oui ? Qui ils visaient ?

– Nous autres, papi. Les puéricultrices.

– Comment ça ?

– Parce qu'on voulait s'amuser. Mais c'est devenu un vice, pour eux. Ils étaient cinq ou six, dont ce légume. Sans doute qu'il s'est liquéfié le cerveau à force de se branler là-bas, l'imbécile heureux.

– Tu as l'esprit tordu, Gloria.

– Mooooi ? Les tordus, c'était eux ! Ils montaient sur les murs et ils nous montraient leur pine. Nous, on ouvrait les jambes et allez, ils giclaient de partout ! Avec des yeux de fous, ah, ah, ah ! Tous les soirs le même spectacle. Ils ont pris le vice, ah, ah, ah !

– Je ne vois pas ce qu'il y a de si drôle. C'est toi, la vicieuse.

– Ah, papi, c'est qu'on s'ennuyait tellement ! S'occuper de morveux toute la sainte journée !

– Donc il ne l'est pas, débile ?

– Pignoleur, abruti et vaurien. L'autre, c'est son collègue. Il est son père comme moi. »

A Mantilla, le type lui fait le tatouage sur l'épaule droite, dans le dos. Un cœur en flammes, en rouge et jaune, avec au milieu, en bleu, « Pedro Juan ». On reste là trois heures et Gloria s'envoie une demi-bouteille de rhum, donc elle n'a pas mal. Au retour, en arrivant à l'immeuble, on voit deux jeunes qui en sortent à toutes jambes. Deux voleurs de pigeons du quartier. On les connaît. Ils nous avisent, paniquent et s'enfuient comme des bolides. On est à moitié bourrés, Gloria et moi, et c'est seulement là qu'on entend les cris. On presse le pas. Il y a le feu au septième. Chez Gloria. Quelqu'un a lancé une bouteille de pétrole avec une mèche allumée contre sa porte. Mais sa mère et son cousin sont arrivés tout de suite avec des seaux d'eau. Juste à temps. La porte est pas mal brûlée, avec un grand trou dedans. Gloria est folle de colère. Elle engueule le cousin :

« Je t'avais dit d'arrêter de leur piquer des foutus pigeons ! Ils sont dangereux, ces deux-là !

– Comment tu sais que c'est eux ?

– Parce qu'ils couraient en bas, con ! C'est eux, oui ! »

Le cousin ne répond pas. Il va chercher une barre de fer et se lance dans les escaliers telle une fusée.

« Aïe, Pedro Juan, c'est qu'il va les tuer ! S'il les attrape, ils sont finis !

– Ils ne sont pas si faciles à attraper, va ! Allez, ramène-toi. »

On redescend à toute allure. Les incendiaires sont hors de vue, évidemment. Quant au cousin, il a discrètement posé la barre dans un coin quand il a vu des policiers sur le trottoir. Il revient vers nous, plus calme.

« Je sais qui c'est. Je les aurai. Pour l'instant, ils peuvent se planquer.

– Pourquoi ils ont fait ça ?

– Pour un pigeon que je leur ai volé il y a longtemps. Et ils sont venus se venger seulement maintenant. »

Gloria monte sur ses grands chevaux :

« On va pas en rester là, ah non ! Ils m'ont brûlé ma porte et je les ai vus. Allez, on va au poste, que je porte plainte ! »

6

Le bordel de l'incendie et des pigeons volés a duré trois ou quatre jours. Il y a eu quelques protestations de rue avec Gloria, le cousin, d'autres parents... Jalousies de quartier dont je me suis tenu à l'écart. Et tout s'est tassé peu à peu, comme toujours.

Un soir, Gloria monte prendre le café. Elle aime s'asseoir par terre pendant que je le prépare. Elle a un short très court, bien moulant, un chemisier léger. Je nous sers un doigt de rhum. Ça me plaît de la regarder installée comme ça, en train d'écouter une cassette de José José. Elle remonte les genoux, écarte les jambes et me provoque avec sa touffe noire, bouclée, exubérante. Elle me chauffe. Je lui repasse une gorgée de rhum dans la bouche. Je sors ma pine, juste un bout. Elle enlève le short pour me montrer tout son con, alors je sors mon équipement et je me caresse. Lentement.

« Ah, papi, tu me rends zinzin. Comme ça me plaît !

– Cette moule de beauté que tu as, toi ! Poilue et serrée, idéale ! Qu'est-ce qu'elle t'a rapporté de l'argent, cette merveille ! Cinq cents pesos par mois, de moyenne.

– Plus, bien plus. Oh, regarde comment elle grossit encore ! Qu'elle est belle !

– Suce-la, qu'elle soit plus dure encore. »

Elle y va un peu de la langue.

« Plus de cinq cents, oh oui, papi ! C'est un con rentable que j'ai, ah, ah, ah ! Sans compter ceux que j'ai laissé passer sans les faire payer.

– Bon, je l'ai tendue à fond. Où est-ce que je te la mets ?

– Non, patiente, patiente. »

On s'amuse un moment. Pour faire durer les bonnes choses, je suis un expert. Elle se branle, aussi. A la fin, elle crie :

« J'en peux plus, ah ! Donne-moi ! »

Elle ouvre la bouche. Je lui envoie ma crème. Elle avale tout, lèche jusqu'à la dernière goutte.

« Ah, qu'est-ce qu'elle est acide, ta sauce ! Ah, plus qu'une prune verte... Jamais j'en ai goûtée une pareille !

– C'est à cause du nègre de la montagne qu'elle est comme ça, ah, ah, ah !

– Plaisante pas avec ton mort, ou il va te punir... Bon, qu'est-ce que tu fais ? »

La cafetière a failli exploser. Café foutu. Elle éclate de rire.

« Redonne du rhum, oublie le café... Aaah, tu m'as hallucinée, là...

– Pourquoi ?

– Ça me tourneboule. Toute ma vie, ça a été ma folie.

– Mais quoi ?

– Qu'on se branle devant moi pendant que je montre tout, les cannes ouvertes.

– Tu y as pris goût, à force.

– Depuis toute petite, oui. Je me suis fait un trou dans la culotte et ma mère savait même pas que c'était moi. Juste pour écarter les jambes et qu'on me voie la foufoune.

– Il n'y a pas de remède, pour toi. Tu es zinzin grave.

– Hé, y a rien de mal ! C'est un passe-temps comme tant

d'autres. J'aime pas les dominos ni la pelota, moi. Mon truc, c'est d'aller sur la plage en montrant un peu de foune, ou un néné, ou une fesse. Les obsédés, ils me tombent dessus comme des mouches. Comme des fous. Et des fois que je me sens perverse, je les appelle et je leur dis : "Allez, c'est vingt pesos chacun, ou bien on arrête le show et la troupe part en vacances !"

– Et ils paient ?

– Jeune hoooomme ! Des fois, ils me donnent le double, le triple, et ils disent : "Mais je veux mon temps, hein. Reste comme ça une heure sans bouger."

– Et toi, tu poses.

– C'est mon art, oui. Danser, poser, me montrer. Qu'ils fassent un tableau de moi ou qu'ils se pignolent, c'est pareil même. La question, c'est qu'ils paient.... Aboulez les biftons ! "Aidez l'artiste cubain", comme disait mon père quand il grattait sa guitare dans les bouges... – Elle est prise d'un frisson, soudain. On dirait qu'elle a peur. – Aaaah, vas-y, parle... Verse un peu de rhum et cherche-moi une cigarette. »

Elle s'assoit au bord du lit, sans se presser, les yeux fermés. Elle boit quelques gorgées de rhum, allume la clope et tire dessus lentement. Elle rouvre les paupières.

« Dans ta maison, il y a une femme tout le temps en train d'écrire, assise à ta table. Pas une vieille. Elle doit avoir les quarante, guère plus. Elle met du bon parfum, ça se voit qu'elle est raffinée, mais avec une double vie. La nuit, beaucoup d'aventures romantiques. Elle fume la cigarette, elle s'amuse. Elle aime rire. Toujours de bonne humeur, joyeuse, optimiste. Des fois elle joue avec toi et tu as une bouffée de son parfum ou de sa cigarette. C'est toujours quand tu es à ton bureau, à écrire. Et tu t'effraies, tu vas devant l'autel pour prier et demander aux morts qu'ils te laissent en paix.

– Bordel, Gloria ! Comment tu sais ça ?

– Je le vois, là, tout de suite. Tais-toi, trouble pas... Elle est à la table et elle écrit, cette femme. Très élégante. Elle veut pas regarder la Gitane, non. Elle l'ignore.

– Que... Son nom ?

– Je sais pas. Tout ce qu'elle a pas osé écrire dans sa vie, elle l'écrit maintenant avec toi... Elle a... Une robe noire, jusqu'aux chevilles et avec le col fermé. Manches longues. Les cheveux relevés dans un chignon. Si ça se trouve, elle est morte il y a un siècle, va savoir... A sa tenue, ça se voit qu'elle était là il y a très longtemps... Elle dit que tu dois commencer le livre et ne pas avoir peur... Elle dit qu'elle écrit pour toi. Elle te demande des fleurs.

– Des fois, je...

– Chut, tais-toi ! Tu mets des fleurs sur ton autel mais elles sont pas pour elles, non. Cette dame, elle les veut blanches et jaunes, dans un vase sur ta table de travail, en face de toi... Et tu dois pas craindre son parfum, ni la fumée de sa cigarette. Elle veut t'aider et elle t'aide et... Ecoute, écoute ça : il t'arrive de sentir comme une force qui t'emporte et alors tu écris, tu écris sans pouvoir t'arrêter ? Et tu avais pensé à quelque chose mais c'est autre chose que tu écris, à la fin c'est tout différent ?

– Oui. Très souvent. Comme si j'étais en transe, et je ne peux plus m'interrompre.

– Parce que tu n'es plus toi. C'est elle qui écrit et... Elle dit que dans sa vie, elle a pas eu le temps, elle. Et la fin, maintenant : elle... Elle me répète que tu dois te lancer dans le roman, qu'elle sera toujours là.. Que tu lui offres des fleurs blanches et jaunes, et... Voilà, elle est partie. »

Gloria se lève, enfile une de mes chemises et sort sur la terrasse. Elle prend un peu l'air et revient, plus calme maintenant.

« Touche comment j'ai les mains. »

J'effleure ses paumes. Brûlantes. Elle a de la fièvre. Quarante ou plus.

« Pas plus mal que ça soit là. Quand c'est la tête qui chauffe comme ça, je finis avec une douleur terrible dans les tempes, un mal qui me quitte pas de la journée. Quand ça vient par la tête, ça dure bien plus longtemps. Des fois, je parle des demi-heures...

– Elle est forte, la Gitane.

– Elle est forte, oui, mais je m'occupe pas d'elle comme je devrais. Je la néglige. »

J'allume un cigare, je sers encore du rhum, je mets un très vieux disque de Nico Membiela et on s'allonge sur le lit, tout calmes. Je renifle ses aisselles. Cette odeur de femelle africaine, de sauvageonne qui sue dans la jungle, c'est une drogue qui me fait vibrer jusqu'au cœur. Si nous n'avions pas l'Afrique, les Noires, les métisses, où irait l'humanité ? On s'éteindrait, on s'abolirait comme des mirages dans le désert.

Je m'emplis les poumons de son odeur épicée.

« Ah, Gloria, si tu étais blanche et blonde, je ne te regarderais même pas.

– Pourquoi tu aimes tant les négresses, salopiot ? Encore que moi, je suis cannelle et sucre. Faut pas confondre !

– Tu es plus raciste que les nazis, surtout.

– Oui que je suis raciste. Et alors ? J'aime pas les Noirs. Dans toute ma vie, j'en ai aimé vraiment qu'un seul, et quatre jours pas plus. Et parce que c'était le carnaval à Santiago, j'étais saoule comme une grive du matin au soir. Une semaine de danse et de cuites et de baise.

– Et tu es métisse ! Si tu étais Noire...

– Si j'étais Noire, j'en aurais même pas eu un.

– Pourquoi ?

– Parce qu'ils sont menteurs, idiots, bons à rien, sales, avec la pine trop longue qui te donne une inflammation du pelvis. Et en plus ils discutent le prix et ils veulent jamais payer. Non, trop de pine et pas de rentabilité. Ce que j'ai de Noire, ça me suffit amplement.

– C'est du pire racisme, Gloria.

– Mais c'est vrai.

– Non, c'est faux. Il y a des Blancs qui...

– Ah, laisse tomber ta théorie que tu trouves dans tes livres à la noix ! Un Noir qui a du bien et qui est allé à l'université, et ceci, et cela, j'en connais pas. Mais ceux de ce quartier, vaut mieux les oublier. Des fainéants, des dépravés et des pignoleurs.

– Mais tu es la vraie nazie, con !

– C'est maintenant que tu t'en rends compte ? Ah, ah, ah, ah ! Tu sais ce que je lui faisais, au nègre de Santiago ?

– Non.

– Je lui claquais la figure et je lui disais : "Sors-la, sors-la, lâche-moi et va te laver sous les bras, cochon de Noir !" Et il jouissait comme un petit toutou, après. Même du déodorant, il prenait ! Et moi je me mettais sur lui : "Fini, plus de coucoune pour toi. Va te chercher de l'argent si tu veux recommencer. Ramène-moi des billets, du rhum, des clopes et de l'herbe. Rapporte tout ça ou je te punis. Je me rhabille, je m'en vais et tu me revois plus de ta vie." Ah, ah, ah ! Il en pleurait, le bougre ! C'est ça que j'aime, moi. Les humilier. Les traiter comme des esclaves.

– Pourquoi tu es fille de pute à ce point ?

– On est tous fils de pute. On aime tous avoir quelqu'un plus bas que nous, pour l'écraser et le mascagner. Et fais pas l'innocent, parce que tu es pire que moi. Si tu deviens le président ici, un jour, tu mets des fers aux pieds de tout le monde ! Et la muselière, pour qu'ils se taisent.

– Tu es une fasciste, Gloria. Ta petite tête tourne vraiment pas rond. Mais je ne peux pas le mettre dans *Un cœur gros comme ça*.

– Quoi, tout ce que je dis, tu vas l'écrire dans ton machin ?

– Tout.

– Tu vas être lourd, à la fin. Les gens, ils aiment pas entendre la vérité.

– Je sais. Ils préfèrent le base-ball.

– Sois malin, pour une fois. Les braque pas parce qu'après ils te font une vie impossible et tu dois partir de Cuba... Ah, ah, ah, c'est que tu es tellement couillon, toi !

– Moi, couillon ?

– Oui, toi ! Tu pouvais te rester dans vingt ou trente pays et vivre comme il faut, mais non, le sauvage, le têtu, il revient toujours à la crasse !

– Je n'ai pas envie de vivre ailleurs.

– Ah, le petit sentimental !

– Ce n'est pas du pathos, c'est un choix.

– C'est une bêtise, oui ! Là-bas, tu serais mieux qu'ici. Pourquoi tu es pas resté en Suède ?

– Je me plais bien, ici.

– Bien ? En vendant un tableau de merde tous les six mois pendant que je cavale les touristos ?

– Ça, et tout le reste. Je suis bien ici.

– Oui ? Alors on va voir ce que tu fais quand je tombe enceinte, parce que ce sera fini pour moi, la cavalcade. Et les Yankees, ils me donnent la nausée, maintenant. Je veux être avec toi, c'est tout. Avec-toi-c'est-tout ! Tu te le rentres dans la tête, un peu ?

– Oh, arrête ton drame !

– Zéro drame. C'est la vérité. Tu vas pas être mon maque toute la vie, vu que je suis pas pute pour toujours.

– Quoi, tu vas te ranger ?

– J'ai toujours été rangée. Pauvre, dans la promiscuité, mais honorable. Mon argent, je me le gagne avec mon travail depuis toute petite. Et dévie pas encore, hein ? Tu vas être mon mari et moi ta femme. Alors commence à gamberger pour faire vivre tout ce petit monde, toi, moi et trois ou quatre pitchounes.

– Gloria, con !

– Reviens sur terre, laisse tes pinceaux et les bêtises.

– Faudra que je fasse ce stand de légumes au marché.

– Je t'aiderai. Pour vendre, je suis redoutable. Le commerce, je l'ai dans la peau.

– Tout ce que tu sais vendre, c'est du sandwich au jambon et des maillots de bain à Galiano.

– Pareil. Je peux aussi bien vendre de l'eau froide ou un immeuble que faire une branlette pour vingt pesos. Ça me plaît, le commerce. Tiens, à propos de commerce, laisse-moi appeler Margot. »

Elle va au téléphone, compose un numéro.

« Qui c'est, Margot ?

– Une amie.

– Celle de Guanabo ?

– Voilà.

– Pute totale.

– Non, la pute totale, c'est moi. Elle, c'est une gourde qui... Attends ! Excusez-moi, est-ce que Margot est là ? Oui, merci. – Quelques secondes de silence. – Alors, comment tu as terminé la nuit, finalement ? Ah ? Et tu es allée avec ce porc ? Hein ? Combien ? Oh, je suis bien contente. Ça t'apprendra à jouer les bonnes filles. Ça se voyait comme le nez au milieu de la figure, que c'était un salaud ! Ah, Margot, tu as encore beaucoup à apprendre, mon amour. Premièrement, ce Yankee, il se lave absolument jamais. Deuxièmement, il pue des pieds, des bras et de la bouche que c'en est une horreur. Troisièmement, il commande une glace pour nous trois, il s'en envoie la moitié et il nous laisse le reste. Tu as besoin d'autres preuves ? Non, c'est vrai ? C'est ce qu'il voulait ? Qu'on se gouinasse toutes les deux, et gratis ? Et tu lui as dit... Bon, tu vois bien que tu es la crétine complète. Envoie-le au diable, dis-lui de se chercher des esclaves sexuelles en Afrique. S'il en trouve. Parce qu'à tous les coups, il tombe dans une tribu de cannibales et ils se le bouffent tout cru ! Oui ? Non, Margot, compte pas sur moi. Comme pute, tu es une erreur ambulante. Trouve-toi un autre métier, va ! Et... Non, ça va pas ? Dans la rue, ils t'attrapent et ils te renvoient dans ton village et... Où c'est que tu dis ? Palma Clara ? Ah, ah, ah, et où ça serait, ça ? A Baracoa ? C'est même pas sur la carte, ton truc. Fais gaffe à toi. Ciao, à plus. »

Elle raccroche et me regarde en souriant :

« Elle est trop gentille, trop provinciale encore. Si elle prend pas de la graine vite fait, elle va crever de faim. Elle sait pas qu'à La Havane, il faut apprendre à marcher dans le feu sans se brûler. »

7

Je me réveille avec une gueule de bois comme trois paires de couilles. Juan del Río, un ami diplomate, m'a invité la veille à un dîner aphrodisiaque. Je l'ai corrigé :

« A Cuba, ce sera plutôt un dîner lezamesque.

– Qu'est-ce que c'est que ça ?

– Ça vient de Lezama. L'écrivain. Pantagruélique. Tropical jusqu'au baroque.

– Non, c'est tout le contraire. Minimaliste mais explosif. »

J'y suis allé. Il m'avait avoué que lui et son partner, un Noir immense, karatéka et judoka dans je ne veux plus savoir quel club, se masturbaient ensemble en lisant certains passages de la *Trilogie sale de La Havane*, dans l'édition brésilienne.

« Pourquoi en portugais ?

– C'est bien plus sensuel. Ça n'a pas d'os, comme disait Pessoa. »

Je doute fort que le karatéka ait pu faire la distinction entre les langues avec os ou sans mais c'est pour dire le raffiné qu'il est, ce diplomate. Et il adorait son compagnon, surtout parce que celui-ci pouvait le pénétrer tranquillement tout en regardant la télé. Ça, Juan del Río, ça le transportait :

« Personne ne m'a humilié à ce point ! Il est génial, ce

nègre ! Il peut me sodomiser une demi-heure sans venir, sans même me regarder ! Il bouge comme un automate, en avant, en arrière, fasciné par la télé. Ce qu'il aime par-dessus tout, ce sont les films de Bruce Lee, et Speedy Gonzalez ou Bugs Bunny. »

Le dîner se composait exclusivement de fruits de mer à peine cuits à la vapeur et saupoudrés de fines herbes. La sauce piquante et les vins coulaient à flots. En dessert, ils ont servi un gâteau de mandragore et de ginseng, un fromage mexicain truffé de piments forts et de peyotls, et de la marijuana hollandaise génétiquement manipulée pour quadrupler ses effets. J'ai fumé un vague cigare en même temps que cette dope tellement post-moderne. Avec les cerises au cognac et les peyotls en plus, j'ai dû me retenir pour ne pas me lancer dans un strip-tease mais enfin, j'ai été capable de surmonter ma vocation d'exhibitionniste. On était huit ou dix, dont une romancière espagnole quinqua ou sexagénaire, venue là avec son gigolo de vingt ans. Aussi pétée que moi, ou plus. J'ai parlé, on a parlé et ma mémoire a commencé à flancher. A un moment, je sais que Juan del Río est devenu agressif avec moi. Il m'a attrapé par les couilles mais je lui ai repoussé la main.

« Attention, tu es en territoire ennemi, là.

– Ah, mon sucre, dans tes livres tu es un grand méchant loup mais dans la vraie vie je te vois un petit mouton.

– Oui, petit mouton tout ce que tu veux mais lâche-moi la grappe. Ton colosse noir, il te suffit pas ? »

J'ai à nouveau parlé un moment à la romancière. Le dernier souvenir que j'ai, c'est quand le diplomate lui a demandé :

« Qu'est-ce qu'il raconte, Pedro Juan ? Pourquoi il cause tout bas ? »

Et elle, la langue pâteuse :

« C'est confidentiel. Privé. Il me dit qu'il s'occupe bien de sa queue. Qu'il lui fait prendre le soleil tous les jours sur sa terrasse. »

Et le diplomate, enthousiasmé :

« Oh, Pedro Juan, invite-nous là-haut. Le spectacle que ça doit être ! »

Après, c'est le trou noir. Je ne sais même pas qui m'a ramené chez moi et m'a traîné dans les escaliers, ni comment j'ai ouvert la porte et je me suis retrouvé sur mon lit. Je pense que personne ne m'a violé, en tout cas. Je me suis réveillé à deux heures de l'après-midi avec un sabre qui me fouillait le cerveau. Je me suis juré de ne plus jamais toucher à l'hollandaise. La seule que je supporte bien, depuis toujours, c'est celle de chez nous, de Baracoa. J'avais atrocement soif. J'ai réussi à me lever. J'ai cherché de l'aspirine, j'ai fait du café et j'ai appelé Gloria.

Elle arrive tout de suite. Elle me rapporte le fouet, qu'elle gardait chez elle depuis des semaines :

« Tiens, papi, reprends-le.

– Mais quoi ? Qu'est-ce que tu faisais avec ?

– Rien. Je dormais avec, entre les jambes. »

Elle reste silencieuse pendant que je termine ma tasse.

« Tu es bien énigmatique, aujourd'hui ?

– C'est quoi ?

– Euh... Mystérieuse.

– Non, je le suis pas, non.

– Triste, alors.

– Oui.

– Pourquoi ?

– Ça m'arrive, des fois.

– Comme ça, sans raison ?

– Quand je pense trop. J'aime pas penser. Ça me rend triste et ça me donne envie de pleurer.

– Si tu pleures, c'est parce que quelque chose te fait souffrir.

– Toi et mon père.

– Hein ?

– Mon père est resté au Mexique. Il y a quatre ans.

– Mais tu ne m'as jamais rien dit là-dessus.

– Pour quoi faire ? Tu l'as jamais connu, en plus. Musicien, il est. Hier, il a eu soixante-cinq ans. Et je sais qu'il va pas bien.

– Il t'a écrit ?

– Non. Je le sais. La Gitane me dit tout à l'oreille. En une semaine, elle me l'a rapporté deux fois.

– Et tu veux aller le rejoindre.

– Il a pas d'argent pour me faire venir ni rien. Tous les mois, il nous envoie trente dollars, quarante. C'est tout. Je sais qu'il gratte la terre.

– Aaah.

– C'est ça le problème, mon beau. Lui d'un côté, toi de l'autre. Et le fils... Non, non, non, je peux pas penser autant, je deviens folle ! Les trois hommes de ma vie ! Un de sept ans, l'autre de cinquante, l'autre de soixante-cinq.

– Prends un café et laisse filer, Gloria.

– Oui. Trop penser, ça résoud rien. »

Sur la terrasse, j'ai un aloès en pot. J'en coupe quelques feuilles.

« Et le tatouage me fait mal, aussi.

– Encore ?

– Ça fait quatre jours, pas plus.

– Non. Plus.

– Ah oui ? Je sais pas, j'ai perdu le compte. Mais j'ai mal.

J'ai trouvé un peu de pommade antibiotique mais le tube est fini.

– Viens que je te soigne. »

Je prépare une crème à base d'aloès et de camomille, je lui explique comment s'en servir, je la caresse, je l'embrasse, je la berce un peu. Elle ronronne comme une chatte :

« Tu es le premier homme tendre de ma vie.

– Moi, tendre ?

– On m'avait jamais écrit de poème, avant, ni offert des fleurs, ni... rien.

– Je ne peux pas y croire.

– Non, même pas le père de mon fils. Et pourtant on était mariés et on a été ensemble trois années. Rien. Il m'allongeait sur le dos, il me la mettait dans le con et dans le cul, et terminé. Tic, tac. C'est ça qui lui plaisait. Il jouissait en deux minutes et hop, on passe à autre chose. Ah, je te le dis, moi : tous des animaux.

– Mais vous avez été heureux.

– Oui, mais il était pas délicat comme toi, qui me baises tout doux, gentiment, qui me pisses dans la figure, qui me fouettes, qui me craches dans la bouche.

– Tu aimes tant que ça, le fouet ?

– Ah, tu sais frapper, papi. C'est à se damner. Tu sais ce que tu fais. »

Je reste à la regarder en silence. Elle me plaît terriblement et je l'aime, je l'aime. Le début de ce poème que je lui ai envoyé me revient. Je le lui murmure à l'oreille :

« Je suis le vampire qui suce ton sang chaque jour.

– Ah, c'est trop beau ! Continue.

– Je ne me rappelle pas la suite.

– Mais c'est toi qui l'as écrit !

– J'oublie tout ce que j'écris.

– C'est un poème de zinzin. Mon mignon, fais attention, parce que si tu continues à écrire comme ça tu vas devenir fou à lier.

– J'ai déjà pété les plombs une fois. Ça ne m'étonnerait pas que ça se reproduise.

– Bon, en attendant continue à me caresser et à m'offrir des bouquets. Autrement, quand tu tournes *crazy*, tu m'achètes des fleurs et tu te les manges au lieu de me les donner.

– Ah, ah, ah !

– Si, si. Il faut que je profite de tout ça maintenant.

– Tu as manqué de tendresse, Gloria. Et tu es tombée sur les années les plus merdiques, avec la faim et tout.

– Il faut que je surmonte le dégoût que j'ai des touristes parce que...

– Ah, ah, ah ! La chèvre veut retourner dans la montagne. Oui, tu as tiré dix années dures dures.

– Pas dix, non. Trente. Toute ma vie ! Rappelle-toi que je suis née dans une maison communautaire de Laguna. Papa avec sa musique, ses cuites et ses femmes, maman dans son coin, mes frères à se cogner dans la rue... Aaah, à quoi ça sert de parler de ça ? J'aime pas régler les comptes mais si tu écris la vérité vraie dans ton *Cœur gros comme ça*, personne y croira.

– Mais c'est ce qui faut, parce qu'elle est sans fin, la crise qu'on a.

– Oui, et alors, de l'avant ! Ce qui nous revient, à nous autres, c'est de se gagner les pesos un par un, jour après jour. C'est ça qui a pas de fin.

– Je ne crois pas, non.

– Pourquoi ?

– J'illumine ceux qui s'approchent de moi.

– Ah oui ? Tu es un saint ?

– Il y a un des petits Pedro en moi qui en est un, oui.

– Et l'autre est un diable. C'est celui que j'ai récolté, moi.

– Tu les as tous récoltés. Je te l'ai toujours dit : en moi, j'ai un démon, un vampire, un fils de pute, un Africain noir, un sage indien, une femme, une bête sauvage, un fou, un destructeur, un illuminé, un...

– D'accord, d'accord. »

Je pose ma main sur sa moule et je la masse un peu. On s'échauffe. J'ai toujours le fouet près de moi. Je la caresse avec la lanière :

« Viens vivre avec moi. Je vais te subjuguer, salope.

– Soumettre. Parle correctement. Ces livres que tu écris, ce doit être une catastrophe.

– Ils me corrigent, après.

– Tu veux que je prenne les talons hauts et les bas noirs ?

– Oui.

– Attends-moi. Je reviens en deux minutes. »

Elle descend chercher ces accessoires chez elle, réapparaît et commence son petit show.

« Ça, ça rend dingues tous les hommes, papi. Comment qu'ils paient pour me voir comme ça ! J'ai eu un Espingouin qui me rapportait les bas et les petites culottes noires par douzaines. Il disait...

– Laisse tomber l'Espingouin et arrête tes conneries. Tiens, mate comment tu m'as mis la queue.

– Ah, papi, mais c'est quoi ? Si tes veines se gonflent comme ça, elle va... Oui, vas-y, à fond ! C'est vrai que tu as un nègre en toi, salaud ! On me trompe pas, moi. Oui que tu en as un, et comment ! »

Je lui en donne un bon moment. Je lui crache dans la figure et je la fouette un peu, avec un ceinturon en grosse toile vert olive que je garde de l'armée. C'est ce qu'elle préfère, parce que ça brûle plus.

« Oh oui, avec celui-là, avec le vert militaire, papi ! Sur les fesses !

– Tu veux le fouet ?

– Ça m'est égal, du moment que tu l'enfonces encore. Allez, plus fort ! »

On joue comme ça des heures. Je lui embrasse les pieds, le cul, l'âme. Je l'adore.

« Ne va plus cavaler, Gloria. Je te veux rien que pour moi.

– Je fais ce que tu me dis, papi.

– Si on est vraiment dans la merde, il faudra que tu te battes, oui.

– Je ferai ce que tu veux, mon beau, mais défonce-moi ! Attache-moi ! »

J'avais deux bouts de corde dans la main. On a bien rigolé. Ça m'a complètement guéri la gueule de bois.

Je la laisse somnoler et je descends chercher du rhum, deux ou trois cigares. Dans la boutique, je tombe sur un vieil ami de Guanabacoa. On a travaillé ensemble au kiosque de Dinorah, après la rivière, à râper de la canne à sucre. Compagnons de galère, quoi. Ensuite, je me suis retrouvé dans la même cellule d'un pote à lui, Basilio. Ils étaient voleurs de chevaux, tous les deux.

– Hé, Jésus, qu'est-ce que tu fais par ici ?

– Pedro Juan, con, comment ça boume ? Oh, moi, je me promène, juste. Je cherche à permuter dans le centre et il me plaît bien, ce quartier.

– Tiens ! Et moi qui veux partir !

– Ah bon ?

– Oui.

– Comment c'est, chez toi ? »

Enfin. Incroyable mais vrai. En général, changer de logement, ici, cela représente des années de recherches, de complications, de démarches. Nous, nous avons réglé ça en quatre jours. Il est venu s'installer dans mon perchoir tout content et moi je suis parti dans sa maison à la campagme. Petite mais très bien. Avec des manguiers, des avocatiers, des orangers et les cages à serpents. Il les élevait pour les vendre aux étrangers, ou aux santeros pour la sorcellerie. Des majás mais Jésus, il les appelait des serpents, tout simplement. Il m'a aussi laissé un chien de garde énorme, une escouade de chats pour chasser les rats, et une vache. En échange, je lui ai donné un magnéto double lecteur et la collection complète de Mark Anthony et de Juan Luis Guerra. Indispensables, sur cette terrasse.

Après toute une vie passée au centre-ville, j'ai un peu de mal à m'habituer au silence, au vent qui vient de la mer. Entre les collines, au loin, on voit Bacuranao et Guanabo. Un endroit reposant, trop tranquille. Tout a été tellement rapide, tellement surprenant... Il me faut du temps pour me faire à la sérénité. Les voisins les plus proches sont à deux cents mètres. Un vieux et une vieille à moitié sourds. Ils cultivent des fleurs et du maïs.

Gloria n'a pas pu m'aider à déménager. Prévenue par une amie, elle a filé comme une dératée vers le quartier du port. C'était plein de marins d'un navire-école arrivé de je ne sais plus où. Ils voulaient du rhum, des putes et des cigares de marque. Dans cet ordre, et le tout en quantités industrielles. Gloria s'est plongée trois jours entiers dans le business. J'avais laissé ma nouvelle adresse à la maison. Finalement, elle refait son apparition, jubilante :

« Hé, mon ange, regarde ! Deux cents dollars ! Plus tout ce que j'ai laissé à la maison !

– Je t'ai dit que tu pouvais y aller un peu, pas trois jours ! Et les Yankees, alors, ils te dégoûtent plus ?

– Oh que si ! Mais le premier, il m'a offert cent. C'était tentant, non ? J'ai pris, je lui ai passé la capote et j'ai fermé les yeux. Le boulot c'est le boulot, papi ! En fin de compte, je m'en suis tapé trois... Non, quatre. Trois cents sacs, plus tous les cadeaux. Ce sont des seigneurs.

– Tu es irrécupérable. Tu ne changeras jamais.

– Mais si. Ça a été une tentation, je t'ai dit. Et puis te plains pas, hein ? On a deux mois assurés, avec cet argent. Encloque-moi, papi ! Je te l'ai demandé cinquante fois. Engrosse-moi et contrôle-moi d'une main de fer. Je veux être avec toi, papi, toute tranquille avec toi.

– Bon, je te préviens : si tu fais ta fière, je te boucle dans une cage avec les serpents.

– Aïe, non, mon beau ! Je serai gentille, me fais pas ça. Allez, on va se monter une affaire ? Achète deux vaches de plus et on vend le lait.

– Tu sais traire ?

– Non, mais j'apprends ! C'est pareil que de faire une branlette à un nain.

– Oui. Bon, on verra. Peut-être que ce serait plus rentable de continuer avec les serpents, comme Jésus.

– Ah, mon doudou, à propos de serpents... La fois avec les bas et les talons hauts ?

– Ça a été coitus interruptus.

– Quoi ?

– On a arrêté sans finir.

– Alors allons-y, continuons de suite. Et ici, je peux crier et gémir tout ce que je veux avec ta pine. Y a pas du tout de voisins ?

– Un couple de vieux pratiquement sourds, par là.

– Aaah, quel bonheur ! Comme j'aime quand ta pine me fait crier ! »

Et on y va, en effet. Je ne sais pas si je vais la mettre enceinte, avoir deux ou trois enfants avec elle. Je ne sais pas s'ils vont m'installer le téléphone, non plus. Comme je ne vois ni câbles ni poteaux dans le coin, j'ai l'impression que je suis niqué. Ce qu'il y a de bien, c'est que la Suédoise a perdu ma trace, comme ça. Plus haut dans la montagne, vers Campo Florida, il y a deux endroits à combats de coqs, clandestins mais sans problèmes. On trouve du rhum pas cher, des cigares à un peso. Que demander de plus ? Je ne veux pas d'ordinateur, ni d'e-mails, ni d'Internet, ni qu'on me fasse encore chier. Qu'ils me laissent en paix, c'est tout. A cet instant, j'ai mes fils et mes hameçons prêts pour une partie de pêche. D'où je suis, je vois des récifs magnifiques, la mer toute calme. Gloria veut m'accompagner. Encore mieux. On pourra continuer à parler de sa vie, comme ça. Qui sait si je me déciderai un jour à l'écrire enfin, ce livre. Pour le moment, je ne me risque même pas à commencer. Je n'ai pas la moindre idée, mais pas la moindre, de comment il pourrait se terminer.

DU MÊME AUTEUR

Aux Éditions Albin Michel

TRILOGIE SALE DE LA HAVANE

« LES GRANDES TRADUCTIONS »
(dernières parutions)

ALESSANDRO BARICCO
Châteaux de la colère
(Prix Médicis Etranger, 1995)
Soie
Océan mer
City
traduits de l'italien par Françoise Brun

ERICO VERISSIMO
Le Temps et le Vent
Le Portrait de Rodrigo Cambará
traduits du portugais (Brésil) par André Rougon

JOÃÓ GUIMĀRÃES ROSA
Sagarana
Mon oncle le jaguar
traduits du portugais (Brésil) par Jacques Thiériot

WALTER MOSLEY
La Musique du diable
traduit de l'anglais (Etats-Unis) par Bernard Cohen

JAMAICA KINCAID
Autobiographie de ma mère
Lucy
traduits de l'anglais (Etats-Unis) par Dominique Peters

CHRISTOPH RANSMAYR
Le Syndrome de Kitahara
traduit de l'allemand par Bernard Kreiss

DAVID MALOUF
Dernière Conversation dans la nuit
traduit de l'anglais (Australie) par Robert Pépin

MOACYR SCLIAR
Sa Majesté des Indiens
traduit du portugais (Brésil) par Séverine Rosset

ANDREW MILLER
L'Homme sans douleur
Casanova amoureux
Oxygène
traduits de l'anglais par Hugues Leroy

ROD JONES
Images de la nuit
traduit de l'anglais par Hugues Leroy

ANTONIO SOLER
Les Héros de la frontière
Les Danseuses mortes
traduits de l'espagnol par Françoise Rosset

BESNIK MUSTAFAJ
Le Vide
traduit de l'albanais par Elisabeth Chabuel

DERMOT BOLGER
La Musique du père
traduit de l'anglais (Irlande) par Marie-Lise Marlière

ABDELKADER BENALI
Noces à la mer
traduit du néerlandais par Caroline Auchard

MORDECAI RICHLER
Le Monde de Barney
traduit de l'anglais (Canada) par Bernard Cohen

FRANCESCA SANVITALE
Séparations
traduit de l'italien par Françoise Brun

STEVEN MILLHAUSER

Martin Dressler. Le roman d'un rêveur américain
(Prix Pulitzer, 1997)
Nuit enchantée
traduits de l'anglais (Etats-Unis) par Françoise Cartano
La Vie trop brève d'Edwin Mulhouse, écrivain américain, 1943-1954, racontée par Jeffrey Cartwright
Prix Médicis Etranger, 1975
traduit de l'anglais (Etats-Unis) par Didier Coste

MIA COUTO

La Véranda au frangipanier
traduit du portugais (Mozambique) par Maryvonne Lapouge-Pettorelli

GOFFREDO PARISE

L'Odeur du sang
traduit de l'italien par Philippe Di Meo

MOSES ISEGAWA

Chroniques abyssiniennes
traduit du néerlandais par Anita Concas

YASUNARI KAWABATA / YUKIO MISHIMA

Correspondance
traduit du japonais par Dominique Palmé

JUDITH HERMANN

Maison d'été, plus tard
traduit de l'allemand par Dominique Autrand

JOHN VON DUFFEL

De l'eau
traduit de l'allemand par Nicole Casanova

PEDRO JUAN GUTIERREZ

Trilogie sale de La Havane
traduit de l'espagnol (Cuba) par Bernard Cohen

TOM FRANKLIN
Braconniers
traduit de l'anglais (Etats-Unis) par François Lasquin

SÁNDOR MÁRAI
Les Braises
traduit du hongrois par Marcelle et Georges Régnier
L'Héritage d'Esther
Divorce à Buda
traduits du hongrois par Georges Kassai et Zéno Bianu

V.S. NAIPAUL
Guérilleros
Dans un Etat libre
traduits de l'anglais par Annie Saumont
A la courbe du fleuve
traduit de l'anglais par Gérard Clarence

JENNY ERPENBECK
L'Enfant sans âge
traduit de l'allemand par Bernard Kreiss

ANDREW SOLOMON
Le Vaisseau de pierre
traduit de l'anglais (Etats-Unis) par Françoise du Sorbier

GEORG HERMANN
Henriette Jacoby
traduit de l'allemand par Serge Niémetz

AHLAM MOSTEGHANEMI
Mémoires de la chair
traduit de l'arabe par Mohamed Mokeddem

Cet ouvrage, composé
par I.G.S. - Charente Photogravure
à L'Isle-d'Espagnac,
a été achevé d'imprimer sur Roto-Page
par l'Imprimerie Floch à Mayenne,
pour les Éditions Albin Michel
en octobre 2002.

N° d'édition : 21024.
N° d'impression : 55354.
Dépôt légal : novembre 2002.
Imprimé en France.